KAREN CLEVELAND

WAHRHEIT GEGEN WAHRHEIT

THRILLER

Aus dem Amerikanischen
von Stefanie Retterbush

btb

Die Originalausgabe erschien im Januar 2018
unter dem Titel »Need to Know« bei Ballantine Books, New York.

Verlagsgruppe Random House FSC® N001967

1. Auflage
Deutsche Erstveröffentlichung Mai 2018
btb Verlag in der Verlagsgruppe Random House GmbH

Neumarkter Str. 28, 81673 München
Covergestaltung: Carlos Beltrán
Covermotiv: Katya Evdokimova/Millenium Images, UK
Satz: Uhl + Massopust, Aalen
Druck und Einband: CPI books GmbH, Leck
Klü · Herstellung: sc
Printed in Germany
ISBN 978-3-442-71674-6

www.btb-verlag.de
www.facebook.com/btbverlag

Für B. J. W.

»Wenn man liebt, täuscht man immer erst sich selbst und dann andere. Das nennt alle Welt dann eine Romanze.«

Oscar Wilde

Ich stehe in der Tür zum Zimmer der Zwillinge und sehe ihnen beim Schlafen zu. Friedlich und unschuldig liegen sie da und schlummern. Wie sie da hinter den Gitterstäben ihrer Bettchen liegen, erinnert mich das irgendwie an eine Gefängniszelle.

Ein Nachtlicht taucht das ganze Zimmer in einen warmen orangeroten Schein. Der kleine Raum ist vollgestellt mit Möbeln. Viel mehr, als eigentlich hineinpassen. Zwei Babybetten. Ein altes, ein neues. Ein Wickeltisch, darauf ein Stapel Windeln, noch in der Plastikverpackung. Das Bücherregal, das Matt und ich damals zusammengebaut haben. Jahre ist das inzwischen her. Die Regalbretter biegen sich unter all den Kinderbüchern, die ich längst auswendig kann, so oft habe ich sie meinen beiden Großen schon vorgelesen. Und eigentlich habe ich mir vorgenommen, sie auch den Zwillingen noch öfter vorzulesen. Aber dazu fehlt mir einfach die Zeit.

Hinter mir Schritte auf der Treppe. Matt, der nach oben kommt. Meine Hand schließt sich um den USB-Stick. So fest, als würde er, wenn ich nur lange genug zudrücke, einfach verschwinden. Sich in Luft auflösen. Als wäre dann wieder alles wie vorher. Die vergangenen Tage wären ausgelöscht. Nichts als ein böser Traum. Aber er ist immer noch da: hart, unkaputtbar, echt.

Die Dielen knarzen, wie sie immer knarzen. Ich drehe mich

nicht um. Er tritt hinter mich. So dicht, dass ich die Seife rieche, die er immer benutzt. Das Shampoo. *Ihn.* Diesen Duft, der sonst so seltsam tröstlich war und ihn mir jetzt kurioserweise noch fremder macht. Ich spüre sein Zögern.

»Können wir reden?«, fragt er. Ganz leise.

Aber es reicht, dass Chase sich rührt. Er seufzt im Schlaf, dann wird er wieder ruhig. Zusammengeringelt wie ein Tausendfüßler liegt er da, als müsse er sich vor der feindlichen Welt schützen. Ich habe immer schon gedacht, dass er seinem Vater sehr ähnlich ist. Mit diesen wachen ernsten Augen, denen nichts entgeht. Jetzt frage ich mich, ob ich ihn je wirklich kennen werde. Ob die Last der Geheimnisse, die er wird tragen müssen, womöglich so schwer wiegt, dass sie jeden, der ihm nahekommt, erdrückt.

»Was gibt es da zu sagen?«

Er kommt noch einen Schritt näher, legt mir eine Hand auf den Arm. Ich rücke von ihm ab. Gerade genug, um ihn abzuschütteln. Seine Hand verharrt einen Moment in der Luft, dann lässt er sie fallen.

»Was willst du jetzt machen?«, fragt er.

Mein Blick geht zu dem anderen Bettchen. Zu Caleb, der in seinem einteiligen Strampler auf dem Rücken liegt. Blonde Engelslöckchen, Arme und Beine ausgebreitet wie ein Seestern. Die Hände offen, die rosaroten Lippen genauso. Er weiß noch nichts von der Grausamkeit der Welt. Davon, wie unbarmherzig sie sein kann. Und wie sie ganz sicher zu ihm sein wird.

Ich habe immer geschworen, ihn zu beschützen. Dafür zu sorgen, dass er alle Chancen bekommt. Dass sein Leben so normal wie möglich verläuft. Aber wie soll ich für ihn sorgen, wenn ich nicht da bin?

Für meine Kinder würde ich alles tun. Einfach *alles.* Ich öffne die Hand, und mein Blick geht zu dem USB-Stick. Diesem kleinen, unscheinbaren, nichtssagenden rechteckigen Stück Plastik.

So klein und doch so gefährlich. Er könnte alles richten oder alles zerstören.

Wie eine Lüge, wenn man so darüber nachdenkt.

Ich schaue meinen Mann an. Diesen Menschen, den ich so gut kenne und der mir so fremd ist. »Du weißt, dass ich keine Wahl habe.«

Zwei Tage zuvor

1

»Schlechte Nachrichten, Viv.«

Matts Stimme durchs Telefon. Worte, die wohl jeder fürchtet. Doch er klingt unaufgeregt. Unbeschwert fast, und ein wenig entschuldigend. Es muss etwas Unangenehmes, aber nicht allzu Schlimmes sein. Etwas, das wir schon irgendwie hinkriegen. Wäre es etwas wirklich Schlimmes, würde er viel ernster klingen. Er würde in ganzen Sätzen reden, mich mit meinem vollen Namen ansprechen. *Ich habe schlechte Nachrichten, Vivian.*

Ich klemme mir mit der Schulter den Telefonhörer unters Kinn und drehe mich samt Stuhl zur anderen Seite meines L-förmigen Schreibtischs, wo der Computer steht. Ziehe den Mausanzeiger zum Eulen-Symbol auf dem Bildschirm und doppelklicke darauf. Wenn es das ist, was ich denke, dass es ist – eigentlich weiß ich es –, dann bleibt mir nicht mehr allzu viel Zeit hier am Schreibtisch.

»Ella?«, frage ich. Mein Blick geht zu einem der Wachsmalbilder, die mit Reißzwecken an die hohen Trennwände meines Arbeitsplatzes gepinnt sind. Ein kleiner Farbklecks in einem Meer von Grau.

»38,3.«

Ich schließe die Augen und atme tief durch. Eigentlich hatten wir ja schon damit gerechnet. Die halbe Gruppe war krank. Sie fallen um wie die Dominosteine. Einer nach dem anderen. Es war also nur eine Frage der Zeit. Vierjährige sind nun mal nicht unbedingt die Reinlichsten. Aber gerade heute? Musste es ausgerechnet heute sein?

»Sonst noch was?«

»Nur erhöhte Temperatur.« Er unterbricht sich. »Tut mir leid, Viv. Als ich sie hingebracht habe, war noch alles in Ordnung.«

Ich schlucke gegen den Kloß im Hals an und nicke, obwohl er das ja nicht sehen kann. Wäre das an einem anderen Tag passiert, hätte er sie abholen können. Er arbeitet von zu Hause aus, zumindest theoretisch. Das kann ich in meinem Job leider nicht. Und meinen Jahresurlaub habe ich schon bei der Geburt der Zwillinge aufgebraucht. Heute aber ist Matt mit Caleb in der Stadt, zur vorerst letzten einer ganzen Reihe von medizinischen Untersuchungen. Seit Wochen schon habe ich ein schlechtes Gewissen, weil ich nicht dabei sein kann. Und jetzt bin ich nicht dabei und muss *trotzdem* einen Tag freinehmen. Obwohl ich überhaupt keine Urlaubstage mehr habe.

»Bin in einer Stunde da«, entgegne ich mechanisch. Laut Regeln der Kita haben wir ab dem Zeitpunkt der Benachrichtigung genau eine Stunde Zeit, unser Kind abzuholen. Wenn ich die Fahrt einrechne und den Weg zum Auto – das ganz hinten auf dem weitläufigen Parkplatz hier in Langley steht –, bleibt mir jetzt noch knapp eine Viertelstunde, um alles Wichtige zu erledigen und dann für heute Schluss zu machen. Macht eine Viertelstunde weniger auf meinem Negativkonto.

Ich schaue auf die Uhr in der Ecke meines Bildschirms – sieben nach zehn –, dann wandert mein Blick zu dem Starbucks-Becher neben meinem rechten Ellbogen. Heißer Dampf schlängelt sich durch die kleine Trinköffnung im Plastikdeckel. Den Kaffee habe ich mir heute ausnahmsweise gegönnt. Ein kleines Extra in vorfreudiger Erwartung dieses langersehnten Tages. Nervennahrung für die anstrengende Arbeitszeit. Kostbare Minuten habe ich dafür in der Warteschlange vertrödelt, statt mich bereits durch digitale Dateien zu wühlen. Hätte ich mich doch wie sonst auch an die ewig tropfende Kaffeemaschine im Büro gehalten, bei der Pulverreste oben in der Tasse schwimmen!

»Habe ich der Schule schon gesagt«, erwidert Matt. »Die Schule« ist eigentlich die Kita, die unsere drei jüngsten Kinder ganztags besuchen. Aber wir nennen sie, schon seit wir Luke damals mit drei Monaten zum ersten Mal hingebracht haben, »die Schule«. Ich hatte irgendwo gelesen, das könne bei der Umstellung helfen. Mamas schlechtes Gewissen ein bisschen lindern, wenn sie ihr Kleinkind acht, zehn Stunden am Tag in fremde Hände gibt. Hat es zwar nicht. Aber alte Gewohnheiten lassen sich nun mal schwer ändern.

Dann schweigt er, und ich höre Caleb im Hintergrund brabbeln. Ich lausche angestrengt und weiß, dass auch Matt die Ohren spitzt. Inzwischen sind wir darauf konditioniert. Aber es ist nur eine lange Kette unzusammenhängender Vokale. Noch immer keine Konsonanten.

»Ich weiß, heute sollte eigentlich dein großer Tag sein …«, murmelt Matt schließlich und bricht ab. Ich kenne es, dass er so abbricht. Diese vagen, nichtssagenden Unterhaltungen auf meiner unverschlüsselten Leitung. Weil ich immer fürchte, es könnte jemand mithören. Die Russen. Die Chinesen. Wer weiß. Das ist auch einer der Gründe, warum die Kita immer zuerst Matt anruft, wenn es irgendwas zu besprechen gibt. Mir ist es lieber, einige Details aus dem Leben unserer Kinder herauszufiltern, ehe sie potenziellen Gegenspielern zu Ohren kommen.

Nennen Sie mich ruhig paranoid. Als CIA-Spionageabwehranalystin wird man das.

Wobei das auch schon alles ist, was Matt über meinen Beruf weiß. Nicht, dass ich bisher vergebens versuche, ein Agentennetzwerk russischer Schläfer zu enttarnen. Oder eine Methode entwickelt hätte, um Personen zu identifizieren, die an streng geheimen Regierungsprogrammen beteiligt sind. Nur, dass ich schon seit Monaten auf diesen Tag hinarbeite. Dass ich nun endlich erfahren werde, ob sich zwei Jahre harter Arbeit auszahlen. Und ob sich damit vielleicht die Chance auf die langersehnte Beförderung auftut, die wir dringend brauchen könnten.

»Tja, na ja«, brumme ich, bewege die Maus hin und her und sehe zu, wie der Mausanzeiger sich in eine Eieruhr verwandelt, als Athena anfängt zu laden. »Calebs Termin ist heute das Wichtigste.«

Mein Blick geht wieder zu der Trennwand mit den Wachsmalbildern. Eins ist von Ella, ein Bild unserer ganzen Familie: strichdünne Streichholzarme und -beine, die aus sechs fröhlichen kugelrunden Gesichtern ragen. Und eins ist von Luke. Schon etwas realistischer, nur eine Person, dicke krakelige Striche, die Haaren, Kleidung und Schuhen Farbe geben. *Mommy*, steht in fetten Druckbuchstaben darunter. Das ist aus seiner Superheldenphase. Das auf dem Bild soll ich sein. Mit Cape, die Hände in die Hüften gestemmt, ein großes »S« auf dem Shirt. Supermami.

Da ist wieder das altbekannte Gefühl in der Brust. Dieser Druck. Dieser überwältigende Drang, einfach in Tränen auszubrechen. *Tief durchatmen, Viv. Tief durchatmen.*

»Malediven?«, meint Matt, und trotz allem will sich der Anflug eines Lächelns auf meine Lippen stehlen. Immer macht er das. Immer schafft er es, mich zum Lachen zu bringen, auch wenn mir gerade nach Weinen zumute ist. Ich schaue auf das Foto von uns beiden, das seitlich auf dem Schreibtisch steht. Mein Lieblingsbild von unserer Hochzeit. Fast zehn Jahre ist das jetzt her. Wir waren beide so glücklich, so *jung*. Wir haben uns immer ausgemalt, unseren zehnten Hochzeitstag an einem ganz exotischen Ort zu verbringen. Daran ist längst nicht mehr zu denken. Aber man darf ja wohl ein bisschen träumen. Träume sind schön. Schön und deprimierend.

»Bora Bora«, erwidere ich.

»Damit könnte ich leben.« Er zögert, und im Hintergrund ist Caleb zu hören. Wieder stößt er langgezogene Vokale aus. *Aah-aah-aah*. Ich überschlage kurz, wie lange Chase jetzt schon Konsonanten kann. Ich weiß, das sollte ich lieber lassen – die Ärzte sagen, man soll das nicht machen –, aber ich mache es trotzdem.

»Bora *Bora*?«, sagt jemand hinter mir gespielt ungläubig. Ich lege die Hand über die Muschel und drehe mich um. Es ist Omar, mein Kollege vom FBI – mein Gegenstück, sozusagen. Amüsiert schaut er mich an. »Das könnte schwer zu erklären sein, selbst für die CIA.« Er grinst von einem Ohr zum anderen. Ansteckend wie immer. Als ich das sehe, muss ich auch lächeln.

»Was machst du hier?«, frage ich, die Hand noch immer über der Sprechmuschel. Am anderen Ende brabbelt Caleb mir ins Ohr. Diesmal *ooh-ooh-ooh*.

»Meeting mit Peter.« Er tritt einen Schritt näher, hockt sich auf die Schreibtischkante. Durch das T-Shirt zeichnet sich das Holster an seiner Hüfte ab. »Das Timing könnte Zufall gewesen sein. Oder auch nicht.« Er wirft einen Blick auf meinen Bildschirm, und sein Lächeln verblasst unmerklich. »Heute ist doch der große Tag, oder? Um zehn?«

Ich schaue ebenfalls auf den Bildschirm, der schwarz ist. Vor dem dunklen Hintergrund dreht sich noch immer die Eieruhr. »Heute ist der große Tag.« Das Brabbeln in meinem Ohr ist verstummt. Ich rolle mit dem Stuhl beiseite, wende mich ein kleines bisschen ab, weg von Omar, und nehme die Hand vom Hörer. »Liebling, ich muss Schluss machen. Omar ist hier.«

»Grüß ihn von mir«, sagt Matt.

»Mache ich.«

»Ich liebe dich.«

»Ich dich auch.« Damit lege ich den Hörer auf die Gabel und drehe mich wieder zu Omar um, der noch immer in Jeans auf meinem Schreibtisch hockt, die Beine ausgestreckt und an den Knöcheln überkreuzt. »Matt lässt grüßen«, sage ich.

»Ach so, das ist also die ominöse Bora-Bora-Connection. Plant ihr euren nächsten Urlaub?« Er hat das Hundert-Watt-Strahlen wieder angeknipst.

»In unseren Träumen«, antworte ich mit einem halbherzigen Grinsen. Was so bemitleidenswert klingt, dass ich schlagartig erröte.

Er schaut mich noch einen Moment an, dann senkt er zum Glück den Blick auf sein Handgelenk. »Also gut, es ist jetzt zehn nach zehn.« Er streckt die Beine und kreuzt sie dann anders herum. Dann beugt er sich vor. Die Aufregung ist ihm anzusehen. »Was hast du für mich?«

Omar ist schon viel länger dabei als ich. Mindestens zehn Jahre. Er sucht die eigentlichen Schläfer in den USA, während ich daran arbeite, herauszufinden, wer die Zellen leitet. Keiner von uns beiden war bisher besonders erfolgreich. Woher er seine ungebrochene Begeisterungsfähigkeit nimmt, ist mir ein Rätsel.

»Leider noch nichts. Hab noch gar nicht reingeschaut.« Nickend weise ich auf den Bildschirm, wo das Programm noch immer lädt. Dann geht mein Blick zu dem an die Trennwand gepinnten Schwarz-Weiß-Foto. Juri Jakow. Fleischergesicht, harte Züge. Nur noch ein paar Klicks, dann bin ich in seinem Rechner. Kann sehen, was er sieht, kann mich umschauen, seine Dateien durchstöbern. Und bin hoffentlich in der Lage, zu beweisen, dass er ein russischer Spion ist.

»Wer bist du, und was hast du mit meiner Freundin Vivian gemacht?«, fragt Omar grinsend.

Er hat recht. Hätte ich nicht bei Starbucks in der Schlange gestanden, hätte ich mich um Punkt zehn in das Programm einloggen können. »Ich bin da dran.« Dann weise ich mit dem Kinn zum Telefon. »Aber heute muss das noch mal warten. Ella ist krank. Ich muss sie abholen.«

Theatralisch atmet er aus. »Kinder. Keinen Sinn für Timing.«

Eine Bewegung auf dem Bildschirm lässt mich aufschauen, und ich rolle auf dem Stuhl näher heran. Endlich hat Athena fertig geladen. Überall rote Banner, Worte über Worte, jeder aufpoppende Hinweis eine andere Sicherheitswarnung, jede von einer anderen Abteilung. Je länger die Wortgirlanden, desto geheimer die Informationen. Diese hier sind verdammt lang.

Ich klicke die erste Pop-up-Anzeige weg, dann noch eine. Jeder Klick eine Zustimmung. Ja, ich weiß, dass ich auf hochsensible Informationen zugreife. Ja, ich weiß, dass ich nichts davon weitergeben darf oder auf sehr lange Zeit in den Knast wandere. Ja, ja, ja. Jetzt gebt mir endlich diese verdammten Informationen.

»Wir sind ganz nah dran«, murmelt Omar. Erst da fällt mir wieder ein, dass er da ist. Aus den Augenwinkeln sehe ich zu ihm rüber. Er hat sich abgewendet und schaut angestrengt überallhin, nur nicht auf den Bildschirm, damit ich ungestört arbeiten kann. »Das spüre ich.«

»Na, hoffentlich«, brumme ich. Und das tue ich wirklich. Ich bin nervös. Diese neue, unerprobte Methode ist ein Vabanquespiel. Alles oder nichts. Ich habe für mögliche Agentenbetreuer ein Profil erstellt: Bildungseinrichtungen, Studium und Abschlüsse, Bankverbindungen, Reisen innerhalb Russlands und ins Ausland. Habe einen Algorithmus entwickelt und fünf Leute ausfindig gemacht, die am besten in das Raster passen. Sehr wahrscheinliche Kandidaten.

Die ersten vier haben sich allesamt als Fehlschläge erwiesen. Die Spuren führten ins Nichts. Weshalb jetzt das ganze Programm auf der Kippe steht. Alles steht und fällt mit Juri. Unserer Nummer fünf. Sein Computer war am schwersten zu knacken. Bei ihm hatte ich von Anfang an so ein bestimmtes Gefühl.

»Und wenn nicht«, meint Omar, »hast du zumindest etwas geschafft, das sonst noch niemandem gelungen ist. Du warst ganz nah dran.«

Die Agentenbetreuer ins Visier zu nehmen ist ein ganz neuer Ansatz. Jahrelang hat das FBI versucht, die eigentlichen Schläfer zu identifizieren, aber die sind so gut integriert, dass das beinahe unmöglich ist. Die Zellen sind so ausgelegt, dass sie mit niemand anderem in Kontakt stehen als mit ihrem Betreuer. Und selbst dieser Kontakt ist auf ein absolutes Minimum reduziert. Die CIA ihrerseits hat sich auf die Agentenführer konzentriert. Die Männer, die die Betreuer kontrollieren, die in Moskau, mit der direkten Verbindung zum SWR, dem russischen Auslandsnachrichtendienst.

»Knapp daneben ist auch vorbei«, gebe ich leise zurück. »Das müsstest du doch am besten wissen.«

Als ich mit diesem Projekt angefangen habe, war Omar noch ein junger, knochenharter und ehrgeiziger Agent. Auf seine Initiative hin hatte man eine vollkommen neuartige Herangehensweise ausprobiert, und zwar, Schläfer in den USA einzuladen, »aus der Kälte heim ins Warme zu kommen«; denen, die bereit waren, sich zu stellen, wurde eine Amnestie versprochen. Die Idee dahinter? Es musste doch wenigstens ein paar Schläfer geben, die aus ihrer Tarnung eine echte Identität machen wollten. Vielleicht konnten wir durch sie genügend Informationen sammeln, um das ganze Netzwerk aufzudecken.

Der Plan wurde ohne großen Wirbel implementiert, und siehe da, es dauerte keine Woche, da kam der Erste auch schon hereingeschneit: ein Mann namens Dimitri. Er bezeichnete sich als Agentenbetreuer auf der mittleren Ebene, erzählte uns einiges über das Programm, was mit unseren bisherigen Informationen übereinstimmte – die Betreuer seien für jeweils fünf Schläfer zuständig und einem Agentenführer zugeordnet, der seinerseits für fünf Betreuer zuständig sei. Eine vollkommen autarke, hermetisch abgeschlossene Zelle. Damit hatte er uns. Doch dann kamen die unglaubwürdigen Behauptungen. Informationen, die so gar nicht zu dem passten, was wir bis dahin in Erfahrung gebracht hatten. Und dann war er plötzlich verschwunden. Dimitri, die Luftkarotte, so nannten wir ihn danach. Weil er uns wie einen Esel mit einer in der Luft baumelnden Karotte an der Nase herumgeführt hatte.

Und das war das Ende des gesamten Programms. Öffentlich einzuräumen, dass es in den USA unentdeckte Schläfer gab, und darüber hinaus eingestehen zu müssen, dass wir nicht in der Lage waren, sie aufzuspüren, war für die FBI-Oberen einfach undenkbar. Deshalb und wegen der Gefahr russischer Manipulationen – sie könnten versuchen, Doppelagenten mit falschen Hinweisen bei uns einzuschleusen – geriet der Plan ins Kreuzfeuer der Kritik und wurde schließlich verworfen. *Sonst ertrinken wir in Dimitris*, hieß es. Und damit war Omars eben noch so vielversprechend steile Karriere ins Stocken geraten. Seine Vorgesetzten hatten ihn vergessen, und seitdem rackerte er sich Tag für Tag an einer undankbaren, frustrierenden, unmöglichen Aufgabe ab.

Die Bildschirmanzeige wechselt, und ein kleines Icon mit Juris Namen erscheint. Es gibt mir immer einen Kick, wenn ich sehe, dass ich drin bin; dass jetzt ein Fenster zum digitalen Leben unserer Zielperson offen ist; dass wir Informationen bekommen, die sie selbst für geschützt hält. Wie aufs Stichwort steht Omar auf. Er weiß von dem Programm, von meinen Bemühungen, Juri festzunageln. Er ist einer von nur einer Handvoll FBI-Agenten, die in dieses Programm eingebunden sind – und einer seiner glühendsten Befürworter. Er glaubt felsenfest an meinen Algorithmus. Und an mich. Mehr als jeder andere. Trotzdem hat er selbst keinen Zugriff darauf.

»Du rufst mich morgen an, ja?«, sagt er.

»Worauf du dich verlassen kannst«, erwidere ich. Er dreht sich um, und sobald er mir den Rücken zugekehrt hat und rausgeht, konzentriere ich mich wieder ganz auf den Bildschirm. Ich doppelklicke auf das Icon, und ein rot gerahmtes Fenster mit dem Inhalt von Juris Laptop poppt auf. Ein Inhaltsverzeichnis, das mir alle Dateien von seinem Rechner anzeigt. Ich habe nur ein paar Minuten, bis ich wieder rausmuss, aber es reicht für einen flüchtigen ersten Blick.

Der Hintergrund ist dunkelblau. Davor etwas, das aussieht wie Luft- oder Seifenblasen in verschiedenen Größen und Blautönen. Ordentlich in vier Reihen angeordnete Symbole, die Hälfte davon Ordner. Dateinamen alle in kyrillischen Buchstaben. Die ich zwar erkenne, aber nicht entziffern kann – oder zumindest nicht flüssig lesen. Vor ein paar Jahren habe ich mal einen Russischkurs belegt. Aber dann kam Luke. Es blieb bei dem Versuch und einigen rudimentären Kenntnissen. Ich kenne ein paar Alltagsfloskeln, erkenne einige einfache Wörter, aber das war's auch schon. Für alles andere brauche ich Sprachkundige oder eine Übersetzer-Software.

Ich öffne zuerst ein paar Ordner und dann die Textdokumente darin. Seite um Seite eng geschriebener Texte. Ausschließlich kyrillische Schrift. Was für eine Enttäuschung. Wobei, das ist natürlich Quatsch. Was hatte ich denn erwartet? Dass ein Russe, der in Moskau am Rechner sitzt, Englisch schreibt? Seine Unterlagen auf Englisch führt? »Liste der Undercover-Agenten in den USA.« Ich weiß, dass das, was ich suche, verschlüsselt sein muss. Worauf ich höchstens hoffen kann, ist ein kleiner Hinweis. Irgendeine geschützte Datei, etwas mit offensichtlicher Codierung.

Dadurch, dass es uns in den vergangenen Jahren gelungen ist, auch in hohe Organisationsebenen einzudringen, wissen wir, dass nur die Agentenbetreuer die Namen der Schläfer kennen und dass die Namen elektronisch gespeichert werden. Vor Ort. Nicht in Moskau. Weil der SWR Maulwürfe innerhalb der eigenen Organisation fürchtet. Diese Angst ist so groß, dass sie es lieber riskieren, Schläfer zu verlieren, als die Namen der Agenten in Russland zu speichern. Und wir wissen auch, sollte dem Betreuer etwas zustoßen, würde der Agentenführer die elektronischen Dateien einsehen und Moskau kontaktieren, um einen Dechiffrierschlüssel zu erhalten. Nur ein Baustein des aufwendigen Entschlüsselungsprotokolls. Den Code aus Moskau haben wir. Wir hatten bloß nie etwas zu decodieren.

Das Programm ist wasserdicht. Wir können da nicht eindringen. Wir kennen nicht einmal den wahren Zweck, wenn es denn einen gibt. Vielleicht geht es um pures Datensammeln, vielleicht steckt Übles dahinter. Da aber, wie wir wissen, der Kopf des Programms an Putin persönlich berichtet, neige ich dazu, Letzteres zu vermuten – und das raubt mir den Schlaf.

Ich überfliege das Inhaltsverzeichnis weiter. Mein Blick huscht über jede einzelne Datei, obwohl ich gar nicht so genau weiß, wonach ich suche. Und dann bleibt mein Blick an einem Wort hängen, das ich erkenne. друЗьЯ. *Freunde.* Das letzte Icon in der letzten Reihe. Ein großer gelber Briefumschlag. Ich doppelklicke darauf, und der Ordner öffnet sich. Zum Vorschein kommt eine Liste mit fünf JPG-Dateien, weiter nichts. Das Herz schlägt mir plötzlich bis zum Hals. Fünf. Jeder Betreuer ist für fünf Schläfer zuständig, das wissen wir aus diversen verlässlichen Quellen. Und dann dieser Name. *Freunde.*

Ich klicke auf den ersten Dateinamen. Das Bild öffnet sich. Ein Foto wie ein Passbild. Ein Mann mittleren Alters mit runder Brille. Unscheinbar. Mir wird kribbelig vor Aufregung. Schläfer sind bestens angepasst. Im Grunde fast unsichtbare, vollkommen unauffällige Mitbürger. Das muss einer sein.

Der logische Teil meines Hirns ermahnt mich, nicht gleich völlig auszuflippen. Unsere sämtlichen bisherigen Erkenntnisse deuten darauf hin, dass alle Informationen über die Schläfer verschlüsselt sein müssten. Aber mein Bauchgefühl sagt mir, das hier ist etwas ganz Großes.

Ich öffne das zweite Bild. Eine Frau, orangerote Haare, strahlend blaue Augen, breites Lächeln. Wieder ein Passfoto, wieder eine potenzielle Schläferin. Ich starre sie an. In meinem Kopf nistet sich ein Gedanke ein, den ich zu ignorieren versuche. Aber es gelingt mir nicht. Das sind bloß Fotos. Nichts über ihre Identitäten. Nichts, was der Agentenführer verwenden könnte, um Kontakt aufzunehmen.

Aber trotzdem. *Freunde.* Bilder. Dann ist Juri vielleicht gar nicht der schwer fassbare Agentenbetreuer, den die CIA unbedingt schnappen wollte. Aber womöglich ist er ein Anwerber? Und diese fünf Leute, die müssen irgendwie wichtig sein. Zielpersonen vielleicht?

Ich doppelklicke auf das dritte Foto, und ein Gesicht erscheint auf dem Bildschirm. Wieder wie ein Passfoto, nur diesmal in Großaufnahme. So vertraut, so wenig überraschend – und dann doch wieder. Weil es hier auftaucht, wo es nicht hingehört. Ich blinzele. Einmal. Zweimal. Und mein Gehirn versucht angestrengt, was ich da sehe, in Einklang zu bringen mit dem, *was ich sehe* und was es zu bedeuten hat. Und dann, ich schwöre es, bleibt die Zeit stehen. Eiskalte Finger legen sich um mein Herz und drücken zu, und ich höre nur noch mein Blut in den Ohren rauschen.

Fassungslos starre ich in das Gesicht meines Ehemanns.

Schritte kommen näher. Ich höre sie, sogar durch das Dröhnen in meinen Ohren. Der Nebel in meinem Hirn verdichtet sich schlagartig zu einem Befehl. *Weg damit.* Ich dirigiere den Mausanzeiger auf das »x« in der Ecke des Fotos, klicke darauf, und schon ist Matts Gesicht verschwunden. Einfach so, als sei es nie da gewesen.

Mit wild klopfendem Herzen drehe ich mich um zu dem Geräusch, zur offenen Seite meines Arbeitsplatzes. Es ist Peter. Zielstrebig kommt er auf mich zu. Ob er es gesehen hat? Mein Blick geht wieder zum Bildschirm. Kein Foto, nur der Ordner. Offen, fünf Zeilen. Habe ich das Bild rechtzeitig geschlossen?

Eine hartnäckige kleine Stimme im Hinterkopf fragt, warum das so wichtig ist. Warum ich es unbedingt verstecken will. Das ist Matt. Mein Mann. Sollte ich nicht schon auf dem Weg zur internen Gefahrenabwehr sein und nachfragen, warum in drei Teufels Namen die Russen ein Foto von ihm haben? Tief in meinem Bauch beginnt es zu rumoren, und mir wird übel.

»Meeting?«, fragt Peter, eine Augenbraue bis über den dicken Rahmen seiner Brille hochgezogen. In Slippern und Khakihose mit Bügelfalte und einem Hemd mit Button-Down-Kragen, das etwas zu hochgeschlossen ist, steht er vor mir. Peter, der leitende Analyst des Projekts, ein letztes Fossil aus der Sowjet-Ära und während der vergangenen acht Jahre mein Mentor. Niemand weiß mehr über russische Gegenspionage als er. Still und zurückhaltend, wie er ist, kann man gar nicht anders, als ihn zu respektieren.

Sein Gesicht verrät gar nichts. Vielleicht lässt er sich auch bloß nichts anmerken. Nur diese Frage. Ob ich zum Morgen-Meeting komme. Ich glaube nicht, dass er was gesehen hat.

»Geht nicht«, krächze ich und klinge unnatürlich hoch und schrill. Ich versuche, tiefer zu sprechen, ohne dass meine Stimme zittert. »Ella ist krank. Ich muss sie gleich abholen.«

Er nickt. Legt eigentlich nur ein bisschen den Kopf schief. Er wirkt unbeteiligt, ungerührt. »Dann gute Besserung«, brummt er, dreht sich auf dem Absatz um und geht rüber zum Konferenzraum. Unserem Glasquader. Der würde besser in ein hippes Tech-Start-up passen als ins CIA-Hauptquartier. Ich schaue ihm nach, bis ich mir sicher sein kann, dass er sich nicht noch mal umdreht.

Dann wende ich mich wieder dem Computerbildschirm zu, der inzwischen leer ist. Meine Knie sind weich geworden, mein Atem geht schnell. Matts Gesicht. Auf Juris Rechner. Und mein erster Gedanke: *Weg damit.* Warum nur?

Ich höre die Kollegen zum Konferenzraum gehen. Mein Arbeitsplatz ist der letzte vor dem Glaskasten, weshalb alle auf dem Weg dorthin an meinem Schreibtisch vorbeikommen. Sonst ist es hier immer ganz ruhig. Wie auf einer abgelegenen kleinen Insel in einem endlosen Meer aus Schreibtischzellen. Wenn die Leute nicht gerade zum Konferenzraum pilgern oder in den zutrittsbeschränkten Leseraum gleich dahinter – wo wir Analysten uns einschließen können, um die sensibelsten der sensiblen Akten einzusehen. Die, deren Inhalt so wertvoll ist, so schwer zu ergattern, dass die Russen, wenn sie wüssten, dass wir Zugriff darauf haben, die Quelle mit Sicherheit vernichten würden.

Ich atme tief durch, einmal, dann noch mal, damit mein wild

pochendes Herz sich ein bisschen beruhigt. Als die Schritte näher kommen, drehe ich mich um. Marta ist die Erste. Dann Trey und Helen, nebeneinander, leise in ein Gespräch vertieft. Rafael. Und schließlich Bert, unser Abteilungsleiter, der nicht viel mehr macht, als Akten herumzuschieben. Der heimliche Boss ist Peter. Das weiß hier jeder.

Wir sind das Schläfer-Team. Wir sieben. Ein komischer Haufen eigentlich. Auch, weil wir mit den anderen Teams der Gegenspionage-Zentrale, Unterabteilung Russland, so wenig gemeinsam haben. Die bekommen mehr Informationen, als sie auswerten können. Wir haben so gut wie nichts.

»Kommst du?«, fragt Marta und bleibt vor meinem Schreibtisch stehen, eine Hand an der hohen Trennwand. Sobald sie den Mund aufmacht, weht ein Duft nach Pfefferminz und Mundwasser herüber. Sie hat Tränensäcke, die sie unter einer dicken Schicht Abdeckstift zu verstecken versucht. Einen zu viel gestern Abend, wie es aussieht. Marta ist eine ehemalige Einsatz-Offizierin mit einem ausgeprägten Hang zu Whiskey und melancholisch-weitschweifigen Erzählungen aus der guten alten Zeit da draußen. Einmal hat sie mir gezeigt, wie man mit einer Kreditkarte und einer der Haarnadeln, mit denen ich sonst Ella die Haare für den Ballettunterricht hochstecke und die ich ganz unten aus meiner Handtasche geangelt habe, ein Türschloss knackt.

Ich schüttele den Kopf. »Kind ist krank.«

»Kleine Virenschleudern.«

Sie lässt die Hand sinken und geht weiter. Ich lächele den anderen, die vorbeikommen, zu. *Alles ganz normal hier.* Als alle im Glaskasten verschwunden sind und Bert die Tür hinter sich schließt, wende ich mich wieder dem Bildschirm zu. Ich zittere. Ich schaue auf die Uhr in der Bildschirmecke. Ich hätte vor drei Minuten gehen müssen.

Der Knoten im Bauch will sich nicht lösen. Ich kann doch

jetzt nicht gehen, oder? Aber ich muss. Wenn ich Ella nicht pünktlich abhole, ist das unsere zweite Verwarnung. Nach dreien sind wir raus. Es gibt für jede Gruppe eine ellenlange Warteliste, und sie würden uns, ohne mit der Wimper zu zucken, auf die Straße setzen. Außerdem, was könnte ich denn tun, wenn ich jetzt hierbliebe?

Es gibt nur eine todsichere Methode, um herauszufinden, was das Foto von Matt hier zu suchen hat. Und die ist nicht, weiter ziellos in den Dateien herumzuschnüffeln. Ich schlucke, mein Magen hebt sich, und ich gehe mit dem Mausanzeiger auf das Symbol von Athena, um das Programm zu schließen und den Computer herunterzufahren. Dann nehme ich Handtasche und Mantel und mache mich auf den Weg.

Sie haben versucht, ihn anzuwerben.

Am Auto angekommen, die Finger wie Eiszapfen, der Atem kleine weiße Wattewölkchen, bin ich mir da sicher.

Er wäre nicht der Erste. Die Russen sind im vergangenen Jahr wesentlich aggressiver vorgegangen als je zuvor. Mit Marta hat es angefangen. Eine Frau mit osteuropäischem Akzent hat sie im Sportstudio angesprochen, sie anschließend auf ein paar Drinks bei *O'Neills* eingeladen. Nach etlichen Gläsern hat die Frau dann ganz unverblümt gefragt, ob Marta die »Freundschaft« nicht bei einem kleinen Plausch über die Arbeit vertiefen wolle.

Als Nächster war Trey dran. Vor seinem Coming-out brachte er zu Weihnachtsfeiern und ähnlichen Veranstaltungen immer seinen »Mitbewohner« Marco mit. Eines Tages sah ich ihn, aufgewühlt und leichenblass, hoch zur internen Sicherheit gehen. Später habe ich läuten hören, er habe einen Erpresserbrief in der Post gehabt – Fotos von ihnen beiden in eindeutigen, kompromittierenden Stellungen. Und die Drohung, sie seinen Eltern zuzuschicken, sollte er sich nicht zu einem Treffen bereit erklären.

Der Gedanke, dass die Russen wissen könnten, wer ich bin, ist also gar nicht so weit hergeholt. Und wenn sie das wissen, wäre es ein Kinderspiel für sie, Matts Identität in Erfahrung zu bringen. Und unsere verwundbarste Stelle auszuloten.

Ich drehe den Schlüssel im Zündschloss, und der Corolla keucht erstickt. »Komm schon«, brumme ich und drehe den Schlüssel noch einmal. Stotternd springt der Motor an. Sekunden später trifft mich die eiskalte Luft aus den Lüftungsdüsen wie eine Ohrfeige. Ich drehe den Heizungsknopf auf maximale Wärme, reibe mir die Hände und lege mit sanfter Gewalt den Rückwärtsgang ein. Eigentlich sollte ich warten, bis er ein bisschen warmgelaufen ist, aber die Zeit habe ich nicht. Nie habe ich Zeit.

Der Corolla ist Matts Auto. Den hatte er schon, ehe wir uns kennengelernt haben. Zu behaupten, er pfiffe aus dem letzten Loch, wäre eine schamlose Untertreibung. Mein altes Auto haben wir eingetauscht, als ich mit den Zwillingen schwanger war. Den neuen Wagen, unser Familienauto, fährt Matt, weil meistens er die Kinder herumchauffiert.

Ich fahre wie auf Autopilot. Wie in dichtem Nebel. Je länger ich unterwegs bin, desto fester zieht sich der Knoten in meinem Magen zusammen. Das Schlimmste ist nicht, dass sie Matt ins Visier genommen haben. Sorgen macht mir vor allem dieses Wort. *Freunde*. Lässt das nicht ein gewisses Maß an Komplizenschaft vermuten?

Matt ist Software-Entwickler. Er hat keine Ahnung, wie raffiniert die Russen sind. Wie skrupellos sie sein können. Wie sie schon die allerkleinste Lücke erbarmungslos ausnutzen. Das leiseste Anzeichen, dass jemand gewillt sein könnte, mit ihnen zusammenzuarbeiten. Dass sie dort sofort ansetzen und denjenigen zwingen würden, mehr und mehr und immer mehr für sie zu tun.

Zwei Minuten vor Ablauf der Zeit stehe ich vor der Kita. Beim Hineingehen weht mir ein Schwall warmer Luft entgegen. Die Leiterin, eine Frau mit kantigen Gesichtszügen und permanent missmutiger Miene, schaut vielsagend auf die Uhr und bedenkt mich mit einem strengen Blick. Ich bin mir nicht sicher, ob das heißen soll: *Wieso haben Sie so lange gebraucht?* Oder: *Wenn Sie Ihre Tochter jetzt schon wieder abholen müssen, war sie doch heute Morgen, als Sie sie hergebracht haben, bestimmt auch schon krank.* Im Vorbeigehen lächele ich ihr halbherzig entschuldigend zu, dabei würde ich sie am liebsten anschreien: Was auch immer sie hat, sie muss es sich hier eingefangen haben, Himmel Herrgott noch mal!

Ich laufe den Flur entlang, vorbei an den Kinderbildern an den Wänden – Eisbären aus Handabdrücken und Glitzer-Schneeflocken und Handschuhe in Wasserfarben –, aber in Gedanken bin ich ganz woanders. *Freunde.* Hat er irgendwas gemacht, das sie zu der Annahme verleitet haben könnte, er sei willens, mit ihnen zu kooperieren? Es braucht nur das geringste Anzeichen. Irgendwas, egal was, wo sie einhaken können.

Ich komme zu Ellas Klassenzimmer. Winzige Stühlchen und Spielhäuser und Spielzeugkisten, ein Feuerwerk aus Primärfarben. Ella sitzt auf der anderen Seite des Raums, ganz allein auf einer roten Kindercouch, ein Bilderbuch aufgeschlagen auf dem Schoß. Separiert von den anderen Kindern, wie es scheint. Sie trägt lila Leggings, in denen ich sie noch nie gesehen habe. Vage erinnere ich mich, dass Matt etwas gesagt hat, er sei mit ihr einkaufen gewesen. Klar, muss er ja. Sie wächst schneller aus den Sachen raus, als man sie nachkaufen kann.

Mit ausgebreiteten Armen und einem übertrieben fröhlichen Lächeln im Gesicht gehe ich zu ihr. Sie schaut auf und beäugt mich misstrauisch. »Wo ist Daddy?«

Autsch, das tut weh. Ich versuche, mir nichts anmerken zu

lassen, und lächele tapfer weiter. »Daddy ist mit Caleb beim Doktor. Heute hole ich dich ab.«

Sie klappt das Buch zu und stellt es zurück ins Regal. »Okay.«

»Umarmst du mich mal?« Ich habe die Arme noch immer ausgebreitet, aber sie hängen ein bisschen unmotiviert herunter. Kurz schaut sie sich das an, dann lässt sie sich von mir in die Arme nehmen. Ich drücke sie fest und vergrabe das Gesicht in ihren flaumweichen Haaren. »Tut mir leid, dass es dir nicht gut geht, Süße.«

»Schon okay, Mom.«

Mom. Mir schnürt sich die Kehle zu. Heute Morgen war ich noch Mommy. Bitte, lass sie noch nicht aufhören, mich Mommy zu nennen. Das ertrage ich nicht. Ich bin noch nicht so weit. Nicht ausgerechnet heute.

Ich schaue sie an und setze erneut ein Lächeln auf. »Komm, holen wir deinen Bruder ab.«

Vor dem Kleinkindzimmer setzt Ella sich auf die Bank, während ich reingehe und Chase hole. Der Anblick dieses Raums deprimiert mich heute noch genauso wie vor sieben Jahren, als ich Luke zum ersten Mal hergebracht habe. Der Wickeltisch, die schnurgerade Reihe Babybettchen, die ordentlich aufgereihten Hochstühlchen.

Chase sitzt auf dem Boden, und eine seiner Betreuerinnen, die jüngere, hebt ihn schwungvoll hoch, noch ehe ich bei ihm bin. Knuddelt und herzt ihn und drückt ihm einen Kuss auf die Wange. »So ein süßes Kerlchen«, schwärmt sie lächelnd. Das zu sehen versetzt mir einen kleinen Stich. Diese Frau hat seine ersten Schritte gesehen. In ihre ausgebreiteten Arme ist er getappt. Während ich im Büro saß. Ihr Umgang mit ihm wirkt so vertraut, so ungezwungen. Aber warum wundert mich das? Schließlich ist sie den ganzen Tag bei ihm.

»Ja, das ist er«, murmele ich und klinge irgendwie eigenartig.

Ich stecke meine Kinder in dicke Daunenjacken, setze ihnen die Mützen auf den Kopf – es ist ungewöhnlich kalt für einen Märztag – und packe sie in die Autositze. Die harten, unbequemen, die so schmal sind, dass drei davon nebeneinander auf die Rückbank des Corolla passen. Die guten, die sicheren sind im Minivan.

»Wie war dein Tag, Süße?«, frage ich Ella und werfe ihr, während ich rückwärts aus der Parklücke rangiere, im Rückspiegel einen Blick zu.

Sie ist einen Moment ganz still. »Ich bin als einziges Mädchen heute nicht zum Yoga gegangen.«

»Ach, wie schade, das tut mir aber leid«, erwidere ich prompt. Und kaum habe ich das gesagt, weiß ich, dass es nicht die richtige Antwort war. Ich hätte etwas anderes sagen sollen. Das folgende Schweigen ist bleischwer. Ich schalte das Radio ein und lege die Lieblingsmusik der Kinder auf.

Ein Blick in den Rückspiegel. Ella schaut aus dem Fenster, ganz still. Ich sollte sie noch was fragen. Sie dazu bringen, mir zu erzählen, wie ihr Tag war. Aber ich bleibe stumm. Ich bekomme dieses Bild einfach nicht aus dem Kopf. Matts Gesicht. Das Foto war recht aktuell, nicht älter als ein Jahr oder so. Wie lange sie ihn wohl schon beobachten? Uns alle?

Die Fahrt nach Hause dauert nicht lang. Die Straße schlängelt sich durch eine Gegend, die ein Muster an Widersprüchlichkeiten ist: gerade erst hochgezogene Bausatzvillen neben Häusern wie unserem, das eigentlich viel zu klein ist für uns sechs und so alt, dass schon meine Eltern darin hätten aufgewachsen sein können. Die Vororte von D.C. sind berühmt-berüchtigt teuer und Bethesda beinahe unerschwinglich. Dafür sind die Schulen hier mit die besten im ganzen Land.

Wir halten vor dem Haus, das adrett und rechteckig ist wie ein Schuhkarton mit zwei Garagen. Es hat eine kleine Veranda vorne, die die Vorbesitzer angebaut haben, die so gar nicht zum Rest des Hauses passt und die wir nicht annähernd so oft nutzen, wie ich eigentlich gedacht hatte. Wir haben das Haus gekauft, als ich mit Luke schwanger war und wir glaubten, dass die hervorragenden Schulen der Gegend das riesengroße Preisschild rechtfertigten.

Mein Blick geht zu der amerikanischen Flagge neben der Haustür. Die hat Matt aufgehängt. Die alte hat er ersetzt, weil sie so ausgeblichen und zerschlissen war. Niemals würde er gegen unser Land arbeiten. Das könnte er gar nicht. Das weiß ich. Aber hat er vielleicht irgendwas *gemacht*? Hat er etwas gemacht, das die Russen zu der Annahme verleitet haben könnte, er würde es eventuell tun?

Eins weiß ich jedenfalls mit Gewissheit: Sie haben ihn meinetwegen rausgepickt. Wegen meines Jobs. Darum habe ich das Foto verschwinden lassen, oder? Wenn er irgendwie in Schwierigkeiten steckt, dann nur meinetwegen. Und ich muss alles in meiner Macht Stehende tun, um ihn aus diesem Schlamassel rauszuholen.

Ich lasse Ella auf der Couch Zeichentrickserien gucken. Eine Folge nach der anderen. Normalerweise ist nach einer Schluss. Aber sie ist krank, und ich kann an nichts anderes denken als an dieses Foto. Während Chase also ein Mittagsschläfchen hält und Ella blind und taub für die Welt vor dem Fernseher sitzt, putze ich die Küche. Wische die Arbeitsplatten, die blauen, die wir so gerne ersetzen würden, wenn wir nur das nötige Kleingeld hätten. Schrubbe die eingebrannten Flecken von den drei noch funktionierenden Kochplatten. Sortiere den Schrank mit den Plastikdosen, suche zu jeder den passenden Deckel und stapele sie übereinander.

Nachmittags packe ich die Kinder ein, und dann gehen wir

gemeinsam zur Bushaltestelle, um Luke abzuholen. Er begrüßt mich mit denselben Worten wie Ella. *Wo ist Dad?*

Dad ist mit Caleb beim Doktor.

Ich mache ihm eine Kleinigkeit zu essen und helfe ihm bei den Hausaufgaben. Ein Mathe-Arbeitsblatt. Zweistellige Zahlen addieren. Ich wusste gar nicht, dass sie schon zweistellige Zahlen machen. Normalerweise hilft Matt ihm.

Ella hört noch vor mir Matts Schlüssel im Schloss, springt wie ein Floh von der Couch und hopst fröhlich zur Haustür. »Daddy!«, ruft sie begeistert, als er die Tür aufmacht, auf dem einen Arm Caleb, im anderen die braune Papiertüte mit den Einkäufen. Irgendwie schafft er es trotzdem, sich hinzuhocken, sie zu umarmen und zu fragen, wie es ihr geht, während er gleichzeitig Caleb die Jacke auszieht. Irgendwie wirkt sein Lächeln echt. Es *ist* echt.

Er steht auf und kommt zu mir rüber, gibt mir einen flüchtigen Kuss auf die Lippen. »Hi, Schatz«, murmelt er. Er trägt Jeans und den Pullover, den ich ihm letztes Jahr zu Weihnachten geschenkt habe. Den braunen mit dem Reißverschluss oben, mit einer Jacke darüber. Er stellt die Einkäufe auf die Arbeitsplatte und hebt Caleb noch ein bisschen höher. Ella klammert sich an sein Bein, und er fährt ihr mit seiner freien Hand über das Haar.

»Wie war's?« Ich strecke die Hände nach Caleb aus und wundere mich fast, als er sich widerstandslos von mir auf den Arm nehmen lässt. Rasch drücke ich ihn an mich und gebe ihm einen Kuss auf den Kopf, während ich seinen wunderbaren Babyshampoo-Duft einatme.

»Eigentlich ganz toll«, meint Matt und schält sich aus der Jacke, die er auf den Küchentresen legt. Dann geht er zu Luke, der immer noch am Tisch sitzt, und zerstrubbelt ihm die Haare. »Hey, Großer.«

Luke schaut strahlend auf. Man sieht die Zahnlücke, dort, wo er den ersten Milchzahn verloren hat. Der schon unter seinem Kopfkissen lag, als ich von der Arbeit kam. »Hey, Dad. Können wir noch ein bisschen Bälle werfen?«

»Gleich. Zuerst muss ich mit Mom reden. Hast du schon an deinem Sachkundeprojekt gearbeitet?«

Es gibt ein Sachkundeprojekt?

»Ja«, sagt Luke, und dann schaut er mich an, mit einer Miene, als habe er ganz vergessen, dass ich da bin.

»Sag die Wahrheit«, entfährt es mir, schärfer als beabsichtigt. Mein Blick sucht den von Matt, der kaum merklich die Brauen hebt. Aber er sagt nichts.

»Ich hab über das Sachkundeprojekt *nachgedacht*«, murmelt Luke.

Matt kommt zu mir und lehnt sich an den Tresen. »Dr. Misrati ist sehr zufrieden mit dem Verlauf. Ultraschall und EKG sehen wirklich gut aus. In drei Monaten sollen wir wiederkommen.«

Ich drücke Caleb noch fester an mich. Endlich mal gute Nachrichten. Matt macht sich daran, die Einkaufstüte auszupacken. Ein großer Karton Milch. Eine Packung Hühnerbrust, eine Tüte Tiefkühlgemüse. Kekse aus der Bäckerei – die Sorte, bei der ich immer sage, er soll sie nicht kaufen, weil wir sie für einen Bruchteil des Preises selbst backen könnten. Er summt vor sich hin, irgendeine Melodie, die ich nicht kenne. Er ist gelöst und fröhlich. Immer, wenn er fröhlich ist, summt er.

Dann bückt er sich, holt eine Pfanne und einen Topf aus der untersten Schublade und stellt sie auf den Herd. Ich gebe Caleb noch einen Kuss und sehe Matt zu. Warum wirkt bei ihm alles immer so kinderleicht? Wie kann er nur gleichzeitig mit so vielen Bällen jonglieren, ohne je einen fallenzulassen?

Ich wende mich ab und schaue rüber zu Ella, die sich wieder auf die Couch gekuschelt hat. »Alles gut bei dir, Süße?«

»Ja, Mom.«

Ich spüre Matt hinter mir stutzen und kurz erstarren.

»Mom?«, flüstert er. Ich drehe mich um und sehe einen Anflug von Sorge in seinem Gesicht.

Ich zucke die Achseln. Aber ich bin sicher, dass er mir ansieht, wie sehr mich das schmerzt. »Ist wohl heute so weit.«

Er stellt die Reispackung ab, die er gerade in der Hand hatte, und nimmt mich fest in die Arme. Und mit einem Mal drohen alle Gefühle, die sich in den letzten Stunden in mir aufgestaut haben, sich unaufhaltsam Bahn zu brechen. Ich höre seinen Herzschlag, spüre seine Wärme. *Was um Himmels willen ist passiert?*, will ich ihn fragen. *Warum hast du mir denn nichts gesagt?*

Ich schlucke, atme tief durch und löse mich von ihm. »Kann ich dir beim Kochen helfen?«

»Ich mache das schon.« Er wendet sich ab und dreht am Knopf der Herdplatte, dann beugt er sich rüber und zieht eine Weinflasche aus dem Metallregal auf der Arbeitsplatte. Ich sehe ihm zu, wie er sie entkorkt und ein Glas aus dem Küchenschrank holt. Es vorsichtig halb voll gießt. Mir reicht. »Trink einen Schluck.«

Wenn du wüsstest, wie dringend ich das gerade brauche. Ich lächele ihm schief zu und nippe an dem Glas.

Dann helfe ich den Kindern beim Händewaschen und schnalle die Kleinen in ihren Hochstühlchen fest, an jedem Tischende einen. Matt löffelt das Wok-Gericht in Schalen und stellt jedem von uns eine auf den Tisch. Währenddessen unterhält er sich mit Luke, und ich mache das passende Gesicht, so als hörte ich zu. Aber in Gedanken bin ich ganz woanders. Er wirkt so fröhlich. In letzter Zeit ist er fröhlicher als sonst, oder?

Immer wieder habe ich dieses Bild vor Augen. Diesen Ordner. *Freunde.* Er hätte sich doch niemals darauf eingelassen, oder? Aber hier geht's um die Russen. Die geringste Schwäche würde reichen, der kleinste Anhaltspunkt, die leiseste Andeutung, dass er geneigt sein könnte, mit ihnen zusammenzuarbeiten, und sie würden sich darauf stürzen wie die Aasgeier.

Kribbelnd schießt ein Adrenalinstoß durch meinen Körper. Irgendwie hat es fast etwas von Verrat. Diesen Gedanken dürfte ich gar nicht denken. Tue ich aber. Und klar könnten wir das Geld gebrauchen. Was, wenn er dachte, er tut uns damit einen Gefallen? Ein netter kleiner Nebenerwerb? Ich versuche, mich daran zu erinnern, wann wir uns das letzte Mal wegen Geld gestritten haben. Am Tag danach ist er mit einem Powerball-Lotterielos nach Hause gekommen, hat es an den Kühlschrank geheftet, unter eine Ecke der Magnettafel geklemmt. Auf die Tafel hat er »Tut mir leid« geschrieben, mit einem kleinen Smiley daneben.

Was, wenn sie ihm ein Angebot gemacht haben, das ihm vorkam wie ein Lottogewinn? Was, wenn er nicht mal wusste, dass das Angebot von den Russen kam? Was, wenn sie ihn reingelegt haben? Wenn er glaubt, einen ganz normalen legalen Nebenjob zu machen, damit wir ein bisschen besser über die Runden kommen?

Himmel, immer dreht sich alles ums Geld. Wie ich das hasse. Aber am Ende geht es immer nur um Geld.

Hätte ich das gewusst, hätte ich damals gesagt, er solle sich noch ein bisschen gedulden. Dass es besser wird. Dann sind wir eben gerade in den Miesen. Aber Ella kommt bald in den Kindergarten. Nächstes Jahr sieht das alles schon wieder ganz anders aus. Besser. Viel besser. Es war einfach ein hartes Jahr. Wir wussten, dass es nicht leicht werden würde.

Gerade spricht er mit Ella, und ihre zuckersüß zwitschernde Stimme bricht wie ein Sonnenstrahl durch den Nebel in meinem Hirn. »Ich bin als einziges Mädchen heute nicht zum Yoga gegangen«, erzählt sie ihm, genau wie mir vorhin im Auto.

Matt steckt sich einen Bissen in den Mund, kaut sorgfältig und lässt sie nicht aus den Augen. Ich halte den Atem an, während ich auf seine Antwort warte. Endlich schluckt er. »Und, wie war das für dich?«

Sie legt den Kopf ein bisschen schief, nur ein klein wenig. »Ganz okay, glaube ich. Beim Vorlesen durfte ich ganz vorne sitzen.«

Die Gabel noch in der Luft, starre ich sie fassungslos an. Es hat ihr überhaupt nichts ausgemacht. Sie brauchte gar kein Mitleid. Wie findet Matt bloß immer die richtigen Worte? Weiß immer so genau, was er sagen muss?

Mit pummeligen, klebrigen Fingern fegt Chase den Rest von seinem Essen auf den Boden, und als Caleb das sieht, kreischt er vor Vergnügen und haut mit beiden Händen auf sein Tablett, dass das Essen nur so in alle Richtungen spritzt. Wie auf Kommando schieben Matt und ich gleichzeitig die Stühle zurück und springen auf, um die Küchenrolle zu holen und soßenbespritzte, mit Essensresten verschmierte Gesichter und Hände abzuwischen. Eine gut einstudierte Choreografie. Ein Tandem-Reinigungsteam.

Luke und Ella dürfen aufstehen und ins Wohnzimmer gehen. Wir machen die Zwillinge sauber, dann bringe ich sie auch nach drüben und fange an, die Küche aufzuräumen. Ich bin gerade dabei, die Reste unseres Abendessens in eine Plastikdose umzufüllen, als ich kurz unterbrechen und mein Weinglas noch mal nachfüllen muss. Matt schaut auf und sieht mich fragend an, während er den Küchentisch abwischt.

»Harter Tag?«

»Kann man sagen«, entgegne ich und frage mich, was ich wohl gestern geantwortet hätte. Wie viel hätte ich preisgegeben? Nicht, dass ich vor Matt jemals vertrauliche Informationen ausgeplaudert hätte. Anekdoten über meine Kollegen vielleicht. Hier eine

Andeutung, da ein Halbsatz, viel Gerede um den heißen Brei. Aber nur Schnipsel und Fetzen. Nichts, was für die Russen interessant sein könnte. Nichts, wofür sie bezahlen würden.

Schließlich blitzt und blinkt die Küche wieder, und ich werfe das letzte Stück Küchenkrepp in den Mülleimer und setze mich müde an den Tisch. Mein Blick geht zur Wand, zur nackten, kahlen Wand. Wie lange wir jetzt schon hier wohnen, und noch immer ist das Haus nicht richtig eingerichtet. Aus dem Wohnzimmer höre ich den Fernseher plärren. Die Serie mit den Monster-Trucks, nach der Luke ganz verrückt ist. Daneben die leise Melodie von einem Spielzeug der Zwillinge.

Matt kommt rüber, zieht einen Stuhl unter dem Tisch vor und setzt sich zu mir. Mit sorgenvoller Miene schaut er mich an. Wartet darauf, dass ich etwas sage. Ich muss irgendwas sagen. Ich muss es wissen. Sonst bleibt mir nur, direkt zu Peter zu gehen und ihm von meiner unerhörten Entdeckung zu berichten. Und das würde bedeuten, dass ich meinen eigenen Ehemann zum Abschuss freigebe. Sie würden ihn durchleuchten und auf links drehen.

Es muss eine harmlose Erklärung geben. Sie haben noch nicht versucht, ihn anzuwerben. Sie haben es versucht, aber er hat es nicht mitbekommen. Er hat sich auf nichts eingelassen. Ganz bestimmt hat er sich auf nichts eingelassen. Ich trinke den letzten Schluck Wein. Meine Hand zittert, als ich das Glas wieder auf den Tisch stelle.

Wortlos starre ich ihn an und weiß nicht, was ich sagen soll. Man würde doch meinen, ich hätte mir in der Zwischenzeit irgendwas überlegt.

Arglos sieht er mich an. Er muss ahnen, dass etwas ganz Großes kommt. Das sieht man mir sicher an der Nasenspitze an. Aber nervös scheint er nicht. Er scheint gar nichts. Er sieht einfach nur aus wie Matt.

»Wie lange arbeitest du schon für die Russen?«, platze ich heraus. Die Worte sind unüberlegt, unbedacht. Aber jetzt sind sie raus, also beobachte ich ihn genau, denn seine Reaktion wird mir viel mehr verraten als seine Antwort. Ist er ehrlich erstaunt? Empört? Beschämt?

Da ist nichts. Überhaupt keine erkennbare Regung in seinem Gesicht. Er verzieht keine Miene. Zuckt mit keiner Wimper. Und es läuft mir eiskalt den Rücken herunter.

Ungerührt schaut er mich an. Wartet einen Moment zu lange mit der Antwort, aber nur einen klitzekleinen. »Zweiundzwanzig Jahre.«

Es reißt mir den Boden unter den Füßen weg. Es ist, als fiele ich, wild rudernd, ins vollkommene Nichts, und es kommt mir vor, als schaute ich mir selber dabei zu, beobachtete mich, ganz unbeteiligt, denn es passiert nicht mir, sondern jemand anderem, es passiert eigentlich gar nicht. Ich habe ein Klingeln in den Ohren, einen seltsam blechernen Ton.

Mit einem Geständnis hatte ich nicht gerechnet. Eigentlich hatte ich ihn mit dieser ungeheuerlichen Anschuldigung, dem Vorwurf des schlimmstmöglichen Verrats, aus der Reserve locken wollen. Ihn herausfordern. Ihn dazu bringen, sich eines harmloseren Fehltritts schuldig zu bekennen. *Es gab da mal ein Treffen*, dachte ich, würde er sagen. *Aber ich schwöre dir, Viv, ich arbeite nicht für sie.* Oder rechtschaffene Empörung. *Wie kannst du so was auch nur denken?*

An ein Geständnis habe ich keine Sekunde gedacht.

Zweiundzwanzig Jahre. Ich konzentriere mich auf diese Zahl, weil sie etwas Greifbares ist, etwas Konkretes. Siebenunddreißig minus zweiundzwanzig. Da wäre er gerade fünfzehn gewesen. In Seattle, auf der Highschool.

Das ergibt doch überhaupt keinen Sinn.

Mit fünfzehn hat er Baseball gespielt. Trompete in der Schulband. In der Nachbarschaft Rasen gemäht, um sich was zum Taschengeld dazuzuverdienen.

Ich verstehe das nicht.

Zweiundzwanzig Jahre.

Ich drücke die Fingerspitzen gegen meine Schläfen. Dieses Klingeln in den Ohren will und will nicht aufhören. Es ist, als säße da etwas. Eine Einsicht, eine Erkenntnis, so grauenhaft, dass ich nicht erfassen und verstehen, nicht anerkennen kann, dass sie wirklich wahr ist. Weil sonst meine ganze Welt in sich zusammenstürzen würde.

Zweiundzwanzig Jahre.

Mein Algorithmus sollte mich zu einem russischen Agenten führen, der Schläfer in den USA betreut.

Zweiundzwanzig Jahre.

Und dann geht mir eine Zeile aus einem alten internen Papier durch den Kopf. *Sie rekrutieren sogar Jugendliche, manche nicht älter als fünfzehn.*

Ich schließe die Augen und presse die Hände noch fester gegen die Schläfen.

Matt ist nicht der, der er zu sein behauptet.

Mein Mann ist ein russischer Geheimagent.

Ein glücklicher, unmöglicher Zufall. So habe ich unser Kennenlernen damals erlebt. Eine Szene wie aus einem Film.

Es war der Tag, an dem ich nach Washington gezogen bin. Ein Montagmorgen im Juli. Bei Tagesanbruch war ich in Charlottesville losgefahren, meine Siebensachen in meinen Accord gequetscht.

Mit Warnblinker stand ich in der zweiten Reihe vor einem alten Backsteinhaus, an das sich klapprige Feuerleitern krallten, so nahe am National Zoo, dass der Wind den durchdringenden Geruch der Wildtiere herübertrug. Mein neues Zuhause. Gerade lief ich zum dritten Mal schwer bepackt vom Auto zur Haustür und manövrierte einen viel zu großen Umzugskarton über den Bürgersteig, als ich mit einem unsichtbaren Hindernis kollidierte.

Matt. In Jeans und hellblauem Hemd mit Knöpfchen am Kragen, die Ärmel bis zu den Ellbogen hochgekrempelt. Und ich hatte ihn gerade von oben bis unten mit Kaffee bekleckert.

»Ach, du lieber Himmel«, stammelte ich und stellte die Kiste hastig auf dem Gehsteig ab. In der einen Hand hielt er den triefenden Kaffeebecher, dessen Plastikdeckel neben seinen Füßen auf dem Boden lag, die andere Hand schüttelte er angewidert aus, so energisch, dass die Kaffeetropfen in alle Richtungen stoben. Er verzog das Gesicht wie unter Schmerzen. Vorne auf dem Hemd prangten mehrere große Kaffeeflecken. »Das tut mir so schrecklich leid.«

Hilflos stand ich da, die leeren Hände ausgestreckt, als könnte ich diese unangenehme Situation irgendwie retten.

Er schüttelte noch ein paarmal den Arm, dann schaute er mich an. Und lächelte. Ein vollkommen entwaffnendes Lächeln. Und ich hätte schwören können, dass mir das Herz stehen blieb. Diese strahlend weißen Zähne, diese schelmisch blitzenden braunen Augen. »Halb so wild.«

»Ich hole Ihnen schnell ein bisschen Küchenkrepp. Die Rolle muss ich hier irgendwo im Karton haben.«

»Schon okay.«

»Oder vielleicht ein frisches Hemd? Vielleicht finde ich ein T-Shirt, das Ihnen passt?«

Er schaute an seinem bespritztem Hemd herunter und zögerte kurz, als würde er darüber tatsächlich nachdenken. »Schon okay, wirklich. Aber trotzdem danke.« Und damit lächelte er mich noch einmal an und ging weiter. Und ich stand wie vom Blitz getroffen mitten auf dem Bürgersteig und sah ihm nach. Leise hoffend, dass er sich vielleicht noch mal umdrehen, es sich anders überlegen würde. Vergebens. Und mit einem Mal war ich unaussprechlich enttäuscht und hatte keinen anderen Gedanken mehr als den dringlichen Wunsch, mich noch ein bisschen länger mit ihm zu unterhalten.

Liebe auf den ersten Blick, habe ich später immer gesagt.

Für den Rest des Vormittags bekam ich ihn einfach nicht mehr aus dem Kopf. Diese Augen, dieses Lächeln. Am Nachmittag desselben Tages bummelte ich gedankenverloren durch meine neue Nachbarschaft und schaute mich ein bisschen um, da entdeckte ich ihn, wie er vor einer kleinen Buchhandlung stand und sich die Bücher draußen in der Auslage anschaute. Selber Kerl, anderes Hemd – ein weißes diesmal, ohne Kaffeeflecken. Völlig in die Bücher versunken. Schwer zu beschreiben, was ich in dem Moment empfand, aber meine Gefühle fuhren plötzlich Achterbahn – alles ging drunter und drüber, Aufregung und Adrenalin und ein eigenartiges Gefühl der Erleichterung. Da war sie, meine heiß ersehnte zweite Chance. Ich atmete tief durch, ging zu ihm rüber und blieb unschlüssig neben ihm stehen.

»Hi«, sagte ich mit einem Lächeln.

Worauf er aufschaute und mich, zunächst verständnislos, ansah. Doch dann erkannte er mich. Er erwiderte mein Lächeln, und wieder blitzten mich diese strahlend weißen Zähne an, und das Herz schlug mir bis zum Hals. »Na, hallo.«

»Diesmal ohne Umzugskarton«, platzte ich heraus und wäre am liebsten im Boden versunken. Was Besseres fiel mir nicht ein?

Aber er lächelte immer noch. Also räusperte ich mich mit klopfendem Herzen und nahm all meinen Mut zusammen. So was hatte ich noch nie gemacht. Mit dem Kopf wies ich in Richtung des Cafés nebenan. »Darf ich Sie vielleicht auf einen Kaffee einladen? Ich glaube, den bin ich Ihnen schuldig.«

Sein Blick ging zur Markise des Cafés und wieder zu mir. Er

wirkte zurückhaltend, misstrauisch fast. *O Gott, bestimmt hat er eine Freundin*, dachte ich entsetzt. *Ich hätte ihn nicht fragen sollen. Wie todpeinlich.*

»Oder auf ein neues Hemd? Schulde ich Ihnen wohl auch noch.« Ich lächelte tapfer weiter. Versuchte, ganz lässig zu klingen, als sei das alles bloß ein Scherz. *Gut gemacht, Viv. Du hast ihm den Notausgang gezeigt. Jetzt kann er einfach lachen und gehen.*

Doch zu meinem übergroßen Erstaunen legte er den Kopf schief und machte den Mund auf, und als ich hörte, was er sagte, wurde ich ganz kribbelig vor Erleichterung und Vorfreude und Aufregung. »Kaffee klingt gut.«

Wir setzten uns an einen Tisch ganz hinten in dem kleinen Café, und da blieben wir, bis die Sonne langsam unterging. Angeregt unterhielten wir uns über Gott und die Welt, und kein einziges Mal entstand eine peinliche Gesprächspause. Unglaublich, wie viele Gemeinsamkeiten wir entdeckten: Wir waren beide Einzelkinder, katholisch erzogen, gingen aber nicht mehr in die Kirche, und wir waren in einer sehr politischen Stadt eher unpolitisch. Beide waren wir allein und mit sehr schmalem Geldbeutel quer durch Europa gereist. Unsere Mütter waren beide Lehrerin, als Kinder hatten wir beide einen Golden Retriever gehabt. Die Übereinstimmungen waren fast schon unheimlich. Wir schienen füreinander bestimmt. Als sei es Schicksal, dass wir uns hier über den Weg gelaufen waren. Er war witzig und charmant und klug und höflich – und umwerfend attraktiv.

Irgendwann, der Kaffee war längst ausgetrunken und die Angestellten wischten schon die Tische ab, schaute er mich an – und man sah ihm an, wie schrecklich nervös er war – und fragte mich, ob er mich zum Essen einladen dürfe.

Wir gingen in das kleine italienische Restaurant gleich um die Ecke, bekamen riesengroße Portionen hausgemachter Pasta und eine Karaffe Wein und ein Dessert, das eigentlich viel zu viel des Guten war, das wir aber trotzdem bestellten, um einen Grund zu haben, noch nicht nach Hause zu gehen.

Wir redeten, bis die Kellner uns schließlich fast hinausfegten. Dann brachte er mich nach Hause und nahm ganz selbstverständlich meine Hand, und mir war noch nie so warm und leicht und fröhlich zumute gewesen. Auf dem Bürgersteig vor dem Haus, in dem ich wohnte, küsste er mich. Genau da, wo ich ihn vormittags beinahe über den Haufen gerannt hatte. Und als ich dann im Bett lag und irgendwann selig einschlummerte, wusste ich, dass ich den Mann getroffen hatte, den ich einmal heiraten würde.

»Viv.«

Ich blinzele, und die Erinnerungen verschwinden. Schlagartig. Ich höre Fetzen des *Monstertruck*-Titelsongs aus dem Wohnzimmer. Gebrabbel. Spielzeuge, die aneinandergeschlagen werden. Plastik auf Plastik.

»Viv, schau mich an.«

Jetzt sehe ich sie. Die nackte Angst. Sein Gesicht ist alles andere als ausdruckslos. Er hat die Stirn in Falten gelegt, tiefe Furchen, wie er sie immer bekommt, wenn er sich Sorgen macht. So tief wie jetzt waren sie noch nie.

Er beugt sich über den Tisch zu mir und legt eine Hand auf meine. Ich weiche aus, verschränke die Hände im Schoß. Er wirkt ehrlich erschrocken. »Ich liebe dich.«

Aber ich kann ihn nicht ansehen, kann diesen durchdringenden Blick gerade nicht ertragen. Stur schaue ich auf den Tisch. Da ist ein Strich von einem roten Filzstift, ein ganz kleiner. Den starre ich an. Die Farbe ist ins Holz eingedrungen, eine Narbe von einem Malprojekt der Kinder, irgendwann vor Ewigkeiten. Warum ist dieser Strich mir noch nie aufgefallen?

»Das ändert nichts an meinen Gefühlen für dich. Ich schwöre bei Gott, Viv. Du und die Kinder, ihr bedeutet mir alles.«

Die Kinder. O Gott, die Kinder. Was soll ich denen sagen? Ich schaue auf, mein Blick geht zum Wohnzimmer, obwohl ich sie von hier gar nicht sehen kann. Ich höre, wie die Zwillinge miteinander spielen. Die beiden Älteren sind still, vermutlich in ihre Fernsehsendung vertieft.

»Wer bist du?«, flüstere ich. Ich will gar nicht flüstern, tue es unwillkürlich und weiß selbst nicht, warum. Als wollte meine Stimme mir nicht mehr gehorchen.

»Ich bin ich, Viv. Das schwöre ich dir bei Gott. Du kennst mich.«

»Wer bist du?«, frage ich noch mal, und dann bricht meine Stimme.

Mit Augen groß wie Untertassen und sorgenvoll zerfurchter Stirn sieht er mich an. Durchdringend starre ich zurück. Versuche, den Ausdruck in seinen Augen zu deuten. Weiß aber nicht, ob ich das überhaupt kann. Oder jemals konnte?

»Ich wurde in Wolgograd geboren.« Er redet leise, aber gefasst und ohne zu stocken. »Damals hieß ich Alexander Lenkow.«

Alexander Lenkow. Das kann doch alles nicht wahr sein. Das muss ein Traum sein. Ein Albtraum. Ein schlechter Film, ein Spionagethriller. Alles, nur nicht mein Leben. Ich konzentriere mich wieder auf den Tisch. Da ist ein kleines Sternenbild, wo eins der Kinder mit der Gabel draufgehauen hat.

»Meine Eltern hießen Michail und Natalia.«

Michail und Natalia. Nicht Gary und Barb. Meine Schwiegereltern, von meinen Kindern Omi und Opa genannt. Ich starre auf die Einkerbungen im Tisch, die klitzekleinen Macken, wie eine Miniaturkraterlandschaft.

»Sie sind bei einem Autounfall ums Leben gekommen, als ich dreizehn war. Ich hatte sonst keine Verwandten. Also kam ich in staatliche Obhut. Ein paar Monate später wurde ich nach Moskau verfrachtet. Mir war damals gar nicht klar, was mit mir passierte. Aber sie haben mich in ein Programm des SWR gesteckt.«

Als ich mir Matt als verängstigten kleinen Waisenjungen vorstelle, der gar nicht weiß, wie ihm geschieht, bekomme ich Mitleid. Aber das verfliegt schnell wieder beim Gedanken an diesen ungeheuren Verrat. Ich verschränke meine Finger noch fester.

»Zwei Jahre lang war ich im Intensiv-Englisch-Lernprogramm. Mit fünfzehn wurde ich dann offiziell angeworben und verpflichtet. Und bekam eine neue Identität.«

»Als Matthew Miller.« Wieder nur ein Flüstern.

Er nickt, dann beugt er sich noch weiter vor und sieht mich durchdringend an. »Ich hatte keine Wahl, Viv.«

Ich senke den Blick, betrachte die Ringe an meiner linken Hand. Muss an unsere ersten Gespräche denken. Die vielen Gemeinsamkeiten. Das schien mir damals so wirklich. Aber es war alles nur erfunden. Er hatte sich eine Kindheit ausgedacht, die es nie gegeben hat.

Und plötzlich ist alles eine einzige große Lüge. Mein Leben ist nichts als eine Lüge.

»Meine Identität war nicht echt, alles andere schon«, sagt er, fast, als könnte er Gedanken lesen. »Meine Gefühle sind echt. Das schwöre ich dir.«

Der Diamant an meiner linken Hand reflektiert funkelnd das Licht. Stumm betrachte ich die fein geschliffenen Facetten, eine nach der anderen. Mit einem Ohr bekomme ich mit, wie es im Wohnzimmer immer lauter wird. Luke und Ella streiten sich. Ich reiße den Blick von meinem Ring los und sehe, dass Matt mich zwar noch anschaut, aber den Kopf ein bisschen schiefgelegt hat und auch auf die Kinder lauscht.

»Vertragt euch, ihr beiden«, ruft er, ohne den Blick von mir zu wenden.

Regungslos sehen wir einander an und horchen dabei auf die Kinder. Der Streit wird heftiger, und schließlich schiebt Matt den Stuhl zurück und steht auf, um nach nebenan zu gehen und zu schlichten. Ich höre Gesprächsfetzen, die Kinder, wie sie Matt ihre Version der Geschichte erzählen, ihn auf ihre Seite ziehen wollen, und wie er sie ermahnt, sich wieder zu vertragen. Mein Kopf fühlt sich wattig an. Liegt womöglich am Wein.

Matt kommt mit Caleb auf dem Arm zurück und setzt sich. Caleb grinst mich an und stopft sich eine besabberte Faust in den Mund. Ich kann mich nicht zu einem Lächeln zwingen, also schaue ich wieder Matt an.

»Wer ist der echte Matthew Miller?«, will ich wissen. Ich muss an die Geburtsurkunde ganz hinten in unserem feuersicheren Safe denken. Die Sozialversicherungskarte, den Pass.

»Das weiß ich nicht.«

»Und was ist mit Gary und Barb?«, hake ich nach. Ich sehe die beiden vor mir. Die etwas matronenhafte Frau mit den pastellfarbenen Blusen, in denen ich mir meine Oma immer gut hätte vorstellen können. Den Mann mit dem Kugelbauch, der ihm über den Gürtel hängt. Immer das Hemd im Hosenbund, immer weiße Socken.

»Andere, so wie ich«, entgegnet er.

Chase fängt an zu weinen. Eine willkommene Ablenkung. Ich stehe auf und gehe ins Wohnzimmer. Er hockt auf dem Boden, gleich neben der Couch, auf der Luke und Ella sitzen, und sofort sehe ich den kleinen blauen Ball, der daruntergerollt ist und nun feststeckt. Ich ziehe ihn raus, dann nehme ich Chase auf den Arm. Er beruhigt sich wieder, wimmert nur noch leise und umklammert seinen Ball.

In meinem Kopf geht alles drunter und drüber. Wie konnte ich mich bloß so übertölpeln lassen? Vor allem, was Gary und Barb angeht. Da hätten bei mir eigentlich alle Alarmglocken schrillen müssen. Ich habe die beiden erst bei unserer Hochzeit kennengelernt. Wir waren erst einmal bei ihnen in Seattle. Und sie haben uns noch kein einziges Mal besucht. Natürlich gab es dafür immer gute Gründe. Früher erschienen sie mir einleuchtend, heute nur noch fadenscheinig. Barb mit ihrer Flugangst. Wir hatten nicht genug Urlaubstage. Die Kinder waren noch so klein. Und wer will schon mit einem schreienden Säugling quer durch die Staaten fliegen, geschweige denn mit zweien?

Weswegen ich häufig ein schlechtes Gewissen habe. Meine Eltern sahen wir so oft und seine so gut wie nie. Ich hatte mich dafür sogar schon bei ihm entschuldigt. »Es kommt halt immer was dazwischen. So ist das Leben«, hatte er mit einem Lächeln gesagt. Einem etwas traurigen Lächeln, das schon. Aber allzu sehr schien ihn das nicht zu bedrücken. Ich überlegte, schlug vor, mit ihnen zu skypen, aber ihnen behagte die neumodische Technik nicht. Ihnen reichte es, alle paar Wochen zu telefonieren. Und auch Matt schien das nur recht zu sein.

Ich habe ihn nie gedrängt. Vielleicht, weil ich insgeheim ganz froh darüber war? Froh, dass wir nicht Weihnachten mal hier und mal dort feiern mussten. Dass wir unsere Haushaltskasse nicht regelmäßig für Flüge ans andere Ende des Landes plündern mussten. Froh, dass ich keine Schwiegerfamilie hatte, die gleich nebenan wohnte und sich überall einmischte. Vielleicht war ich sogar froh, Matt nicht teilen zu müssen; dass er nur für die Kinder und für mich da war.

Ich gehe wieder in die Küche und setze mich mit Chase auf dem Schoß an den Tisch. »Und all die Leute bei der Hochzeit?« Zu unserer Feier waren mehrere Dutzend Verwandte von ihm gekommen. Tante, Onkel, Cousins und Cousinen.

»Die auch.«

Unmöglich. Ich schüttele den Kopf, als könne das all diese zusammenhanglosen Informationsfetzen in eine logische Ordnung bringen. Ich habe über fünfundzwanzig Schläfer kennengelernt. Wie viele russische Agenten muss es dann hier geben? Wohl weit mehr, als wir bisher angenommen haben.

Dimitri, die Luftkarotte. Plötzlich kann ich an nichts anderes mehr denken. Er hatte behauptet, es gebe in den USA mindestens zwei Dutzend Schläferzellen. Er hat uns einiges erzählt, das überhaupt keinen Sinn ergab. Weshalb wir uns sicher waren, dass er uns nur ködern sollte. Dass die Agentenbetreuer die Identitäten ihrer Schläfer ständig bei sich führten, zum Beispiel. Wo wir doch wussten, dass die elektronisch gespeichert wurden. Der Entschlüsselungscode, der nicht mit dem übereinstimmte, den wir aus anderen Quellen hatten. Und die haarsträubenden Behauptungen. Dass Schläfer die Regierung unterwandert hätten und sich langsam bis ganz nach oben arbeiteten. Dass es dutzende Zellen gebe, wo wir davon ausgingen, dass es nicht mehr als eine Handvoll sein konnten.

Diese Behauptung war wohl doch nicht so weit hergeholt, was? Und dann trifft mich die Erkenntnis wie ein Schlag.

»Du bist ein Spion«, flüstere ich. Ich war so auf die Lüge fixiert, darauf, dass er nicht der war, für den ich ihn gehalten habe, dass ich das Offensichtliche noch gar nicht begriffen, das wahre Ausmaß der Geschichte noch nicht erfasst hatte.

»Ich würde alles dafür geben, dass es nicht so wäre. Ich wünschte nichts mehr, als dass ich *wirklich* Matt Miller aus Seattle wäre. Dass ich mich endlich aus ihren Klauen befreien könnte.«

Mir schnürt es die Brust zu, ich kriege kaum noch Luft.

»Aber ich sitze in der Falle.« Er wirkt so aufrichtig, so bemitleidenswert. Klar sitzt er in der Falle. Er kann ja nicht einfach hinschmeißen. Sie haben viel zu viel in ihn investiert.

Chase rutscht auf meinem Schoß herum und will wieder runter. Ich setze ihn auf den Boden, und er krabbelt davon, fröhliche kleine Jauchzer hinter sich herziehend wie Luftschlangen.

»Du hast mich angelogen.«

»Ich hatte keine Wahl. Wenn jemand das verstehen kann, dann doch wohl du …«

»Wage es ja nicht«, fahre ich ihn an. Ich weiß genau, worauf er hinauswill.

Ich sehe uns damals, vor all den Jahren, an dem kleinen Tisch in dem winzigen Café sitzen, vor uns diese riesengroßen Kaffeetassen. »Was machst du eigentlich beruflich?«, hat er gefragt.

»Ich habe gerade mein Studium abgeschlossen«, habe ich geantwortet, in der Hoffnung, er werde es dabei bewenden lassen. Und doch wissend, dass er vermutlich nachfragen würde.

»Und, hast du schon eine Stelle in Aussicht?«

Ich habe genickt. An meinem Kaffee genippt. Versucht, Zeit zu schinden.

»Und als was?«

Mein Blick ging Richtung Tasse, aus der kleine Dampfwölkchen aufstiegen. »Unternehmensberatung. Bei einer kleinen Firma«, habe ich schließlich mit einem bitteren Nachgeschmack geantwortet. Die Lüge widerstrebte mir, aber ich kannte ihn nicht, und auf gar keinen Fall wollte ich einem wildfremden Menschen auf die Nase binden, dass die CIA mich angeheuert hatte. »Und du?«, gab ich die Frage zurück und war froh, das Gespräch auf ein unverfänglicheres Thema lenken zu können.

»Das ist doch was ganz anderes«, gebe ich jetzt zurück. »Zehn Jahre hättest du Zeit gehabt. *Zehn Jahre.*«

»Ich weiß«, brummt er zerknirscht.

Jetzt fängt Caleb auch an zu zappeln, windet sich wie ein Aal. Dabei grinst er mich an und wundert sich bestimmt, warum ich sein Lächeln nicht erwidere. Er streckt die Ärmchen nach mir aus, und Matt hebt ihn hoch und reicht ihn über den Tisch zu mir herüber. Ich nehme ihn, und er beruhigt sich wieder und kuschelt sich in meine Arme.

»Machst du das auch? Dich als Verwandten von anderen Schläfern ausgeben?«, frage ich. Ich weiß nicht, was das für eine Rolle spielt. Warum ich ihn, bei allem, was mir im Kopf herumschwirrt, ausgerechnet danach frage.

Er schüttelt den Kopf. »Viel zu riskant.«

Natürlich. Dazu ist er für sie zu wertvoll, richtig? Weil er mit mir verheiratet ist. Schließlich arbeite ich für die CIA.

Himmel, da haben die Russen ja wirklich einen ganz dicken Fisch an Land gezogen. Die müssen zufrieden sein wie eine Katze am Sahnetöpfchen. Mehr Glück kann man doch gar nicht haben: ein Undercover-Agent, verheiratet mit einer CIA-Spionageabwehranalystin.

Und dann überläuft es mich eiskalt.

Urplötzlich sehe ich uns beide in meinem Apartment vor mir, ein paar Wochen, nachdem wir uns kennengelernt hatten. Wir saßen uns gegenüber. An einem Klapptisch in einer Ecke meiner winzigen Wohnung. Vor uns Pizza auf Papptellern. »Ich bin nicht ganz ehrlich zu dir gewesen«, habe ich händeringend gesagt und mich ängstlich gefragt, wie er auf mein Geständnis reagieren würde. Gleichzeitig war ich furchtbar erleichtert, endlich die Karten auf den Tisch legen zu können. Ich wollte diesen Mann nie wieder anlügen. »Ich arbeite für die CIA.« Ich erinnere mich noch genau an sein Gesicht. Zuerst verzog er keine Miene, als überrasche ihn diese Enthüllung gar nicht. Dann hat es in seinen Augen geblitzt, und ich dachte, es habe bloß ein bisschen länger gedauert, bis er mein unerwartetes Geständnis wirklich begriffen hatte.

Aber dem war nicht so, stimmt's? Er hat es die ganze Zeit gewusst.

Mir wird eng um die Brust. Ich schließe die Augen und sehe mich wieder im Auditorium meiner Uni bei der Info-Veranstaltung des CIA-Anwerbers. Die unerwartete Erkenntnis, dass ich mit meinem Leben *so etwas* anfangen könnte. Die Gelegenheit, etwas zu verändern in der Welt. Etwas für mein Land zu tun. Etwas, worauf meine Familie stolz sein kann. Die Zeit zischt weiter – vorbei am Bewerbungsprozess, der Hintergrundüberprüfung, endlosen Einstufungstests – zu dem Tag genau ein Jahr später. Ich hatte die Hoffnung schon fast aufgegeben, als der Brief ins Haus geflattert kam. Eine unspezifische Regierungsadresse als Absender. Schlichtes weißes Papier, kein Briefkopf. Nur Einstellungsdatum, Gehalt, einige Anweisungen. Und die Abteilung, für die ich vorgesehen war: Spionageabwehr und Gegenspionage.

Zwei Wochen später bin ich nach Washington gezogen. Und habe Matt kennengelernt.

Ich atme schnell und flach. In Gedanken bin ich wieder in dem kleinen Café, ganz hinten in der Ecke, und denke an unser erstes Gespräch, bei dem wir so viele Gemeinsamkeiten entdeckt haben. Er hat nicht einfach bloß mitgespielt und aus dem Stegreif seine Rolle entwickelt. *Er* hat als Erster gesagt, er sei katholisch erzogen worden, seine Mutter sei Lehrerin und als Kind habe er einen Golden Retriever gehabt. Er hat es gesagt, weil er schon alles über mich wusste.

Ich lege die Hand auf den Mund und merke, dass sie zittert.

Das war kein Glücksfall für die Russen. Dafür arbeiten die viel zu gründlich. Es war alles akribisch eingefädelt und bis ins Detail geplant. Alles andere als ein glücklicher Zufall.

Ich war seine Zielperson.

Matt beugt sich wieder vor, die Fältchen werden tiefer, die Augen größer. Ich bin felsenfest davon überzeugt, dass er meine Gedanken lesen kann und ganz genau weiß, dass mir die Wahrheit gerade dämmert. »Ich schwöre dir, meine Gefühle für dich und die Kinder sind nicht gespielt. Ich schwöre bei Gott, Viv.«

Ich habe Kurse belegt, in denen uns beigebracht wurde zu erkennen, wann jemand lügt oder sich verstellt. Und unbewusst ist mir klar, dass er keinerlei Anzeichen für Lug oder Betrug zeigt. Er sagt die Wahrheit.

Andererseits – hätte er nicht auch irgendeine Art von Ausbildung durchlaufen müssen? Bestimmt, vermutlich sogar eine ziemlich gründliche. Müsste er dann also nicht auch wissen, wie man möglichst überzeugend lügt?

Tut er das nicht seit zweiundzwanzig Jahren?

Caleb kaut auf meinem Finger herum, und seine spitzen Zähnchen bohren sich in meine Haut. Aber der Schmerz kommt mir gerade recht, also lasse ich ihn machen. Im Augenblick ist das das Einzige, was sich echt und greifbar anfühlt.

»Als wir uns kennengelernt haben …«, setze ich an und breche dann ab. Ich kann diesen Satz, diesen Gedanken einfach nicht zu Ende bringen. Fragen, was ich wissen muss. Was ich tief drinnen längst weiß. Es ist einfach alles zu viel.

Es dauert einen Augenblick, bis er antwortet. »Ich hatte dich schon den ganzen Morgen beobachtet. Als du mit der Umzugskiste vorbeigelaufen bist, habe ich mich dir in den Weg gestellt.« Schuldbewusst schaut er mich an. Zumindest wirkt er schuldbewusst.

Ich muss daran denken, wie oft ich die Geschichte unseres Kennenlernens schon erzählt habe. Wie oft *er* sie schon erzählt hat. Wie wir beide lachen mussten und immer wieder unsere eigene Sicht der Geschehnisse eingeworfen haben.

Alles Lüge.

»Du warst meine Zielperson«, sagt er, und mir bleibt die Luft weg. Dass er das so sagt – das beweist doch, dass er ehrlich ist. Das muss der Beweis sein. Aber jetzt spricht die verzweifelte Ehefrau aus mir, oder? Die Spionageabwehranalystin in mir sagt mir, was ich längst selber weiß. Der älteste Trick der Menschheit. Eine perfide Masche, um glaubwürdiger zu erscheinen, als man tatsächlich ist.

»Aber dann habe ich mich in dich verliebt«, sagt er. »Ich habe mich ehrlich, aufrichtig, unsterblich in dich verliebt.«

Dabei wirkt er ganz und gar aufrichtig. Und natürlich liebt er mich. Man bleibt doch nicht über zehn Jahre lang mit jemandem verheiratet, den man nicht liebt. Ich schüttele den Kopf. Ich weiß nicht mehr, was ich glauben soll. Und der Gedanke, dass er mich vielleicht *doch nicht* liebt, ist zu viel. Unfassbar, unbegreiflich.

»Zuerst konnte ich nicht fassen, was für ein Glück ich hatte. Erst viel später ist mir aufgegangen, wie furchtbar das alles ist. Dass unsere ganze Beziehung auf einer Lüge aufgebaut ist. Eine, von der du nichts wissen darfst. Denn wenn ich es dir verraten hätte, wäre mir alles um die Ohren geflogen –«

Er unterbricht sich und konzentriert sich auf einen Punkt hinter mir. Ich drehe mich um und sehe Luke stumm in der Tür stehen. Wie lange er wohl schon so dasteht? Ob er alles mit angehört hat? Er guckt von Matt zu mir rüber und wieder zurück. Mit diesen ernsten Augen, die mich so sehr an seinen Vater erinnern.

»Streitet ihr euch?«, fragt er mit Piepsstimme.

»Nein, mein Schatz«, antworte ich. Und es bricht mir das Herz, auch wenn mein Verstand das alles noch gar nicht begreifen kann. »Wir führen nur ein Erwachsenengespräch.«

Worauf er nichts sagt. Er schaut uns nur an. Und zum ersten Mal geht mir auf, dass ich seinen Gesichtsausdruck nicht deuten kann. Ich habe keine Ahnung, was er gerade denkt. Er ist Matts Sohn, wird immer Matts Sohn sein. Vielleicht werde ich nie wissen, was er wirklich denkt und ob er mir die Wahrheit sagt. Mir wird übel. Ich habe das Gefühl, dass mir mein ganzes Leben durch die Finger gleitet und ich nichts dagegen tun kann.

»Dad, können wir jetzt Bälle werfen?«, fragt er.

»Nicht jetzt, Großer. Ich rede gerade mit deiner Mom.«

»Aber du hast es versprochen.«

»Hör zu, Großer, ich …«

»Geh ruhig«, unterbreche ich ihn. Das ist jetzt das Beste. Wenn er verschwindet. Und ich Zeit zum Nachdenken habe. Ausdruckslos starre ich ihn an und sage ganz ruhig: »Du willst ihn doch wohl nicht *anlügen*, oder?«

Gekränkt verzieht er das Gesicht. Aber genau das wollte ich doch, oder? Ihn treffen. Ihn verletzen. Das ist nichts, verglichen damit, wie sehr er mich verletzt hat.

Ich halte seinen Blick fest. Und werde plötzlich stinksauer auf ihn. Wütend. Er hat mein Vertrauen missbraucht. Mich angelogen. Zehn Jahre lang.

Fast sieht es aus, als wollte er was sagen, aber dann überlegt er es sich wohl anders. Er wirkt immer noch gekränkt. Wortlos steht er auf und kommt um den Tisch herum zu mir. Ich starre weiter stur geradeaus auf einen Punkt an der Wand. Er bleibt neben mir stehen und zögert, legt mir dann eine Hand auf die Schulter. Mich schaudert es bei seiner Berührung.

»Wir reden nachher darüber«, murmelt er. Die Hand bleibt noch einen Augenblick auf meiner Schulter liegen, dann lässt er sie fallen und geht hinter Luke her. Ich bleibe am Tisch sitzen, gucke geradeaus und höre, wie sie die Jacken anziehen, Baseballhandschuh und Ball suchen und dann nach draußen gehen. Ich warte ab, bis die Tür hinter ihnen ins Schloss gefallen ist. Dann stehe ich auf, nehme Caleb auf den Arm und gehe zur Spüle. Durchs Fenster sehe ich den beiden zu. Vater und Sohn, die einander im Garten einen Baseball zuwerfen, während es langsam dunkel wird. Der perfekte Schnappschuss. Ein typisch amerikanisches Vorstadtidyll. Nur, dass einer der beiden gar kein Amerikaner ist.

Und dann dämmert es mir, und die Erkenntnis trifft mich mit einer solchen Wucht, dass ich mich am Rand der Spüle festklammern muss, um nicht das Gleichgewicht zu verlieren. Er hat mich nicht bloß hintergangen. Diese Geschichte lässt sich nicht durch einen Streit oder ein Gespräch oder so was aus der Welt schaffen. Es gibt keine Lösung für dieses Problem. Punkt. Ich muss ihn ausliefern. Er ist ein russischer Agent, und ich muss ihn ausliefern. Meine Wut verraucht und verwandelt sich in einen reißenden Fluss schierer Verzweiflung.

Mein Blick geht zum Handy drüben auf dem Tisch. Das mit den endlos vielen Nachrichten von Matt, den zahllosen Fotos von unserer Familie, unserem gemeinsamen Leben. Ich sollte es nehmen. Ich sollte sofort die CIA anrufen. Das FBI. Omar.

Wieder schaue ich nach draußen. Matt strahlt, während Luke weit ausholt, ganz langsam, und dann den Ball nach vorne schleudert. So entspannt, so unbekümmert. Und so falsch. Alles ist falsch. Weil Schläfer sofort abhauen. Versuchen, so schnell wie möglich einen Flieger in die Heimat zu erwischen, bevor die zuständigen Behörden sie aufhalten können.

Aber Matt haut nicht ab. Er bleibt.

Caleb gähnt, und ich halte ihn so, dass er das Köpfchen an meine Brust legen kann. Er kuschelt sich an mich und seufzt leise.

Währenddessen beobachte ich Matt weiter. Sehe zu, wie er Luke zeigt, dass er in den Knien locker bleiben und den Arm im weiten Bogen nach hinten führen soll. Alles vollkommen normal. Alltag.

Schließlich wirft er einen Blick rüber zum Haus, sieht hierher, zum Küchenfenster, zu mir. Als hätte er gewusst, dass ich hier stehe. Ich sehe ihn an und erwidere seinen Blick, bis er sich schließlich abwendet und weiterspielt. Wieder schaue ich auf das Handy. Er weiß, dass ich hier drin bin. Allein mit dem Telefon. Ein Schläfer würde das niemals zulassen. Ein Schläfer würde sich schützen. Ein weiterer Beweis, dass wir hier von Matt reden. Meinem Mann. Dem Mann, den ich liebe. Der würde niemals einfach abhauen.

Wir reden nachher darüber. Seine Worte klingeln in meinen Ohren. Genau das brauche ich, oder? Ich muss hören, was er dazu zu sagen hat. Bevor ich ihn ausliefere.

Ich drehe dem Handy den Rücken zu. Ich kann das nicht. Nicht jetzt. Nicht, solange ich nicht mit ihm geredet habe.

Und das weiß er, stimmt's?

Ein ungebetener Gedanke, der sich in mein Hirn schleicht. Er kennt mich. Er kennt mich besser als jeder andere Mensch auf der Welt. Was, wenn er nur deshalb nicht abhaut, weil er ganz genau weiß, dass ich nicht zum Handy greifen, ihn nicht ausliefern werde?

Ich bin wie betäubt. Das darf doch alles nicht wahr sein.

Langsam schüttele ich den Kopf und verlasse die Küche. Das Fenster, das Telefon. Ich gehe rüber ins Wohnzimmer, wo Ella sich mit einem Malbuch auf die Couch gekuschelt hat, die

Wachsmalstifte im Kreis auf den Kissen ringsum verteilt. Ich setze Caleb zu seinen Spielsachen auf den Boden und sinke dann neben Ella auf die Couch. Fühle ihre Stirn, die wärmer ist als vorhin. Unwillig wischt sie meine Hand beiseite, und ich nehme sie in die Arme.

»Mom, hör auf.« Halbherzig schubst sie mich weg, dann lässt sie die Arme sinken und gibt nach, den Stift noch malbereit in der Hand.

Ich drücke ihr einen Kuss auf den Kopf, auf die Haare, die nach Babyshampoo riechen. Was sie vorhin gesagt hat, geht mir nicht aus dem Kopf. *Wo ist Daddy?* Und dann ein Satz, den sie nie gesagt hat, den ich mir aber nur allzu lebhaft ausmalen kann. *Warum ist Daddy weg?*

Caleb sitzt auf dem Boden und haut den Deckel mit den Löchern in verschiedenen geometrischen Formen rhythmisch auf die dazugehörige Box. Chase ist zu ihm hinübergekrabbelt und kaut auf einem der Stapelbecherchen herum. Die beiden sind noch zu klein, um sich später daran zu erinnern, oder? Wie normal unser Leben doch ist. Ich schaue Ella zu, wie sie die Bilder ausmalt, den dicken Wachsmalstift fest in der Faust, die Miene wild entschlossen, und mir kommen die Tränen. Himmel, wenn ich sie doch nur vor dieser unsäglichen Geschichte schützen könnte.

Ich höre, wie die Hintertür aufgeht und Matt und Luke, die sich lautstark unterhalten, irgendwas über die Little League, hereinkommen. Matt soll dieses Jahr die Baseballmannschaft der Kinder trainieren. *Sollte.* Ich stehe auf, ehe die Tränen überlaufen.

»Hallo«, sagt er, als er ins Zimmer kommt. Er wirkt zögerlich, unsicher.

»Ich muss die Zwillinge baden«, entgegne ich und weiche seinem Blick aus. Gehe hin, nehme die beiden hoch und drehe Matt den Rücken zu. Trage die Jungs nach oben ins Badezimmer, lasse Wasser ein, gebe eine Verschlusskappe Badeschaum dazu und lasse die Wanne volllaufen, während ich die beiden ausziehe und ihnen die Pampers abstreife. Setze erst Caleb ins Wasser, dann Chase. Und bin in Gedanken ganz woanders, während ich ihnen mit dem Waschlappen über die weiche Haut fahre, die moppeligen Pobacken und Oberschenkel mit den Grübchen, die Pausbäckchen, das Doppelkinn. Es kommt mir vor wie gestern, dass sie winzig kleine Neugeborene waren, Frühchen, und wir ständig mit ihnen zur Gewichtskontrolle zum Arzt mussten. Wo ist die Zeit geblieben?

Matts Stimme schallt aus dem Wohnzimmer nach oben. Eine Geschichte, eine, die ich den Kindern auch schon vorgelesen habe. Aber ich kann mich gerade nicht daran erinnern, wie sie geht. Ich höre Ella kichern.

Müde hocke ich mich hin und sehe den Zwillingen beim Spielen zu. Chase klammert sich an den Wannenrand und zieht sich fröhlich glucksend hoch. Caleb sitzt ganz ruhig da und bestaunt wie verzaubert die Wellen, die seine Patschhändchen beim Planschen im Wasser schlagen. Wir baden sie nur, wenn wir beide zu Hause sind, damit sich einer um die Kleinen und einer um die Großen kümmern kann. Ohne Matt wäre das um ein Vielfaches schwerer.

Alles wäre um ein Vielfaches schwerer.

Ich rubbele die Zwillinge trocken und stecke sie in die Schlafanzüge, und gleichzeitig höre ich, wie Matt nebenan Ella bettfertig macht.

»Wieso darf ich heute nicht baden?«, fragt sie.

»Heute gibt's kein Bad, Prinzessin«, antwortet er.

»Ich will aber baden.«

Seit wann will Ella denn baden? »Morgen Abend«, verspricht er.

Morgen Abend. Ob er morgen Abend überhaupt noch hier ist? Ich stelle mir vor, alle Kinder allein baden zu müssen. Irgendwie müsste ich die Zwillinge beschäftigen, während ich Ella wasche, und sie dann alle ganz allein ins Bett bringen. Schon mir das auszumalen ist mir zu viel.

Ich lege Caleb und Chase in ihre Bettchen, drücke ihnen einen Kuss auf die Wange, atme ihren sauberen, süßen Duft. Knipse das Nachtlicht an und die Deckenlampe aus und gehe dann rüber in Ellas Zimmer, das mal ein Sonnenzimmer werden sollte. Ich hatte große Pläne für ein Wandgemälde, einen bemalten Deckenventilator, allen Zipp und Zapp. Aber dann hatte ich bei der Arbeit so viel um die Ohren. Weshalb es bis jetzt einfach ein gelbes Zimmer ist. Nackte gelbe Wände, gelber Teppich. Weiter bin ich nicht gekommen.

Ella liegt eingekuschelt im Bett, und Matt hockt auf der Bettkante, in der Hand ein Buch, das er so hält, dass sie die Bilder sieht. Es ist die Geschichte von der Feuerwehrprinzessin. Die will sie seit anderthalb Wochen jeden Abend hören.

Mit schweren Lidern schaut sie mich an. Ich lächele ihr zu und bleibe in der Tür stehen. Matt macht die Stimmen der Figuren nach wie immer, und Ella gluckst ihr leises, hohes Kleinmädchenkichern. Alles wirkt so normal, dass es fast wehtut. Sie ist so vollkommen arglos. Ahnungslos. Wenn sie nur wüsste, dass ihr ganzes Leben bald auf links gedreht wird.

Als die Geschichte zu Ende ist, gibt Matt ihr einen Gutenachtkuss und schaut mich, als er aufsteht, lange und durchdringend an. Ich gehe zu ihr ans Bett und knie mich hin. Gebe ihr einen Kuss auf die Stirn, die sich warm anfühlt an meinen Lippen. »Schlaf gut, mein Schatz.«

Sie schlingt die kleinen Arme um meinen Hals und drückt mich ganz fest. »Ich hab dich lieb, Mommy.«

Mommy. Ich schmelze wie ein Eis in der Sonne und fürchte

schon, jetzt könnten alle Dämme brechen und die Gefühle, die ich so mühsam zurückhalte, könnten mich überrollen wie ein Tsunami. »Ich hab dich auch lieb, meine Süße.«

Dann knipse ich das Licht aus und gehe in den Flur, wo Matt an der Tür zu Lukes Zimmer auf mich wartet. »Ich habe ihm eine halbe Stunde extra versprochen, wenn er früher ins Bett geht«, wispert er. »Ich dachte, wir brauchen ein bisschen Zeit zum Reden.«

Ich nicke und gehe an ihm vorbei in Lukes Zimmer, das ganz in Blau gehalten ist. Überall Baseball und Fußball. Er sitzt mit einem Stapel Bücher auf dem Bett. Und sieht so erwachsen aus, wie er da sitzt. Ich gebe ihm einen Kuss auf den Kopf und habe wieder ein Ziehen in der Brust. Für ihn wird es sicher am schwersten, oder? Von allen Kindern wird es für ihn am schwersten sein.

Schließlich gehe ich zurück ins Wohnzimmer. Das Haus wird abends rasch gespenstisch still nach dem ganzen Chaos des Tages. Matt steht in der Küche an der Spüle und kümmert sich um das schmutzige Geschirr. Ich fange an aufzuräumen. Packe die herumliegenden knallbunten Plastikspielsachen in die jeweiligen Kisten. Nehme die Holzgleise von Ellas Eisenbahn auseinander. Stück für Stück. Jetzt sind wir allein, nur wir beide. Jetzt können wir miteinander reden.

Was macht das für einen Unterschied? Ich muss ihn ausliefern, ganz gleich, was er mir zu sagen hat. Das weiß ich, wenn ich ehrlich zu mir selber bin, nur zu gut. Aber es gibt einen kleinen Teil in mir, der das partout nicht wahrhaben will. Der glaubt, dass es einen anderen Ausweg geben muss.

Ich sehe zu ihm hoch, wie er da an der Spüle steht und eine Pfanne abtrocknet. Ich unterbreche das Schienenauseinandernehmen und hocke mich auf die Fersen. Und merke jetzt erst, dass ich gar nicht weiß, wo ich anfangen soll. »Was für Informationen hast du ihnen weitergegeben?«, frage ich schließlich.

Er hält inne und schaut auf. »Nichts Wertvolles. Allgemeines Blabla. Ob du Stress hast bei der Arbeit oder ob es gut läuft. So was alles.«

»Du musst ihnen mehr verraten haben als reine Belanglosigkeiten.« Ich überlege, ob ich in all den Jahren vielleicht Sachen gesagt habe, die ich besser nicht gesagt hätte. Plötzlich fallen mir siedend heiß meine Kollegen ein. Und mir wird ganz flau. »Himmel. Marta. Trey. Deinetwegen haben die Russen versucht, sie anzuwerben, oder? *Unseretwegen.*«

Worauf er erst erstaunt und dann verwirrt wirkt. »Nein.«

Hektisch gehe ich alles durch, was ich ihm je über die beiden erzählt habe. Dass Marta immer die Erste ist, eine Happy Hour im Büro vorzuschlagen. Diese seltsam peinlichen Angelegenheiten, bei denen ein Dutzend Menschen am helllichten Tag mit einer Tüte Chips, einem Teller Kekse und ein paar Flaschen Wein um den Tisch im Konferenzraum sitzt. Dass sie immer zwei Flaschen mitbringt, die abends dann beide leer sind, obwohl die Hälfte der Leute im Büro gar keinen Alkohol trinkt und sie die Einzige ist, die sich den kleinen Plastikbecher noch mal nachfüllt. Und dass sie eine Flasche Whiskey in ihrer untersten Schreibtischschublade hat – das habe ich ihm auch erzählt. Und dass ich gesehen habe, wie sie sich einen großen Schluck in den Kaffee gekippt hat.

Und Trey. An das Gespräch vor ein paar Jahren erinnere ich mich genau. »Er nennt Sebastian immer seinen ›Mitbewohner‹«, habe ich Matt erzählt, mit den Fingern Gänsefüßchen in die Luft gemalt und die Augen verdreht. »Warum lässt er dieses alberne Versteckspiel nicht und sagt ganz einfach die Wahrheit? Uns ist das doch schnurzpiepegal.«

»Ich habe dir das alles im Vertrauen erzählt«, flüstere ich jetzt und komme mir vor wie verraten und verkauft.

»Viv, ich schwöre dir, ich habe sie mit keinem Wort erwähnt.«

»Sie sind angesprochen worden, Matt. Glaubst du allen Ernstes, das sei *Zufall* gewesen?«

»Hör zu, davon weiß ich nichts. Aber ich garantiere dir, dass ich nie ein Wort über sie verloren habe.«

Wortlos sehe ich ihn an. Er wirkt so aufrichtig. Aber ich weiß nicht mehr, was ich noch glauben soll. Resigniert schüttele ich den Kopf, senke den Blick auf die Eisenbahnschienen und mache mich daran, sie auseinanderzunehmen. Ich höre, wie er weiter abtrocknet und die Sachen in die Küchenschränke räumt.

Ein paar Minuten sagt keiner von uns ein Wort, bis er schließlich ansetzt: »Ich sage die Wahrheit, Viv. Ich habe ihnen nichts Verwertbares erzählt. Und es scheint sie nicht weiter zu stören. Ich glaube, für sie bin ich so oder so ein Hauptgewinn.«

»Weil du mit mir verheiratet bist.«

»Ja.« Er wirkt peinlich berührt.

Ich werfe die letzten Schienen in die Kiste und klappe den Deckel zu, um sie dann gegen die Wand zu schieben. Unser Ordnungssystem im Familienwohnzimmer. Durchsichtige Plastikkisten voller Spielsachen, die sich an den Wänden türmen. »Auf welcher Seite stehst du … der russischen?« Das klingt so eigenartig aus meinem Mund.

»Ich stehe auf deiner Seite.«

Ich muss an die amerikanische Flagge denken, die draußen vor der Tür hängt. Die Paraden am Unabhängigkeitstag. Die Raketen und Feuerwerkskörper. Matt, wie er bei Baseballspielen die Kappe abnimmt, die Hand aufs Herz legt und stumm die Worte der Nationalhymne mitspricht. Wie er einmal Luke erklärt hat, dass wir uns glücklich schätzen sollten, im wunderbarsten Land der Welt zu leben. »Russland oder Amerika?«

»Amerika. Natürlich Amerika. Du kennst mich doch, Viv. Du weißt, woran ich glaube und wofür ich einstehe.«

»Tatsächlich?«

»Ich war noch ein Kind. Eine Waise. Ich hatte keine Wahl.«

»Man hat immer eine Wahl.«

»Nicht in Russland.«

Ich verstummte. »Trotzdem. Du hast einmal aufseiten der Russen gestanden.«

»Natürlich. Zuerst habe ich an das geglaubt, was ich tue. Ich war Russe, und sie hatten mich einer gründlichen Gehirnwäsche unterzogen. Aber wenn man hier lebt ... mit eigenen Augen die Wahrheit sieht ...«

Mein Blick fällt auf den Schnabelbecher, der hinter der Spielküche klemmt, und ich greife danach und angele ihn aus der Ritze. »Warum hast du mir denn nichts gesagt?«

»Wie hätte ich das tun sollen?«

»Zehn Jahre hattest du Zeit. An jedem einzelnen Tag der vergangenen zehn Jahre hättest du zu mir kommen können. *Viv*, hättest du sagen können, *ich muss dir was sagen*. Und dann hättest du es mir einfach gesagt.«

Er kommt zu mir herüber und hockt sich auf die Armlehne der Couch. Das Geschirrtuch hat er über die Schulter geworfen. »Das wollte ich. Himmel, Viv, meinst du, ich hätte das nicht gewollt? Wie oft war ich ganz kurz davor! Aber was dann? Dann hätte ich diesen Ausdruck in deinen Augen gesehen. So wie jetzt. Verraten, verletzt, ungläubig. Das wollte ich nicht. Und ich hatte Angst. Vor dem, was du tun würdest. Die Kinder nehmen und gehen? Ich wollte dich nicht verlieren. Ich wollte euch nicht verlieren. Du und die Kinder« – seine Stimme droht zu brechen –, »ihr seid alles für mich. Einfach alles.«

Ich sage nichts. Irgendwann redet er weiter. »Ich liebe dich, Vivian.« Wortlos starre ich ihn an. Sein Gesicht wirkt so vertrauenswürdig. So offen und aufrichtig. Und plötzlich fühle ich mich zurückversetzt in die Zeit vor zehn Jahren. Einen Monat nachdem wir uns kennengelernt hatten. Ein Monat, in dem wir uns praktisch jeden Tag gesehen hatten. Er hatte mich abends nach Hause gebracht, es war schon dunkel. Ich sehe uns wieder in der Straße, in der ich wohnte. Die Bäume auf beiden Seiten rauschten in der abendlichen Brise, die Laternen fluteten die Bürgersteige mit sanftem gelbem Licht. Er hatte den Arm um meine Taille geschlungen, und wir gingen langsam im Gleichschritt nebeneinanderher. Er hatte gerade über etwas gelacht, das ich gesagt hatte. Etwas, das ich längst vergessen habe. Und dann sagte er: »Ich liebe dich, Viv«, und verstummte. Keiner von uns beiden sagte mehr etwas. Die Nacht war plötzlich ganz still. Und ich sah, wie ihm die Röte in die Wangen stieg. Das hatte er nicht sagen wollen. Es war ihm einfach so herausgerutscht. Und das machte es noch schöner. Weil es ungefiltert war, unbedacht und zärtlich; weil es wirklich von Herzen gekommen sein musste. Ich war mir ganz sicher, dass er versuchen würde, es irgendwie zurückzunehmen. *Ich liebe deinen Humor, Viv. Ich liebe es, Zeit mit dir zu verbringen.* Irgendwas in der Art. Tat er aber nicht. Er blieb stehen, sah mich an und zog mich fest an sich. »Ich liebe dich, Viv. Wirklich.«

Ich senke den Blick. Meine Hand umklammert die Schnabeltasse so fest, dass die Fingerknöchel weiß werden. Ich schaffe es kaum, die Worte herauszubringen. »Wie konntest du nur Kinder mit mir bekommen?«, krächze ich.

»Weil ich mir mit dir ein gemeinsames Leben aufbauen wollte. Ich wollte, dass du alles bekommst, was du dir je erträumt hast.«

»Aber du hättest doch wissen müssen, dass eines Tages …«

»Nein«, unterbricht er mich mit fester Stimme. »Das wusste ich nicht. Ich habe wirklich geglaubt, ich könnte die Sache durchziehen, bis du irgendwann in Rente gehst. Bis ich in Rente gehe. Bis ich endlich *frei* wäre.«

Ich bin still. Um uns herum das ganze Haus ist still. Alles ist unheimlich still.

»Sie hätten mich bestimmt hierbleiben lassen«, sagt er sehr sanft. »Ich wäre nicht der Erste gewesen. Ich hätte in Ruhe den Rest meines Lebens genießen und irgendwann friedlich sterben können, und niemand hätte je davon erfahren.«

Hätte. Könnte. Eine Kette von Eventualitäten. Er weiß, dass wir nicht einfach so tun können, als sei das alles nie geschehen. Als wüsste ich nichts davon. Er weiß, dass ich ihn ausliefern muss.

Matt lächelt er mich an. »Wenn du doch bloß nicht so gut wärst in deinem Job.«

Bei diesen Worten dreht sich mir der Magen um. Hätte ich diesen saublöden Algorithmus nicht so stur verfolgt, wäre das alles nicht passiert. Ich trage die Schnabeltasse in die Küche, schraube den Deckel ab und lege beide Teile ins obere Fach der Spülmaschine. Stumm schaut er mir dabei zu. Ich schließe den Geschirrspüler und lehne mich gegen die Arbeitsplatte.

Er kommt rüber und stellt sich hinter mich. Zögerlich, als sei er nicht sicher, was er machen soll. Wie ich reagieren werde. Ich weiß es auch nicht. Aber ich rühre mich nicht. Ich lasse ihn noch näher kommen. Er legt die Hände auf meine Schultern und lässt sie hinunterwandern bis zu den Hüften, um mich ganz nahe zu sich heranzuziehen. Mein Körper wird butterweich in der vertrauten Umarmung. Und als ich die Augen fest zumache, kullert je eine einzelne Träne heraus.

In Gedanken stehe ich wieder auf der Straße vor meinem Haus. Schmiege mich an ihn, als er mich küsst, drücke mich gegen ihn, will mehr. Gemeinsam stolpern wir ins Haus, die Treppe hinauf. Seine Berührung, sein Blick, dieser Hunger. Und wie wir nachher dalagen, ineinander verschlungen auf den zerknüllten Laken. In seinen Armen aufzuwachen, zuzusehen, wie er die Augen aufschlug und mich anschaute. Das zufriedene Lächeln, das sich morgenmüde in sein Gesicht schlich. All das war echt. Es muss einfach echt gewesen sein.

»Was soll ich denn jetzt machen?«, frage ich leise. Eigentlich eine rhetorische Frage. Gerichtet an meinen besten Freund, der immer für mich da war. Auf den ich mich immer verlassen konnte. Mein Anker. Mein Felsen.

Vielleicht auch mein Rettungsring. *Hol mich hier raus. Sag mir, was ich machen soll, damit das alles verschwindet.*

»Es gibt eigentlich nur eins.« Er vergräbt das Gesicht mit den pikenden Bartstoppeln in der Kuhle zwischen meinem Hals und meiner Schulter. Ein Schauer läuft durch meinen ganzen Körper. »Du musst mich ausliefern.«

Zuerst erscheint mir das vollkommen irreal. Müsste er nicht eigentlich versuchen, mir das auszureden? Aber nichts, nur Schweigen, ein klaffendes Loch, wo eigentlich Worte sein sollten. Und es kommt mir vor, als baumelte ich über dem Abgrund und sei kurz davor, ins Nichts zu stürzen. Alles zu verlieren.

Doch dann tut sich plötzlich etwas. Als würde ein Schalter umgelegt. Ich drehe mich auf dem Absatz um und sehe ihn an. Er weicht nicht zurück, bleibt dicht vor mir stehen. So nahe, dass ich seinen Duft einatmen, seine Wärme spüren kann. »Es muss noch eine andere Möglichkeit geben«, sage ich sehr bestimmt. Er kann doch jetzt nicht einfach so die Flinte ins Korn werfen.

Er rückt von mir weg, und es ist, als würde die entstehende Leere gefüllt vom Sog eines eiskalten Lufthauchs. Er geht an den Küchenschrank, nimmt ein Weinglas heraus und stellt es neben meins. Ich sehe ihm dabei zu, während mein Verstand zu begreifen versucht, was hier gerade passiert. Er gießt Wein in beide Gläser und reicht mir meins. »Gibt es nicht.«

»Es gibt immer …«

»Gibt es nicht, Viv. Glaub mir. Ich habe das alles schon sehr gründlich durchdacht.« Er nimmt sein Glas und trinkt einen großen Schluck. »Ich hatte ja genügend Zeit, darüber nachzudenken. Was ich tun könnte, sollte dieser Tag je kommen.«

Reglos starre ich in mein Glas. Eigentlich sollte ich lieber nichts mehr trinken. Ich brauche einen klaren Kopf. Andererseits würde ich mich jetzt am liebsten heillos betrinken und alles um mich herum vergessen.

»Was willst du noch wissen?«, fragt er leise. Er ist schon einen Schritt weiter. Dieser Teil des Gesprächs ist für ihn abgehakt. Erledigt. Ihn den Behörden ausliefern. Das soll ich also tun. Er hat keinen Plan B. Keine geniale Idee, um uns irgendwie rauszuhauen.

Aber die Sache ist noch nicht gegessen. Nicht für mich. Ganz und gar nicht. Starrsinnig schüttele ich den Kopf und denke derweil über seine Frage nach. Was ich sonst noch wissen will. *Ich will wissen, ob du vollkommen ehrlich zu mir bist. Ob ich dir vertrauen kann. Hundertprozentig. Ob wir wirklich auf derselben Seite stehen.* Ich schaue auf und sehe ihm geradewegs in die Augen. »Alles.«

Er nickt, als habe er diese Antwort erwartet. Schwenkt das Glas mit dem Wein, stellt es wieder ab und lehnt sich gegen die Arbeitsplatte. »Mein zuständiger Betreuer vor Ort ... heißt Juri Jakow.«

Ich versuche, mir nichts anmerken zu lassen. »Erzähl mir mehr.«

»Er pendelt ständig zwischen Russland und den USA. Er ist der einzige Kontaktmann, den ich persönlich kenne. Das ganze System ... da ist alles sehr strikt aufgeteilt ...«

»Und wie haltet ihr Kontakt?«

»Über tote Briefkästen.«

»Wo?«

»Im Nordwesten von D. C. Da, wo wir früher gewohnt haben.«

»Wo *genau*?«

»Kennst du die Bank in Georgetown an der Straßenecke? Die mit dem Kuppeldach? Da gibt es einen kleinen Innenhof mit zwei Sitzbänken. Es ist die rechte, die mit Blick auf den Eingang. Das Postfach ist unter der Bank, auf der rechten Seite.«

Das ist verdammt präzise. Und vieles davon wusste ich nicht. Das sind ganz unerwartete, wertvolle Infos. Unbezahlbar eigentlich. »Und wie oft trefft ihr euch?«

»Wann immer einer von uns das Zeichen dafür gibt.«

»Im Schnitt.«

»Alle zwei bis drei Monate.«

Alle zwei bis drei Monate? Ich versuche, den Kloß im Hals herunterzuschlucken. Bisher sind wir davon ausgegangen, die Agentenbetreuer verbrächten die meiste Zeit in Russland und träfen sich nur sehr unregelmäßig mit den Schläfern – einmal im Jahr vielleicht oder alle zwei Jahre –, womöglich auch in Drittländern. Juri ist offiziell bloß ein paarmal in die USA eingereist, und immer nur für ganz kurze Zeit. Was bedeuten würde, dass er unter falschem Namen hier lebt. Oder?

»Wie wird das Zeichen übermittelt?«

»Kreidemarkierungen auf der Bank. Genau wie im Film.« Er lächelt schief.

Ich könnte weiter nachhaken. Könnte fragen, ob sie eine besondere Kreide benutzen, wo genau sie das Zeichen machen und wie es aussieht. Was ausreichen würde, um Juri dorthin zu locken. Ihm eine Falle zu stellen und ihn festzunehmen.

Oder, meldet sich die Spionageabwehranalystin in mir zu Wort, *er könnte mich ausspielen. Mir Anweisungen geben, um Juri mitzuteilen, dass er aufgeflogen ist. Und dass er verschwinden soll.* Mir schnürt es die Kehle zu.

»Was hinterlegst du? Was holst du ab?«

»Verschlüsselte USB-Sticks.«

»Und wie entschlüsselst du sie?«

»Der Stauraum unter der Treppe? Du weißt schon. Da gibt es ein Dielenbrett, das sich rausnehmen lässt. Darunter ist ein Laptop.«

Er antwortet schnell und ohne zu zögern. Keinerlei Anzeichen eines Täuschungsmanövers. Ich versuche, die verstörende Tatsache, dass der fragliche Laptop in unserem Haus versteckt ist, zu ignorieren und überlege, was ich ihn noch fragen soll. »Und du hast ihm nichts von dem gesagt, was ich dir erzählt habe?«

Er schüttelt den Kopf. »Ich schwöre, Viv. Ganz bestimmt nicht.«

»Du hast Marta und Trey mit keinem Wort erwähnt?«

»Niemals.«

Ich gucke in mein Weinglas. Ich glaube ihm. Wirklich. Und weiß doch nicht, ob ich ihm glauben kann. Ich schaue wieder auf. »Sag mir, was du über das Programm weißt.«

»Vermutlich weißt du mehr als ich. Es ist streng hierarchisch aufgebaut und in sich hermetisch geschlossen. Ich kenne nur Juri. Darüber hinaus weiß ich nichts.«

Ich schwenke den Wein im Glas und sehe zu, wie er an der glatten Fläche Schlieren zieht. In Gedanken sehe ich mich an meinem Schreibtisch sitzen, mit all den Wissenslücken, die ich habe, und all den Dingen, von denen ich mir immer gewünscht habe, ich wüsste sie. Dann schaue ich wieder auf. »Wie kontaktierst du Moskau? Für den Fall, dass Juri etwas zustoßen sollte? Wen würdest du kontaktieren? Und wie?«

»Gar nicht. Erst nach einem Jahr. Wir haben strikte Anweisungen, in so einem Fall den Kopf einzuziehen und uns nicht zu mucksen. Zu unserer eigenen Sicherheit. Maulwürfe beim Auslandsgeheimdienst oder was auch immer. Ich soll einfach den Ball flachhalten und abwarten, bis jemand für Juri nachrückt und Kontakt mit mir aufnimmt.«

Das habe ich befürchtet. Eine Struktur, die es beinahe unmöglich macht, Betreuer und Agentenführer aufzustöbern. Aber etwas von dem, was er gesagt hat, will mir nicht aus dem Kopf. Etwas Neues. *Ein Jahr.*

»Und was passiert, nachdem du ein Jahr abgewartet hast?«

»Dann melde ich mich.«

»Und wie?«

»Es gibt da eine E-Mail-Adresse. Ich muss dazu in einen anderen Bundesstaat fahren, einen neuen Account erstellen ... Es gibt eine sehr lange, sehr präzise Checkliste für das ganze Prozedere.«

Was er da sagt, klingt sehr einleuchtend. Ich habe mich immer gefragt, was wohl passieren würde, wenn der Ersatz für den Betreuer Schwierigkeiten hätte, an die Namen der fünf Agenten zu kommen. Die Schläfer würden sich also von sich aus bei ihm melden.

»Tut mir leid, dass ich dir nicht mehr dazu sagen kann, aber ich nehme an, das ist beabsichtigt. Damit das Programm, selbst wenn sich einer der Agenten absetzen sollte, intakt bleibt ...« Mit hilflosem Gesicht bricht er ab.

Natürlich ist das so gewollt. Das weiß ich selbst, oder etwa nicht? Er hat mir so viel verraten, wie ich nur erwarten kann. Ohne zu zögern. Ohne einen Hinweis darauf, dass er mich täuschen will.

Er leert sein Glas und stellt es auf die Arbeitsplatte. »Sonst noch was?«

Ich schaue in sein müdes, abgekämpftes Gesicht. Er wirkt vollkommen hilflos. Matt ist nie hilflos. Er ist ein Tausendsassa, kriegt alles irgendwie hin, kann jedes Problem lösen. Er kann einfach *alles*. Ich schüttele den Kopf. »Ich weiß es nicht.«

Er schaut mich durchdringend an. Dann senkt er den Blick und hebt die Achseln. »Dann sollten wir jetzt wohl versuchen, ein bisschen zu schlafen.«

Ich tappe hinter ihm her ins Schlafzimmer. Unsere Schritte auf der Treppe sind schleppend, schwerer als sonst. Ich muss an den Laptop denken, versteckt in dem Stauraum unter der

Treppe. Ein Laptop des SWR, hier in unserem Haus. Ein Laptop, mit dem mein Ehemann seinem russischen Betreuer geheime Botschaften übermittelt.

Im Schlafzimmer wendet Matt sich zum Kleiderschrank, während ich die andere Richtung einschlage und ins Bad gehe. Dort schließe ich die Tür hinter mir und bleibe stocksteif stehen. Zum ersten Mal ganz allein. Erschöpft sacke ich zusammen und sinke auf den Boden, wo ich, mit dem Rücken gegen die Tür gelehnt, sitzen bleibe. Ich kann nicht mehr. Ich bin fertig. Kaputt. Am Ende. Eigentlich müsste ich jetzt losheulen. All die Gefühle, die in mir toben, müssten sich doch irgendwann entladen. Tun sie aber nicht. Ich sitze einfach nur da und blinzele mit leerem Blick ins Nichts.

Irgendwann rappele ich mich schließlich auf. Putze mir die Zähne, wasche mir das Gesicht und gehe wieder ins Schlafzimmer, damit Matt das winzige Bad für sich hat und sich fertigmachen kann zum Schlafengehen. Aber er ist nirgendwo zu sehen. Nicht in dem begehbaren Schrank, nicht im Bett. Wo steckt er bloß? Ich gehe raus in den Flur, und da sehe ich ihn. Er steht in der Tür zu Lukes Zimmer. Ich sehe nur sein Profil, aber das sagt alles. Die Tränen laufen ihm in Strömen über das Gesicht.

Der Anblick erschüttert mich bis ins Mark. In den zehn Jahren, die wir uns jetzt kennen, habe ich ihn noch nie weinen sehen.

Schweigend liegen wir nebeneinander. Ich lausche auf Matts Atem, gleichmäßig, aber schnell, und weiß, dass er genauso wenig schlafen kann wie ich. Hellwach blinzele ich in die Dunkelheit und versuche krampfhaft, meine wirren Gedanken zu ordnen. Es muss einen anderen Ausweg geben. Ihn auszuliefern kann nicht die einzige Möglichkeit sein.

Ich drehe mich auf die Seite und schaue ihn an. Es fällt gerade genug Licht von dem Nachtlämpchen im Flur herein, dass sein Gesicht zu erkennen ist. »Du könntest aufhören.«

Er dreht den Kopf zu mir. »Du weißt doch selbst, dass das nicht geht.«

»Wieso denn nicht? Vielleicht kannst du …«

»Vermutlich würden sie mich umbringen. Oder zumindest fertigmachen. Ich wäre erledigt.«

Aufmerksam betrachte ich sein Gesicht. Die Stirnfalte. Die Augen, die aussehen, als dächten sie über den Vorschlag nach und wälzten mögliche Konsequenzen.

Er dreht den Kopf wieder weg und starrt an die Decke. »Ohne den russischen Auslandsgeheimdienst existiert Matt Miller nicht. Wenn sie mir meine Identität nehmen, wo soll ich dann hin? Wo soll ich dann leben? Und wie?«

Ich drehe mich auf den Rücken und schaue genau wie er zur Decke. »Dann gehen wir zum FBI.« Zu Omar. Unserem Freund. Dem Mann, der es Schläfern ermöglichen wollte, heim ins Warme zu kommen und ihnen im Gegenzug für Informationen Straffreiheit garantieren wollte.

»Und was sagen wir denen?«

»Wir sagen ihnen, wer du bist. Geben ihnen alle Informationen. Handeln einen Deal aus.« Noch während ich das sage, merke ich, wie hohl es sich anhört. Das FBI hat Omars Pläne damals in der Schublade verschwinden lassen. Schnell und unauffällig. Wer sagt, dass sie sich auf so einen Handel einlassen würden?

»Ich habe nicht genug, was ich ihnen anbieten könnte. Keine wirklich wertvollen Informationen.«

»Dann gehen wir zur CIA. Du könntest ihnen anbieten, als Doppelagent zu arbeiten.«

»Jetzt? Überleg doch mal. Die müssen doch Lunte riechen. Zwei Jahrzehnte lang schweige ich, und ausgerechnet jetzt, wo du die Schlinge um meinen Hals zuziehst, biete ich mich ihnen als Doppelagent an? Das würden sie mir doch nie abkaufen. Die würden nicht glauben, dass ich vertrauenswürdig bin.« Wieder sieht er mich an. »Außerdem habe ich mir geschworen, so was nie im Leben zu machen. Ginge es nur um mich, okay. Aber ich würde dich und die Kinder in Gefahr bringen. Das Risiko ist mir zu hoch.«

Mir zieht sich das Herz zusammen. »Dann hänge ich meinen Job an den Nagel. Wärst du nicht mit einer CIA-Agentin verheiratet…«

»Die wissen ganz genau, dass du nicht einfach so hinschmeißen würdest. Sie kennen unsere finanzielle Lage.«

Ein seltsames Gefühl kriecht mir in den Magen, als ich mir vorstelle, dass die Russen Details unseres gemeinsamen Lebens kennen. Um unsere wunden Punkte wissen. Dass wir in der Zwickmühle sitzen. Ich versuche, nicht darüber nachzudenken. Mich auf das akute Problem zu konzentrieren. »Dann sorge ich dafür, dass sie mich rausschmeißen.«

»Das durchschauen die doch. Und außerdem, was dann? Was, wenn sie mich zwingen, dich zu verlassen?«

Die Schlafzimmertür knarzt kaum merklich. Ich schaue auf, und da steht Ella, durch den Spalt von hinten angeleuchtet, und drückt ihren ramponierten Stoffdrachen fest an die Brust. »Darf ich zu euch ins Bett?«, fragt sie schniefend. Sie schaut Matt an, aber ich bin es, die ihr antwortet.

»Sicher, meine Süße.« Natürlich darf sie. Schließlich ist sie krank. Und ich war gedanklich so mit Matt beschäftigt, dass ich mich kaum um sie gekümmert, sie gar nicht ausgiebig getröstet und betütelt habe.

Wieselflink klettert sie zu uns ins Bett und schiebt sich zwischen uns. Macht es sich bequem, zieht die Bettdecke bis unters Kinn und deckt ihren Drachen auch feste zu. Danach wird es still im Zimmer. Ich starre an die Decke, allein mit meiner Angst. Ich weiß, dass es Matt genauso geht. Wie sollen wir auch nur ein Auge zutun?

Warm liegt Ella neben mir. Ihr Atem wird langsamer, leichter. Ich schaue sie an, wie sie daliegt, mit offenem Mund und einem kleinen Heiligenschein aus babyweichen Haaren. Sie bewegt sich leicht im Schlaf, seufzt leise. Ich gucke wieder zur Decke. Ich bringe es kaum über mich, es auszusprechen, aber ich muss. »Und wenn wir alle nach Russland gingen?«, wispere ich.

»Das kann ich dir und den Kindern nicht antun«, erwidert er leise. »Du würdest deine Eltern nie wiedersehen. Ihr sprecht überhaupt kein Russisch. Das Bildungssystem dort…die beschränkten Möglichkeiten…und Caleb. Die medizinische Versorgung, die Operationen…Dort könnte er nicht so ein unbeschwertes Leben führen wie hier.«

Worauf wir beide wieder verstummen. Ich fühle mich so hilflos, dass mir Tränen in die Augen steigen. Wie kann es sein, dass es keine andere Lösung gibt? Ist denn Aufgeben wirklich unsere einzige Option?

»Vermutlich werden sie eine Untersuchung einleiten«, sagt er schließlich. Ich drehe mich auf die Seite und sehe ihn an, über Ella hinweg, die sich zwischen uns gekuschelt hat. Er dreht sich seinerseits um, sieht mich an. »Wenn du die interne Sicherheit informierst. Sie werden meine Kommunikation überwachen. Wer weiß, wie lange. Aber wir dürfen dann kein weiteres Wort über die Sache verlieren. Nirgendwo, niemals.«

Ich male mir aus, wie es sein wird, wenn unser ganzes Haus verwanzt ist, ein ganzer Raum voller Agenten jedes Wort belauscht, das wir zu den Kindern sagen und zueinander. Wenn alles mitgeschrieben wird und Analysten, wie ich selber eine bin, jede einzelne Silbe auseinandernehmen. Für wie lange wohl? Wochen? Monate?

»Und gib nie, niemals zu, dass du mit mir darüber gesprochen hast«, fährt er fort. »Du musst für die Kinder da sein.«

Ich muss an die Warnhinweise von Athena auf meinem Bildschirm denken. Die Vertraulichkeitsklauseln, denen ich zugestimmt habe. Das waren vertrauliche Informationen. Geheime Verschlusssachen, aufgeteilte Informationen. Und ich habe sie weitergegeben.

»Versprich mir, dass du das unter keinen Umständen zugeben wirst«, drängt er.

Mein Hals schnürt sich unerträglich fest zu. »Versprochen«, flüstere ich.

Man sieht ihm die Erleichterung an. »Und ich werde es auch keinem verraten, Viv. Niemals. Das schwöre ich dir. Das würde ich dir nie antun.«

Irgendwann ist Matt eingeschlafen. Keine Ahnung, wie, denn ich finde keinen Schlaf. Ich sehe zu, wie die Minuten in leuchtendem Neongrün weiterticken, bis ich es schließlich nicht mehr aushalte. Leise tappe ich nach unten. Nichts regt sich im Haus; es ist erfüllt von einer bleischweren Stille, die nach Einsamkeit schmeckt. Ich schalte den Fernseher ein, der das Zimmer mit flackernd blauem Licht ausfüllt. Eine sinnfreie Reality-Show mit Bikini-Mädchen und hemdlosen Männern, die sich erst betrinken und dann streiten. Irgendwann merke ich, dass ich kein Wort davon mitbekommen habe, und schalte den Fernseher wieder aus. Alles um mich herum versinkt im Schwarz.

Ich muss ihn ausliefern. Das wissen wir beide. Es ist die einzige Möglichkeit. Ich versuche, es mir vorzustellen. Wie ich mit der internen Sicherheit oder Peter oder Bert an einem Tisch sitze und ihnen von meiner ungeheuerlichen Entdeckung berichte. Es erscheint mir undenkbar. Unmöglich. Ein unverzeihlicher Verrat. Wir reden hier von Matt, der Liebe meines Lebens. Und den

Kindern. Ich versuche, mir vorzustellen, wie ich ihnen sage, dass Matt weg ist, im Gefängnis. Dass er uns alle angelogen hat. Dass er nicht der ist, für den er sich ausgegeben hat. Und wie sie später irgendwann erfahren, dass er meinetwegen Hals über Kopf verschwinden musste. Dass sie meinetwegen ohne Vater aufgewachsen sind.

Um halb sieben höre ich Matts Wecker piepsen. Eine Minute später geht die Dusche an. Wie jeden Morgen. Als sei das alles nur ein böser Traum gewesen. Leise gehe ich nach oben und ziehe mich an. Schlüpfe in meinen Lieblingshosenanzug. Schminke mich ein bisschen. Kämme mich fix. Matt kommt mit einem Handtuch um die Hüften aus der Dusche und drückt mir einen Kuss auf den Kopf. Wie jeden Morgen. Ich rieche den Duft seiner Seife, sehe im Spiegel, wie er weitergeht, rüber zum Wandschrank.

»Ella verglüht fast«, sagt er.

Ich gehe zum Bett und lege ihr eine Hand auf die Stirn. »Ja, sie glüht.« Plötzlich habe ich schreckliche Gewissensbisse. Ich habe heute früh gar nicht daran gedacht, nach ihr zu sehen.

»Ich arbeite von hier aus. Kannst du die Zwillinge auf dem Weg zur Arbeit in die Kita bringen?«

»Klar.«

Ich beobachte ihn im Spiegel, und unvermittelt überkommt mich ein beunruhigendes Gefühl. Als sei das alles vielleicht *wirklich* bloß ein Traum gewesen. Wie kann er sich nur so vollkommen normal verhalten, wo unser Leben doch vor unseren Augen in sich zusammenbricht wie ein Kartenhaus?

Der restliche Morgen versinkt im bekannten Chaos. Gemeinsam machen wir die Zwillinge und Luke fertig für die Schule und sorgen dafür, dass sie frühstücken. Wie immer ein perfekt eingespieltes Team. Ich ertappe mich dabei, dass ich ihn öfter anschaue, als ich sollte. Als stünde plötzlich ein wildfremder

Mensch vor mir. Aber das ist kein Fremder. Das ist Matt. Der Mann, den ich liebe.

Ich trage Ella auf die Couch, decke sie kuschelig warm zu und lege Wachsmalstifte und Malbuch griffbereit neben sie. Dann gebe ich ihr einen Kuss und Luke auch. Schließlich nehme ich Caleb auf den Arm, und Matt nimmt Chase, und dann gehen wir nach draußen und packen die Zwillinge wortlos in die Autositze. Als sie sicher festgeschnallt sind, stehen wir befangen in der Auffahrt. Nur wir beide.

Ich muss das jetzt machen, oder? Mir bleibt keine Wahl. Wie sehr ich mir gewünscht habe, mir würde etwas einfallen! Ein Ausweg, eine andere Lösung. Aber es gibt keinen Ausweg. Es gibt nur diese eine Lösung. Ich muss etwas sagen, irgendwas. Nur fehlen mir die Worte.

Traurig lächelt er mich an. Fast, als könnte er meine Gedanken lesen. »Schon okay, Viv.«

»Ich sehe einfach keinen anderen Ausweg«, murmele ich, und meine Stimme klingt belegt, so drückt mich das schlechte Gewissen. »Ich habe die ganze Nacht darüber nachgedacht …«

»Ich weiß.«

»Wenn es nur um uns beide ginge, dich und mich, dann wäre es eine Möglichkeit – *rüber* – zu gehen. Aber mit den Kindern – und vor allem mit Caleb …«

»Ich weiß. Schon gut, Viv. Wirklich.« Er zögert, und ich merke, dass er noch etwas sagen will. Er macht den Mund auf und klappt ihn wieder zu.

»Was denn?«

»Es ist bloß …« Er bricht ab und ringt die Hände. »Finanziell könnte es eng werden«, meint er schließlich. Und dann schluchzt er erstickt auf. Und ich bekomme es mit der Angst zu tun, denn sonst verliert Matt nie derart die Beherrschung. Ich mache einen Schritt auf ihn zu, schlinge die Arme um ihn und schmiege das Gesicht an seine Brust. Er nimmt mich in die Arme, und ich muss daran denken, wie sicher ich mich in dieser Umarmung immer gefühlt habe. Wie geborgen und aufgehoben. »Gott, es tut mir so leid, Viv. Was habe ich bloß getan? Und was soll nur mit den Kindern werden?«

Ich weiß nicht, was ich darauf sagen soll. Und selbst wenn ich etwas wüsste, würde mir, fürchte ich, mein Mund nicht gehorchen.

Er löst sich von mir und atmet tief durch. »Ich wünschte, das alles wäre nie passiert.« Eine einzelne Träne läuft ihm über die Wange. »Was auch immer du da gefunden hast, ich wünschte, ich könnte es einfach verschwinden lassen.«

»Ich auch«, flüstere ich. Ich sehe die Träne, wie sie ihm bis übers Kinn kullert. Ich habe noch etwas anderes im Kopf. Etwas, das ich ihm sagen muss, von dem ich aber nicht weiß, wie. Schließlich zwinge ich mich, es auszusprechen. »Du kannst auch einfach gehen, wenn du willst.« Und denke dabei, wie absurd, wie traurig es ist, dass es so weit kommen musste. Zehn Jahre, vier Kinder, ein ganzes gemeinsames Leben. Und jetzt der Abschied in der Einfahrt vor dem Haus?

Ungläubig schaut er mich an und schüttelt dann resigniert den Kopf. »Da drüben erwartet mich nichts.«

»Verstehe.«

Er legt mir die Hände auf die Schultern. »Mein Leben ist hier.« Wie aufrichtig er dabei wirkt.

»Trotzdem, falls du es dir anders überlegst ... ruf wenigstens einen Babysitter an ...«

Er lässt die Arme sinken und sieht mich an wie ein waidwundes Tier. Ich weiß gar nicht, warum ich das gesagt habe. Ich glaube doch nicht ernsthaft, er würde Ella einfach so alleinlassen?!

Sonst weiß ich nichts mehr zu sagen. Und selbst wenn, ich

weiß nicht, ob ich es herausbekäme, ohne zusammenzubrechen. Also wende ich mich ab, steige in den Wagen und drehe den Schlüssel im Zündschloss. Er springt gleich beim ersten Mal an. Wenn das kein Zufall ist. Hart lege ich den Rückwärtsgang ein und sehe, wie Matt mir nachschaut, als ich die Einfahrt hinunterrolle, auf die Straße. Weg von dem Leben, das ich kannte. Das wir uns gemeinsam aufgebaut haben. Und erst dann kommen mir die Tränen.

In langen Schlangen passieren die Autos die mit bewaffneten Beamten besetzten Kontrollpunkte. Die farbcodierten Parkplätze füllen sich zusehends. Tausende Menschen arbeiten hier im Hauptquartier. Wie betäubt trotte ich von einem der weit entfernten Parkplätze zum Hauptgebäude, als irrte ich durch dichten Nebel. Meine Schritte sind schwer und schleppend. Rechts und links auf dem breiten Gehweg ziehen die anderen an mir vorbei. Mein Blick schweift über die manikürte Landschaft zu meiner Rechten. Die Pflanzen. Die Farben. Alles besser, als daran denken zu müssen, was als Nächstes kommt. Lieber so tun, als sei das alles nie passiert.

Ein Schwall warmer Luft schlägt mir entgegen, als die automatischen Türen zum Foyer sich öffnen. Mein Blick bleibt an der übergroßen amerikanischen Flagge hängen, die an den Deckenbalken des Atriums hängt und heute irgendwie unheilkündend, fast höhnisch wirkt. Ich werde den Mann verraten, den ich über alles auf der Welt liebe. Weil ich keine Wahl habe. Weil ich dieser Flagge die Treue geschworen habe – und meinem Land, das nicht seins ist.

An den Drehkreuzen stehen Sicherheitsbeamte, die aufmerksam alles beobachten und verfolgen. Wie immer. Da ist Ron, der fast jeden Morgen hier ist. Der nie lächelt, nicht mal, wenn ich ihn anlächele. Und Molly, die immer zu Tode gelangweilt wirkt.

Die Leute stehen Schlange, warten geduldig, bis sie an der Reihe sind, ihren Ausweis einzuscannen und ihren Code einzutippen. Ich reihe mich in die Schlange ein, ziehe Mütze und Handschuhe aus und streiche mir die Haare glatt. Warum bin ich bloß so nervös? Als täte ich etwas Verbotenes. Das ist doch verrückt. Vollkommener Blödsinn.

Zuerst gehe ich zu Peter. Das habe ich mir auf der Fahrt hierher überlegt. Aber ich muss üben, was ich ihm sagen will, bevor ich das Ganze dann noch mal vor der internen Sicherheit wiederholen muss. Ich kann mir nämlich beim besten Willen nicht vorstellen, wie ich sage: *Ich habe ein Foto von meinem Mann entdeckt*… Keine Ahnung, wie ich das hinkriegen soll, ohne in Tränen auszubrechen.

Langsam laufe ich den Flur hinunter zu unserem Trakt – einem abgeschlossenen Flügel mit vielen kleinen Büros und einem weitläufigen Großraumbüro, das hinter einer schweren Panzertür liegt. Wie alles hier. Wieder den Ausweis scannen, wieder einen Code eingeben. Vorbei an Patricia, der Sekretärin, und vorbei an den Büros der Chefs. An der langen Reihe von Trennwänden entlang, bis ganz nach hinten durch zu meinem kleinen Kabuff, das ich mit viel Mühe und Liebe zum Detail zu meiner zweiten Heimat gemacht habe. Die Wachsmalbilder, die Fotos von den Kindern und von Matt. Mein Leben an ein paar Reißzwecken.

Ich logge mich ein, tippe Passwörter ein und setze eine Kanne Kaffee auf, während ich auf die System-Authentifizierung warte. Dann gieße ich Kaffee in die Mom-Tasse, die Matt mir zum letzten Muttertag geschenkt hat. Bedruckt mit einem Foto unserer Kinder. Eins der seltenen, auf dem alle vier in die Kamera schauen und drei von ihnen sogar lächeln. Zehn Minuten hat es gedauert, bis wir die Aufnahme im Kasten hatten. Ich habe alberne Geräusche gemacht, und Matt ist hinter mir herumgehopst wie ein wild gewordenes Känguru und hat wie irre mit den Armen gewedelt. Hätte uns jemand gesehen, er hätte uns für vollkommen verrückt gehalten.

Athena lädt, und ich klicke die Warnhinweise weg, die ich gestern, als ich mit Matt geredet habe, allesamt missachtet habe. Unvermittelt gehen mir seine Worte durch den Kopf. *Und ich werde es auch keinem verraten, Viv. Das schwöre ich.* Das würde er doch ganz sicher nicht, oder? Und ich muss an einen weiteren Satz denken, den er gesagt hat. *Ich stehe auf deiner Seite.* Das glaube ich ihm. Wirklich.

Und dann bin ich wieder in Juris Rechner, genau wie gestern. Derselbe blaue Hintergrund, dieselben Blubberblasen, dieselben vier Symbolreihen. An der letzten bleibe ich hängen. *Freunde.* Es ist totenstill, wie in einer Gruft. Verstohlen schaue ich mich um, aber es ist niemand zu sehen. Ich doppelklicke darauf, und der Ordner öffnet sich mit der Liste der fünf Bilder. Ich klicke auf das erste. Derselbe Typ mit der runden Brille. Dann das zweite, die Rothaarige. Kurz hängt mein Blick an dem dritten, dem Foto von Matt, aber ich öffne es nicht. Ich bringe es nicht über mich. Ich gehe weiter zum nächsten, dem vierten, einer hellhäutigen Frau mit feinen weißblonden Haaren. Das fünfte zeigt einen jungen Mann mit Igelfrisur. Ich schließe es, schließe den ganzen Ordner, und starre reglos auf den Bildschirm, die blauen Blasen, das Ordnersymbol. *Freunde.* Alles Schläfer. Wie, bitte, kann das sein?

Mein Blick geht nach oben, zum rechten Rand des Monitors. Zwei Schaltflächen. *Aktiv. Passiv. Passiv* ist unterlegt. Der einzige Modus, den wir Analysten nutzen dürfen. Er zeigt ein Spiegelbild des Bildschirms unserer Zielperson an, lässt aber keinerlei Manipulation zu. Aber der *Aktiv*-Button ist es, der meinen Blick magisch anzieht.

Plötzlich ein Geräusch hinter mir. Ich drehe mich um und

sehe Peter dort stehen. Mit einem Mal bin ich ganz zittrig, obwohl er unmöglich wissen kann, wo ich gerade hingeschaut habe. Wo ich mit meinen Gedanken war. Nie im Leben ahnt er, was mir durch den Kopf geschossen ist. Er wirft einen Blick auf den Bildschirm, und ein Adrenalinstoß pumpt durch meine Adern. Er hat den Ordner direkt vor der Nase. Aber es ist bloß ein Ordner. Und er hat nur flüchtig hingeguckt. Jetzt schaut er wieder mich an. »Wie geht's deiner Kleinen?«, erkundigt er sich.

»Bisschen Fieber, weiter nichts.« Ich versuche, ganz ruhig zu klingen. »Matt bleibt bei ihr und arbeitet von zu Hause.« Matt. Mit aller Macht versuche ich, den Kloß im Hals herunterzuschlucken.

»Tina war gestern hier«, sagt er. »Sie möchte dich sprechen.«

»Warum?« Zu prompt. Tina ist die Chefin des Spionageabwehrzentrums. Energisch, sachlich, auf den Punkt. Die taffe Tina.

Peter guckt kurz konsterniert. »Sie weiß, dass wir den Laptop gehackt haben. Sie möchte nur wissen, ob wir irgendwas Vielversprechendes gefunden haben.«

»Aber …«

»Nur zehn Minuten. Schnüffel ein bisschen herum. Du findest bestimmt irgendwas.«

Wie beispielsweise Fotos von fünf Schläfern? Von denen einer mein Ehemann ist? »Okay.«

Er zögert. »Brauchst du Hilfe? Ich könnte mich ja auch mal umsehen.«

»Nein«, sage ich. Wieder zu prompt. Zu nachdrücklich. »Nein, nur keine Umstände. Du hast genug um die Ohren. Ich finde schon was zum Vorzeigen.«

Peter nickt, zieht aber ein eigenartiges Gesicht. Als sei er unsicher. Und zögert wieder. »Alles okay, Vivian?«

Ich blinzele ihn an und weiß genau, was ich sagen sollte. Ich muss es einfach tun. Mir bleibt nichts anderes übrig. »Ich muss kurz mit dir reden. Unter vier Augen.« Mir wird schlecht, als ich mich das sagen höre. Aber ich muss es hinter mich bringen, bevor ich vollends die Nerven verliere.

»Gibst du mir zehn Minuten? Ich pinge dich an, wenn ich so weit bin.«

Ich nicke und schaue ihm nach, als er sich umdreht und zu seinem Büro zurückgeht. Der Stein ist ins Rollen gebracht. Zehn Minuten. In zehn Minuten wird sich meine Welt unwiderruflich verändern. Alles wird sich verändern. Mein Leben wird ein anderes sein. Nichts wird mehr sein, wie es war.

Ich wende mich wieder dem Bildschirm zu. Dem Ordner. *Freunde*. Und dann muss ich wegschauen, weil ich nicht anders kann. Starr stiere ich auf die gegenüberliegende Wand, vorbei an den Familienfotos. Denn würde ich mir die jetzt ansehen, dann wäre alles vorbei. Mein Blick bleibt an einer kleinen Grafik hängen, die schon seit Jahren dort angepinnt hängt und die ich sonst immer übersehe. Ein Handout von einem Seminar über analytische Genauigkeit. Zum ersten Mal seit einer Ewigkeit sehe ich es mir an, nur, um nicht an die unerbittliche Realität denken zu müssen. *Bedenken Sie auch Konsequenzen zweiter und dritter Ordnung…Bedenken Sie unbeabsichtigte Folgen…*

Seine Worte heute Morgen in der Einfahrt gehen mir wieder durch den Kopf. *Finanziell könnte es eng werden.* Wir würden ohne sein Gehalt auskommen müssen. Das habe ich schon bedacht. Ich müsste die drei Jüngsten aus der Tagesbetreuung nehmen. Vermutlich eine Tagesmutter engagieren, die für einen Hungerlohn schwarz bei uns arbeitet. Und die Angst herunterschlucken, die ich dabei hätte, meine Kinder den ganzen Tag von einer wildfremden Person betreuen und durch die Gegend kutschieren zu lassen.

Aber nun dämmert mir, dass auch ich meinen Job verlieren werde. Auf gar keinen Fall wird Tina mich nach dieser Sache hier behalten. Und ganz bestimmt werde ich meine Sicherheitsfreigabe verlieren, wenn herauskommt, dass ich mit einem russischen Agenten verheiratet bin. Es ist eine Sache, *ein* Gehalt zu verlieren. Aber wie sollen wir ohne ein gesichertes Einkommen über die Runden kommen?

O Gott. Und dann verliere ich meinen Krankenversicherungsschutz. Caleb. Wie sollen wir dann die notwendigen Behandlungen für Caleb finanzieren?

Vor meinem inneren Auge sehe ich Matt tränenüberströmt dastehen. *Was wird nur mit den Kindern?* Plötzlich sehe ich die Zukunft in grellen Farben vor mir. Den Medienrummel, den diese Enthüllung zwangsläufig auslösen wird. Meine Kinder. Ohne Vater, ohne Geld. Brutal herausgerissen aus dem Leben, das sie kennen. Den Skandal, der sie überallhin verfolgen wird. Die Schande. Das Misstrauen. Weil sie ja schließlich sein Fleisch und Blut sind. Söhne und Tochter eines Verräters.

Ich erstarre vor Angst. Das alles hätte nie passieren dürfen. Hätte ich nicht zufällig dieses Foto entdeckt, hätte ich mir diesen blöden Algorithmus nicht ausgedacht, mich nicht in Juris Laptop geschlichen, dann hätte ich das mit Matt nie erfahren. Niemand hätte es je erfahren. Seine Worte klingeln mir in den Ohren. *Wenn du doch bloß nicht so gut wärst in deinem Job.*

Wieder wandert mein Blick zu den beiden Schaltflächen am oberen Bildschirmrand. *Aktiv. Passiv.* Das kann ich nicht machen, oder? Aber der Mauszeiger schiebt sich unwillkürlich, unaufhaltsam immer näher, bis der Pfeil über *aktiv* schwebt. Ich klicke darauf, und die Ränder des Bildschirms wechseln von Rot zu Grün. Ich sterbe fast vor Gewissensbissen. Ich muss an meinen ersten Arbeitstag denken, daran, wie ich die rechte Hand zum Schwur gehoben habe.

... die Verfassung der Vereinigten Staaten gegen alle Feinde von außen wie von innen zu stützen und zu schützen...

Matt ist kein Verfassungsfeind. Er ist keiner von den Bösen. Er ist ein guter Mensch. Ein anständiger Mensch. Jemand, der als schutz- und wehrloses Kind schamlos ausgenutzt wurde und aufgrund dieser Umstände unverschuldet in der Bredouille ist. Er hat nichts Unrechtes getan, hat unserem Land nicht geschadet. Das würde er niemals tun. Das weiß ich genau.

Der Mauszeiger wandert weiter zu dem Ordner. Ich rechtsklicke darauf und führe den Pfeil nach unten zu dem Löschknopf, wo er reglos verharrt. Mir zittern die Hände.

Zeit. Ich brauche einfach mehr Zeit. Zeit, in Ruhe nachzudenken. Zeit, mir etwas zu überlegen. Zeit, mir eine Lösung auszudenken. Es muss doch eine Möglichkeit geben, einen Ausweg aus dieser Geschichte. Irgendeine Möglichkeit, weiterzumachen wie bisher. Ich schließe die Augen und stehe plötzlich mit Matt vor dem Altar, schaue ihm in die Augen, spreche mein Ehegelöbnis.

... in guten wie in schlechten Zeiten...

Ich habe versprochen, ihm immer treu zu sein, solange ich lebe. Und dann höre ich wieder seine Stimme von gestern Abend. *Und ich werde es auch keinem verraten, Viv. Das schwöre ich.* Er würde das nie machen, oder? Und hier stehe ich und will ihm genau das antun.

Ich muss an die Kinder denken, sehe sie ständig vor mir. Die kleinen Gesichter. So unschuldig, so fröhlich. Es würde sie kaputtmachen.

Und dann schießt mir eine Erinnerung durch den Kopf. An unseren Hochzeitstag. Unseren ersten Tanz. Die Worte, die Matt mir damals ins Ohr geflüstert hat und die ich mir nie erklären konnte, in all den Jahren nicht, bis heute. Jetzt plötzlich ergeben sie einen Sinn.

Ich schlage die Augen auf, und sofort fällt mein Blick wieder auf dieses Wort. Löschen. Markiert, der Pfeil immer noch direkt darüber. Wörter, die in meinem Kopf herumschwirren. Und ich weiß nicht einmal mehr, sind es meine oder seine und spielt das überhaupt eine Rolle? *Ich wünschte, das alles wäre nie passiert.*

Ich wünschte, ich könnte das alles einfach verschwinden lassen.

Und dann klicke ich.

Der Ordner ist weg.

Ich halte die Luft an und lasse den Bildschirm nicht aus den Augen, während ich abwarte, was weiter passiert. Aber es passiert nichts. Der Ordner ist einfach verschwunden, als hätte es ihn nie gegeben. Genau das wollte ich doch, oder?

Meine Atmung setzt wieder ein. Hastige, schnappende, flache Atemzüge. Ich führe den Mauszeiger zu der Schaltfläche oben rechts auf dem Bildschirm. *Passiv*. Klicke darauf, und die Ränder werden wieder rot.

Der Ordner ist immer noch weg.

Reglos starre ich auf die Stelle, an der er sein sollte. An der er eben noch war. Dieselben blauen Blasen im Hintergrund, ein Symbol weniger in der Reihe. Ein paar Tische weiter höre ich ein Telefon klingeln. Tastaturklappern, Fetzen der Ansage eines Nachrichtensprechers von diesem 24-Stunden-News-Sender; sie schallt aus einem der Fernseher, die von der Decke herunterhängen.

O Gott, was habe ich getan? Plötzlich werde ich panisch. Ich habe Dateien vom Computer einer Zielperson gelöscht. Habe in den Aktiv-Modus gewechselt, sämtliche Vorschriften verletzt, meine Kompetenzen überschritten – das alleine würde schon reichen, um mich in hohem Bogen rauszuwerfen. Was habe ich mir bloß dabei gedacht?

Mein Blick geht in die linke obere Ecke des Bildschirms, zu dem vertrauten Symbol, der Mülltonne. Da müsste er drin sein, stimmt's? Ich habe ihn nicht richtig entsorgt, nicht vollständig. Ich doppelklicke auf das Symbol, und tatsächlich, da ist der Ordner. *Freunde.*

Wieder gucke ich auf die beiden Schaltflächen. *Aktiv. Passiv.* Ich könnte alles wiederherstellen. So tun, als sei nie etwas passiert. Oder ich könnte ihn endgültig löschen. Zu Ende bringen, was ich angefangen habe. So oder so, ich muss etwas unternehmen. Ich kann nicht einfach tatenlos hier herumsitzen.

Alles löschen. Ich will, ich muss. Schließlich habe ich nicht aus Jux und Tollerei damit angefangen. Ich hatte einen guten Grund. Ich wollte Matt schützen und meine Familie. Verstohlen schaue ich mich um. Niemand da. Rasch klicke ich auf den *Aktiv*-Button, bewege den Mauszeiger, klicke auf Löschen und habe nur einen Augenblick später schon wieder in den *Passiv*-Modus gewechselt.

Weg. Ich starre auf den leeren Mülleimer und zermartere mir das Hirn in krampfhaftem Bemühen, mich daran zu erinnern, was ich alles über Datenlöschung weiß. Irgendwo muss die Datei noch sein. Eine Datenrettungssoftware könnte sie aufspüren. Ich brauche etwas, womit ich sie überschreiben kann. Etwas wie …

Es pingt, und dann öffnet sich ein kleines weißes Quadrat mitten auf dem Bildschirm. Ich erstarre vor Schreck. Das ist es. Jetzt haben sie mich erwischt. Ich bin aufgeflogen. Aber es ist nur Peter. Sein Gesicht erscheint in dem kleinen Quadrat, dazu die zwei Worte, die er getippt hat: *Kannst rüberkommen.*

Meine Knie werden weich. Bloß Peter. Ich hatte schon ganz vergessen, dass ich ihn um eine Unterredung gebeten habe. Mit zitternden Händen schließe ich das Pop-up-Fenster und sichere den Rechner. Dann gehe ich rüber zu Peter.

Was, um Himmels will, soll ich ihm denn jetzt sagen? In Gedanken gehe ich unser letztes Gespräch rasch noch mal durch. *Ich muss kurz mit dir reden. Unter vier Augen.* Oh, das ist echt blöd. Was soll ich ihm erzählen?

Seine Tür steht einen Spalt offen, und ich sehe ihn mit dem Rücken zu mir am Computer sitzen. Ich klopfe kurz an, und er dreht sich mitsamt Stuhl zu mir um. »Komm rein.«

Zögerlich öffne ich die Tür. Er hat ein winziges Büro – wie wir alle hier –, nur ein Schreibtisch, grau, Baukastensystem wie meiner, und ein kleiner runder Tisch, auf dem sich Papierstapel türmen. Ich setze mich auf den Stuhl daneben.

Peter überkreuzt die Beine und schaut mich über den Rand seiner Brille hinweg an. Allem Anschein nach wartet er darauf, dass ich etwas sage. Mein Mund ist staubtrocken. Hätte ich mir nicht vorher überlegen sollen, was ich sagen will? Verzweifelt durchforste ich mein Hirn. Was erzählt man seinem Chef in einem Vieraugengespräch?

»Was gibt's?«, fragt er schließlich.

Ich schmecke die Worte, die ich eigentlich sagen sollte, auf der Zunge. Die Worte, die mir schon den ganzen Morgen durch den Kopf gehen. *Ich bin auf ein Foto von meinem Mann gestoßen.* Aber jetzt ist es zu spät. Selbst wenn ich mich dazu zwingen könnte, das auszusprechen.

Ich sehe die Landkarten an der Wand. Große, von Russland. Politische Karten, Stadtpläne, topografische Landkarten. An der größten bleibt mein Blick hängen. Folgt den Umrissen des Landes. Zoomt sich heran an den Landstrich zwischen der Ukraine und Kasachstan. *Wolgograd.*

»Stress zu Hause«, sage ich. Die Buchstaben auf der Landkarte kann ich kaum erkennen. Keine Ahnung, wo das jetzt hinführt. Ich sauge es mir einfach aus den Fingern.

Leise atmet er aus. »Ach, Vivian.« Ich schaue ihn an und sehe seinen besorgten, mitfühlenden Blick. »Verstehe.«

Es dauert einen Moment, bis ich kapiert habe, was er da sagt, aber dann möchte ich am liebsten im Boden versinken vor Scham. Hinter ihm auf dem Schreibtisch stehen die gerahmten Fotos. Alle von derselben Frau. Ein vergilbtes von ihr in einem weißen Spitzenkleid. Ein Schnappschuss, wie sie in einem dicken Pullover und mit zerzausten Haaren ein Geschenk auspackt und vor Freude über das ganze Gesicht strahlt. Ein neueres von Peter und ihr zusammen, Berge im Hintergrund, wie sie glücklich und gelöst in die Kamera lachen.

Ich schlucke schwer und sehe Peter an. »Wie geht es ihr? Wie geht es Katherine?«

Er wendet den Blick ab. Katherine hat Brustkrebs. Im Endstadium. Erst letztes Jahr diagnostiziert. Ich kann mich genau an den Tag erinnern, als er es uns gesagt hat. Bei einem Team-Meeting im Konferenzraum. Betretenes Schweigen, betroffene Stille, während wir alle mit ansehen mussten, wie Peter, der stoische Peter, die Fassung verlor und hemmungslos weinte.

Kurz darauf wurde sie zu einer klinischen Studie zugelassen. Peter verlor nicht viele Worte darüber, aber wie es schien, kämpfte sie. Dann, vor ein paar Wochen, war er ein paar Tage nicht im Büro – sonst gar nicht seine Art –, und als er schließlich, blass und übermüdet, wiederkam, erklärte er, sie hätten die Versuchsreihe mit ihr abgebrochen. Keine Tränen, aber dasselbe betroffene Schweigen. Wir alle wussten, was das bedeutete. Die Behandlung schlug nicht an. Sie war am Ende des Weges angekommen. Nun war es nur noch eine Frage der Zeit.

»Sie ist eine Kämpferin«, antwortet er, aber sein Blick verrät, dass sie den Kampf nicht gewinnen kann. Er beißt die Zähne zusammen. »Genau wie dein Kleiner.«

Kurz bin ich perplex, bis es mir siedend heiß wieder einfällt. Er weiß, dass Caleb gestern einen Termin beim Kardiologen hatte. Nun vermutet er sicher, wir hätten schlechte Nachrichten bekommen. Eigentlich sollte ich das richtigstellen. Aber ich tue es nicht. Stattdessen senke ich den Blick in den Schoß und nicke und habe dabei ein furchtbar flaues Gefühl im Magen.

»Wenn ich irgendwas tun kann …«, setzt er an.

»Danke.«

Betretene Stille, dann ergreift er wieder das Wort. »Geh nach Hause, was meinst du? Ich übernehme hier für dich.«

Verdattert schaue ich auf. »Das geht doch nicht. Ich kann jetzt nicht einfach nach Hause gehen …«

»Wie lange arbeitest du jetzt hier? Wie viele unbezahlte Überstunden hast du schon gemacht?«

Ich lächele ihn schief an. »Ziemlich lange. Ziemlich viele.«

»Nimm dir den Rest des Tages frei.«

Eigentlich möchte ich das nette Angebot ausschlagen. Aber dann zögere ich. Weshalb mache ich mir eigentlich Sorgen? Weil ich fürchte, ich könnte *deshalb* meinen Job verlieren? Schlagartig weicht ein Teil der Anspannung aus meinem Körper. Genau das brauche ich jetzt. Schnell hier raus. Einen klaren Kopf bekommen. Mir überlegen, was jetzt zu tun ist. »Danke, Peter.«

»Ich bete für euch«, murmelt er leise, als ich mich zum Gehen wende, und schaut mich lange an. »Du wirst viel Kraft brauchen.«

Wie betäubt kehre ich zu meinem Schreibtisch zurück. Helen und Ralf haben ihre Stühle auf dem Gang neben meinem Arbeitsplatz zusammengeschoben und sind in ein Gespräch vertieft. Unmöglich, jetzt irgendwas wegen der Datei zu unternehmen, ohne dass sie es mitbekommen.

Morgen. Morgen ist auch noch ein Tag.

Ich zögere kurz, dann logge ich mich aus und nehme meine Handtasche und die Jacke. Bleibe, den Blick auf den Monitor geheftet, stehen, bis er schwarz wird. Schaue kurz auf und sehe auf der Ecke des Schreibtischs das Bild von Matt und mir an unserem Hochzeitstag. Und plötzlich überkommt mich ein eigenartiges Gefühl. Als hätte mich eine Kugel um Haaresbreite verfehlt und doch blute ich unerklärlicherweise.

Sechs Monate nachdem wir uns kennengelernt hatten, sollte ich endlich mit ihm in seine alte Heimat fahren. Seine Eltern kennenlernen, das Haus sehen, in dem er aufgewachsen war, und seine Highschool. Seine Sandkasten- und Jugendfreunde treffen. Mühsam hatte ich eine ganze Woche Urlaub zusammengespart. Matt hatte die Flüge gebucht. Oder es zumindest behauptet. Ich war sehr aufgeregt und freute mich schrecklich.

Meine Eltern hatte Matt erst kurz zuvor kennengelernt. Wir hatten Weihnachten bei ihnen in Charlottesville verbracht, und es war noch fröhlicher und harmonischer gewesen, als ich es mir in meinen kühnsten Träumen erhofft hatte. Meine Eltern waren hin und weg. Und ich genauso. Vor allem, als ich die drei zusammen sah. In diesem Moment wusste ich ohne die Spur eines Zweifels, dass ich diesen Mann einmal heiraten würde. An eine Verlobung war allerdings noch lange nicht zu denken, ich hatte ja noch nicht einmal seine Eltern kennengelernt. Und ich konnte mir beim besten Willen nicht vorstellen, mich mit jemandem zu verloben, ohne vorher seine Eltern kennengelernt zu haben. Das fühlte sich nicht richtig an. Und das hatte ich ihm auch so gesagt. Zumindest dachte ich das.

Und so standen wir an einem eiskalten Januartag am Flughafen. Ich trug ein Outfit, über das ich mir stundenlang den Kopf zerbrochen hatte: Hose und Strickjacke. Süß, aber nicht zu flippig. Schließlich wollte ich bei meinen zukünftigen Schwiegereltern einen möglichst guten Eindruck hinterlassen. Wir warteten, unsere schwarzen Rollkoffer im Schlepptau, in der endlos langen, gewundenen Schlange vor der Sicherheitskontrolle. Matt war sehr still. Er wirkte irgendwie nervös. Was mich wiederum nervös machte. Schließlich wollte ich nicht, dass er die Flatter kriegte bei der Vorstellung, mich seinen Eltern vorzustellen. Und sich womöglich gerade überlegte, ob das wirklich so eine gute Idee war.

Fast ganz vorne in der Schlange angekommen, fiel mir ein, dass er noch meinen Boarding-Pass hatte. Den hatte er zu Hause ausgedruckt, kurz bevor wir losgefahren waren. »Ach!«, rief ich. »Gibst du mir meinen Boarding-Pass?«

Worauf er mir ein gefaltetes Blatt Papier in die Hand drückte und mich mit undurchdringlicher Miene beäugte.

Dieser Blick brachte mich vollends aus der Fassung. »Danke«, stammelte ich. Endlich riss er den Blick von mir los und schaute auf den Boarding-Pass, um sich zu vergewissern, dass er mir meinen und nicht versehentlich seinen gegeben hatte. Er hatte gar nicht draufgeschaut, als er mir das Blatt Papier reichte. Ich sah meinen Namen, Vivian Grey, und daneben drei Buchstaben, groß und fett, die dort nicht hingehörten. *HNL.*

Eindeutig nicht das Flughafenkürzel für Seattle. Das wusste selbst ich. Verständnislos starrte ich auf die Buchstaben und versuchte, sie irgendwie einzuordnen. In einen Zusammenhang zu bringen.

»Honolulu«, sagte Matt schließlich und schlang mir den Arm um die Taille.

»Was?« Ich drehte mich auf dem Absatz um und sah ihn fassungslos an.

Er grinste über das ganze Gesicht. »Maui, genauer gesagt. Von dort haben wir einen Anschlussflug.«

»Maui?«

Sanft schubste er mich weiter. Ich blinzelte, schaute auf und sah, dass ich an der Reihe war. Der Sicherheitsbeamte guckte mich schon ganz grimmig an. Rasch reichte ich ihm den Boarding-Pass und kramte meinen Führerschein heraus. Hektisch, mit feuerroten Wangen und vollkommen verdattert. Er stempelte den Pass, und ich tappte rüber zu dem Laufband und fing an, mir die Schuhe auszuziehen. Matt trat hinter mich und hob erst meinen Koffer auf das Band und dann seinen. Wieder legte er die Arme um mich und lehnte seine Wange an meine.

»Na, was sagst du?«, raunte er mir mit heißem Atem ins Ohr. Und ich hörte das kleine Lächeln in seinem Ton.

Was ich dazu sagte? Ich wollte nach Seattle. Ich wollte seine Eltern kennenlernen. Sehen, wo er herkam. »Und was ist mit deiner Familie?«

Ich ging durch den Metalldetektor. Er folgte mir, und dann standen wir nebeneinander am Ende des Bandes, während die Koffer langsam auf uns zurollten.

»Ich konnte doch nicht zulassen, dass du deinen ganzen Urlaub in Seattle verplemperst«, lachte er.

Was sollte ich darauf sagen? Dass Seattle mir *lieber* gewesen wäre? Wie undankbar wäre das denn gewesen? Er hatte mir gerade eine Reise nach Maui geschenkt. *Maui.* Und die gemeinsame Zeit mit seiner Familie für mich geopfert.

Andererseits – konnte er sich nicht denken, wie wichtig es mir war, seine Familie kennenzulernen? Und dass wir die Reise nach Seattle jetzt um Monate verschieben mussten, bis ich wieder genügend Urlaubstage angesammelt hatte?

Er nahm unser Gepäck vom Band. »Ich habe deinen Koffer umgepackt«, verkündete er stolz. Dann zog er den Griff heraus und drehte den Koffer zu mir herum. »Es sind nur noch Sommersachen drin. Massenweise Badeklamotten.« Über das ganze Gesicht strahlend zog er mich an sich und presste sich mit den Hüften gegen mich. »Wobei ich ehrlich gesagt hoffe, dass du die meiste Zeit überhaupt nichts anhast.« Mit schelmisch blitzenden Augen sah er mich an.

»Ich weiß nicht, was ich sagen soll«, antwortete ich schließlich, während eine Stimme in meinem Kopf hysterisch kreischte: *Können wir die Tickets noch umtauschen?*

Sein Lächeln verblasste, und er ließ die Arme hängen. »Ach«, sagte er. Nur diese eine Silbe. Und plötzlich bekam ich ein schrecklich schlechtes Gewissen. Sieh dir doch nur an, was er sich für dich ausgedacht hat.

»Es ist bloß … ich hatte mich so darauf gefreut, endlich deine Eltern kennenzulernen.«

Er guckte ganz geknickt. »Es tut mir leid. Wirklich. Ich dachte … ich dachte bloß …« Er unterbrach sich und schüttelte den Kopf. »Komm, lass uns gehen. Wir erkundigen uns, ob wir die Tickets noch umtauschen können …«

Rasch fasste ich ihn an der Hand. »Warte.« Ich wusste selbst nicht, warum ich ihn aufgehalten hatte. Was ich sagen wollte. Ich konnte diesen enttäuschten Blick einfach nicht ertragen. Konnte es nicht ertragen, ihn so zu kränken.

»Nein, du hast recht. Ich hätte das nicht machen sollen. Ich wollte bloß, dass alles perfekt ist, wenn ich dich frage …« Abrupt brach er ab und wurde rot.

Ob du mich heiraten willst. Ich konnte die Worte förmlich hören. Ich war mir sicher, dass er das jetzt sagen würde. Mir blieb vor Schreck das Herz stehen. Sprachlos starrte ich ihn an, sah sein panisches Gesicht, die hochroten Wangen. So hatte ich ihn noch nie erlebt.

Ach, du lieber Himmel, er will mich fragen, ob ich ihn heirate. Wir fliegen nach Hawaii, weil er mir den perfekten Heiratsantrag machen will. Am Strand, vor exotischer Kulisse. Ich hätte mir nichts Schöneres vorstellen können. Und jetzt hatte ich alles vermasselt.

»Frag mich«, platzte ich heraus. Schneller, als ich denken konnte, waren die Worte hervorgesprudelt. Aber einmal ausgesprochen, erschienen sie mir nur logisch. Die Reise wäre nach alledem bestimmt schrecklich unentspannt verlaufen. Das war die einzige Möglichkeit, zu retten, was noch zu retten war: die Sache möglichst schnell hinter uns zu bringen. Nicht mehr lange um den heißen Brei herumzureden.

»Was?«, fragte er atemlos.

»Frag mich«, sagte ich, mit mehr Nachdruck diesmal.

»Hier?« Ungläubig schaute er mich an.

Vor mir stand der Mann, den ich von ganzem Herzen liebte. Den ich heiraten würde. Was spielte es schon für eine Rolle, wo er mir den Antrag machte? Ich nickte nur.

Die Röte wich aus seinem Gesicht, und ein schiefes Lächeln schlich sich auf seine Lippen. Ein verwunderter Blick, glücklich und aufgeregt. Und ich wusste, es war die richtige Entscheidung. Wir konnten das Ruder noch herumreißen.

Behutsam nahm er meine Hände in seine. »Vivian, ich liebe dich mehr als alles andere auf der Welt. Du machst mich glücklicher, als ich es je für möglich gehalten hätte. Glücklicher als ich es verdiene.«

Mir wären um ein Haar die Tränen gekommen. Hier stand meine Zukunft. Der Mann, mit dem ich den Rest meines Lebens verbringen würde.

»Ich wünsche mir nichts mehr, als mein Leben mit dir zu teilen.« Dann ließ er eine Hand los, griff in die Jackentasche und zog einen Ring heraus. Nur den Ring, ohne Schachtel. Er musste ihn vor dem Metalldetektor in die Plastikschale gelegt haben, zusammen mit seinem Portemonnaie und dem Schlüsselbund. Und ich hatte es nicht gemerkt. Er ging auf ein Knie, hielt mir den Ring hin und schaute mich an. Hoffnungsvoll und ein bisschen verlegen. »Willst du mich heiraten?«

»Natürlich«, wisperte ich und sah die Erleichterung und Freude in seinem Gesicht, als er mir den Ring an den Finger steckte. Die Leute, die sich um uns drängten, applaudierten spontan. Ich hatte nicht einmal mitbekommen, dass sich um uns eine kleine Menschentraube gebildet hatte. Kribbelig vor Glück musste ich kichern. Ich fiel Matt um den Hals und küsste ihn, mitten auf dem Flughafen. Betrachtete den Ring an meinem Finger. Den Diamanten, der im Licht der Neonröhren funkelte. Und in dem Moment war es mir schnurzegal, dass ich keinen Schimmer von seiner Vergangenheit hatte. Was zählte, war ganz allein die Zukunft.

Mir schwirrt der Kopf, als ich zu Hause in die Garage fahre. Was ich getan habe, war doch richtig, oder? Ich meine, gut, es war unüberlegt. Morgen werde ich alle Spuren beseitigen, die Datei endgültig entsorgen müssen. Aber es war richtig, sie verschwinden zu lassen. Meine Familie zu schützen.

Und trotzdem beschleicht mich das beklemmende Gefühl, dass ich mir das alles erst mal hätte in Ruhe durch den Kopf gehen lassen sollen. Dass ich zumindest im Nachhinein sämtliche Konsequenzen bedenken, noch mal alles genau durchdenken muss. Aber mein Kopf sträubt sich entschieden dagegen. Als wüsste ich insgeheim schon, dass mir das Ergebnis dieser Überlegungen nicht gefallen wird.

Ich gehe ins Haus. In der Küche steht Matt. Er schaut zu mir rüber und trocknet sich gerade die Hände ab. Er wirkt ganz ruhig, erstaunlich gelassen. So gar nicht wie jemand, der eigentlich jeden Augenblick damit rechnen muss, von einem Sondereinsatzkommando der Polizei in Gewahrsam genommen zu werden. Ich ziehe die Jacke aus und hänge sie an den Haken neben der Tür. Lasse die Tasche auf den Boden fallen. Gehe einen Schritt auf ihn zu. »Ich konnte es nicht«, flüstere ich.

Das Küchenhandtuch verharrt still in der Luft. Es dauert einen Moment, bis er etwas sagt. »Wie meinst du das?«

»Ich konnte es nicht. Ich konnte dich nicht anzeigen.«

Er faltet das Handtuch zusammen und legt es auf die Arbeitsplatte. »Viv, wir sind das doch alles schon durchgegangen. Du *musst* mich anzeigen.«

Entschieden schüttele ich den Kopf. »Muss ich nicht. Ich habe es weggemacht.«

Worauf er mich so durchdringend anschaut, dass es mich eiskalt überläuft. »*Was* hast du weggemacht?«

»Das ... Ding ... das dich mit alldem in Verbindung bringt.«

»Was hast du getan?«

»Ich habe es verschwinden lassen.« Panik schleicht sich in meine Stimme. Habe ich nämlich gar nicht. Noch nicht, jedenfalls. *Kann* ich es überhaupt verschwinden lassen?

Sein Blick brennt sich in mich hinein. »Was hast du getan, Viv?«

Ja, was habe ich getan? O Gott.

Nervös fährt er sich durch die Haare und schlägt die Hand vor den Mund. »Du solltest mich doch ausliefern«, sagt er leise.

»Ich konnte es nicht«, erwidere ich ebenso gedämpft. Und das stimmt ja auch, oder etwa nicht? Tief drinnen habe ich gewusst, dass es die richtige Entscheidung wäre. Die *einzig* richtige. Aber als es dann darum ging, es tatsächlich zu tun, den Stein ins Rollen zu bringen, den ich nicht mehr würde aufhalten können und der uns alle zermalmen würde, da konnte ich es einfach nicht.

Er schüttelt den Kopf. »So was verschwindet doch nicht einfach.« Dann macht er einen Schritt auf mich zu. »Früher oder später kommt so was immer raus. Die werden herausfinden, was du gemacht hast.«

Mir ist, als griffe jemand nach meinem Herz. Sie dürfen es nicht herausfinden. Niemand darf es je herausfinden.

»Du solltest doch für die Kinder da sein«, sagt er.

»Gerade wegen der Kinder habe ich es ja nicht getan«, gebe ich scharf zurück. Wie kann er es wagen, zu unterstellen, ich hätte nicht an die Kinder gedacht. Ich habe an nichts anderes gedacht als an unser Familienglück.

»Und jetzt? Was soll aus den Kindern werden, wenn wir beide wegen Spionage für die Russen in den Knast wandern?«

Mir ist, als wiche alle Luft aus meiner Lunge. Mit einer Hand stütze ich mich an der Wand ab, um nicht das Gleichgewicht zu verlieren. Die Russen. Spionage. Bin ich unfreiwillig zur Doppelagentin geworden?

Was sollte dann aus den Kindern werden? Würden sie sie nach Russland abschieben? In ein Land, das sie nicht kennen, dessen Sprache sie nicht sprechen, wo all ihre Träume zerplatzen würden wie Seifenblasen?

Ich kann kaum noch atmen vor Angst. Aber gleichzeitig bin ich stinksauer. Fuchsteufelswild. Ich bin so unsagbar wütend. Und irgendwie bricht diese Wut sich schließlich Bahn. »Wenn ich dich ausgeliefert hätte, was wäre denn dann aus den Kindern geworden? Was wäre aus uns geworden?«

»Besser als …«

Ich mache einen Schritt auf ihn zu. »Wir würden dein Einkommen verlieren. Ich würde meinen Job verlieren und mein Gehalt. Wir würden unseren Krankenversicherungsschutz verlieren. Unser Zuhause.«

Alle Farbe weicht aus seinem Gesicht. Recht so. Es ist mir fast eine Befriedigung, ihn so zu sehen. Genauso verzweifelt und hoffnungslos, wie ich es bin.

»Sie wären gebrandmarkt als die Kinder eines russischen Spions. Was würde dann aus ihnen?«

Wieder fährt er sich durch die Haare. Er wirkt vollkommen verunsichert. So gar nicht wie der Matt, den ich kenne. Der so unerschütterlich ist, so unbeirrbar, ruhig und gefasst.

»Schieb jetzt nicht mir die Schuld in die Schuhe«, knurre ich. Ich klinge angriffslustig. Ich *bin* angriffslustig. Aber tief drinnen bin ich zu Tode verängstigt. Seine Worte gehen mir immer wieder durch den Kopf. *Du solltest doch für die Kinder da sein.* Vergangenheitsform. Ich wollte ihnen nicht den Vater nehmen. Was, wenn ich jetzt etwas viel Schlimmeres angerichtet habe?

Vorsätzliche Vernichtung von Beweismitteln. Verschwörung, Spionage – alles das wäre auf dem Tisch. Was, wenn ich dafür ins Gefängnis komme?

»Du hast recht«, brummt er. Ich blinzele, konzentriere mich wieder auf ihn. Er nickt. Und wirkt plötzlich wieder zuversichtlich. Entschlossen. Als wüsste er, was zu tun ist. »Das ist alles meine Schuld. Ich bringe es wieder in Ordnung.«

Genau das wollte ich hören. *Ja, bring das wieder in Ordnung. Hol uns hier raus.* Ich spüre, wie die Anspannung aus meinen Schultern weicht. Er hat mir einen Rettungsring zugeworfen, gerade als ich glaubte zu ertrinken. Und ich greife danach wie nach einem Strohhalm. Klammere mich verzweifelt daran fest.

Verschwörerisch beugt Matt sich vor, bis sein Gesicht direkt vor meinem ist, und sagt mit gesenkter Stimme: »Aber damit ich das kann, musst du mir alles erzählen. Was genau du gefunden hast. Und wie du es hast verschwinden lassen.«

Wortlos starre ich ihn an. Verlangt er allen Ernstes von mir, noch mehr streng geheime Informationen preiszugeben? Dann wäre ich ja genau wie die. Eine von denen, die ich mein ganzes Berufsleben lang gejagt habe. Und das weiß er ganz genau. *Er manipuliert dich*, warnt eine kleine Stimme in meinem Kopf.

Aber er sieht nicht aus, als wolle er mich manipulieren. Im Gegenteil, er wirkt so aufrichtig. So verzweifelt. Als suche er fieberhaft nach einer Möglichkeit, uns da rauszuholen. Was ich selbst gerade nicht zustande bringe. Und eigentlich ist es doch vollkommen logisch. Ich muss ihm sagen, was ich weiß. Wie soll er sonst etwas unternehmen?

Außerdem habe ich die Grenze längst überschritten. Habe ihm gesagt, dass ich ihn enttarnt habe. Die Dateien gelöscht. Aber das? Ihm ganz genau zu sagen, was ich gefunden, was ich *getan* habe?

Ich würde Informationen über Athena preisgeben, eins der sensibelsten Programme der CIA. Informationen, die zu schützen ich geschworen habe. Ich will schlucken, aber mein Hals schnürt sich zu, so fest, dass es kaum möglich ist.

Ich muss nachdenken. Ich muss erst mal überlegen, ob das überhaupt nötig ist. Wortlos schiebe ich ihn beiseite und gehe rüber ins Wohnzimmer, wo Ella, in eine Decke gewickelt, auf der Couch hockt und fernsieht. Rasch setze ich ein Lächeln auf. »Wie geht's dir, mein Schatz?«

Sie schaut auf und grinst mich an, nur, um mir gleich darauf eine Leichenbittermiene zu präsentieren. »Bin ganz krank, Mommy.«

Letzte Woche hätte ich mich noch beherrschen müssen, nicht laut loszuprusten, heute läuft es mir eiskalt den Rücken runter. Denn das ist gelogen, oder? Und im Lügen ist ihr Vater besonders gut.

Ich zwinge mich weiterzulächeln. »Ach, Herzchen, es tut mir leid, dass du krank bist«, sage ich. Und sehe sie noch einen Augenblick an. Schaue zu, wie sie sich wieder dem Fernseher zuwendet. Versuche, meine wirren Gedanken irgendwie zu ordnen. Als ich wieder hochgucke, trifft mein Blick den von Matt und hält ihn fest, während ich sage: »Daddy und ich setzen uns ein bisschen vors Haus und reden.«

»Okay«, murmelt sie, ganz in die Sendung vertieft.

Ich gehe zur Haustür und nach draußen und lasse die Tür hinter mir offen stehen. Matt kommt mir nach und schließt sie hinter sich. Die kalte Luft trifft mich wie eine Ohrfeige. Ich hätte mir eine Jacke überziehen sollen. Die Arme um den Oberkörper geschlungen, hocke ich mich auf die oberste Stufe und ringele mich zusammen.

»Willst du eine Jacke?«, fragt Matt.

»Nein.«

Stumm setzt er sich neben mich, so dicht, dass wir uns berühren. Er ist angenehm warm, und sein Knie drückt sich gegen meins. Den Blick hat er nach vorn gerichtet. »Ich weiß, es ist viel verlangt. Aber wenn ich das wieder hinbiegen soll, musst du mir alles sagen.«

Manipulation. Oder? Aus unerfindlichen Gründen muss ich plötzlich an den Tag denken, an dem wir uns verlobt haben. Die Szene am Flughafen, wir beide inmitten der Menschenmenge, die sich langsam zerstreute, mit einem Lächeln im Gesicht. Ich muss gegrinst haben wie ein Honigkuchenpferd, als ich mir den Ring anschaute. Wie er glitzerte. So neu, so lupenrein, so perfekt.

Und dann die Einsicht: Wir waren verlobt, und ich kannte nicht mal seine Eltern. Dabei war mir das doch so wichtig gewesen. Und das hatte er auch gewusst, oder nicht? Das Lächeln verrutschte mir auf den Lippen. Er legte mir den Arm um die Schultern und führte mich weg, durch das Flughafengebäude zu unserem Gate. Wir waren verlobt. Wir flogen nach Hawaii. Genau, wie er es geplant hatte. Alles lief nach seinem Willen.

Andererseits hatte er den perfekten Heiratsantrag geplant. Auf *Hawaii*. Damit hatte er mich überraschen wollen. Ich schaute zu ihm auf, sah sein offenes Gesicht, so glücklich und aufgeregt, und musste ihn einfach anlächeln. Was stellte ich mich so an? Er hatte sich halt einen kleinen Fauxpas erlaubt. Ich war mir nicht mal mehr sicher, ob ich ihm ausdrücklich gesagt hatte, dass ich mich erst mit ihm verloben wollte, *nachdem* er mich seinen Eltern vorgestellt hatte. Vielleicht hatte ich das auch nicht getan.

Aber das unterschwellige Unbehagen sollte nie ganz verfliegen. Ob wir am Strand saßen, zu den Wasserfällen wanderten, bei Kerzenlicht dinierten, immer hörte ich diese kleine Stimme im Ohr. Wir hatten uns auf dem Flughafen verlobt, vor einer Traube wildfremder Menschen, und ohne dass er mich seinen Eltern vorgestellt hatte. So hatte ich mir das nicht gedacht. *Aber du hast ihn doch selbst gedrängt, dich zu fragen, da, an Ort und Stelle*, sagte ich mir.

Und dann kam unser letzter Morgen. Wir saßen mit unseren Kaffeebechern auf dem winzigen Hotelbalkon und sahen den Palmen zu, wie sie sich in der sanften Brise wiegten.

»Ich weiß, dass du eigentlich erst meine Eltern kennenlernen wolltest«, sagte er wie aus heiterem Himmel.

Erstaunt schaute ich ihn an. Also hatte ich es ihm *doch* gesagt. Er hatte es *gewusst*.

»Aber ich bin ich, Viv. Ganz gleich, wer meine Eltern sind.« Dabei sah er mich so durchdringend an, dass es mich ganz aus der Fassung brachte. »Die Vergangenheit ist vergangen.«

Er schämt sich für seine Eltern, habe ich da plötzlich gedacht. *Er hat Angst, ich könnte sie nicht mögen. Könnte schlecht von ihnen denken. Schlecht von* ihm *denken, wenn ich sie erst kennenlerne.*

»Trotzdem, was ich gemacht habe, war nicht korrekt«, fuhr er fort. Wieder schaute er mich mit diesen ehrlichen Augen und dem herzzerreißenden Dackelblick an. Ich sah die Reue. Aufrichtige Reue in diesem Blick. »Es tut mir leid.«

Ich wollte nichts mehr, als dass sich alle Unstimmigkeiten in Wohlgefallen auflösten. Wirklich. Er hatte einen Fehler gemacht. Er hatte ihn zugegeben und um Entschuldigung gebeten. Aber irgendwie habe ich ihm das nie ganz verziehen. Dass er gewusst hat, dass ich seine Eltern erst kennenlernen wollte, und trotzdem über meinen Kopf hinweg entschieden und mir einen Antrag gemacht hat. Es hat einen bitteren Nachgeschmack hinterlassen. Das ungute Gefühl, manipuliert worden zu sein.

Aber wenn ich mir den Ring jetzt so anschaue, den Diamanten, der nicht mehr annähernd so strahlend funkelt wie damals; die Hand, die so viel älter geworden ist, kommt es mir plötzlich nicht mehr vor wie eine gezielte Manipulation. Nein. Es fühlt sich ehrlich an.

Wenn das gar nicht seine echten Eltern waren, war es dann nicht viel aufrichtiger, mich ihnen nicht vorzustellen, bevor wir uns verlobten? Vielleicht hätten sie meine Meinung beeinflusst, meine Gefühle für ihn verändert? Wäre das nicht viel mehr Manipulation gewesen?

Ich drehe mich zu ihm um und rücke von ihm ab, gerade genug, dass ich ihm in die Augen schauen, sein Gesicht sehen kann. Es wirkt offen, unverstellt. Genau so hat er mich auch angeschaut, als er mich gefragt hat, ob ich ihn heiraten will. Und an unserem Hochzeitstag, damals, vor so vielen Jahren. Ich sehe uns wieder vor dem Standesbeamten stehen, im Innenhof eines Hotels in Charlottesville, und wie er mich angeschaut hat, als wir das Ehegelöbnis gesprochen haben. Diese Aufrichtigkeit kann man doch nicht spielen, oder? Ich schlucke.

Ich weiß es nicht. Um ganz ehrlich zu sein, ich habe keine Ahnung, ob ich ihm glauben soll oder nicht. Aber ich brauche Unterstützung. Ich brauche Hilfe. Ich stecke bis zum Hals in der Tinte, und er hat mir die Hand gereicht, um mich da wieder herauszuziehen. Unaufhörlich kreisen meine Gedanken um die eine Frage: *Was soll aus den Kindern werden, wenn wir beide wegen Spionage für die Russen verurteilt werden?* Das darf einfach nicht passieren. Ich muss das mit allen Mitteln verhindern. Ich muss ihm vertrauen.

»Wir haben Juris Rechner gehackt«, sage ich zögerlich. Es fällt mir schwerer als erwartet, es auszusprechen. Jede Silbe ist wie ein Verrat. Ein Verbrechen. Und ich begehe *tatsächlich* ein Verbrechen. Ich gebe streng geheime Informationen weiter, verstoße gegen das Spionagegesetz. Selbst innerhalb der CIA weiß kaum jemand, was Athena alles kann, so geheim ist dieses Projekt. Wegen der Weitergabe derartiger Informationen sind Menschen schon inhaftiert worden. »Ich hab ein bisschen rumgeschnüffelt und bin über einen Ordner mit fünf Bildern gestolpert.« Ich gucke kurz zu ihm rüber. »Eins davon war deins.«

Er starrt stur geradeaus. Nickt kaum merklich. »Nur ein Foto? Sonst nichts über mich?«

Ich schüttele den Kopf. »Sonst habe ich nichts gefunden.«

»Verschlüsselt?«

»Nichts.«

Einen Moment sitzt er reglos da, dann wendet er sich zu mir um. »Erzähl mir, was du dann gemacht hast.«

»Ich habe es gelöscht.«

»Wie?«

»Du weißt schon, ich habe auf *Löschen* geklickt. Es gelöscht.«

»Und dann?«

»Dann habe ich es aus dem Papierkorb gelöscht.«

»Und?« Sein Ton wird scharf.

Ich schlucke. »Und nichts. Ich weiß, dass das nicht reicht. Dass ich die Festplatte überschreiben muss oder was auch immer. Aber es waren Leute in der Nähe. Es ging nicht.«

Ich wende mich ab, schaue auf die Straße. Höre ein Motorengeräusch, ein näher kommendes Auto. Halte Ausschau danach, bis es auftaucht, ein orangeroter Transporter jener Reinigungsfirma, die bei so vielen unserer Nachbarn arbeitet. Vor dem Haus der Parkers hält der Wagen an. Ich sehe zu, wie drei Frauen in orangeroten Westen aussteigen und Putzutensilien aus dem Laderaum holen. Dann verschwinden sie im Haus. Die Tür schließt sich hinter ihnen, und es wird wieder still auf der Straße.

»Die können nachvollziehen, dass du es gelöscht hast«, meint Matt. »Unmöglich, dass die nicht sämtliche User-Aktivitäten aufzeichnen.«

Ich schaue zu, wie mein Atem in der kalten Luft zu kleinen Wölkchen kristallisiert. Das weiß ich doch. Schließlich habe ich etliche Pop-up-Hinweise weggeklickt, die mir eindringlich klargemacht haben, dass all meine Aktivitäten aufgezeichnet werden. Was habe ich mir also dabei gedacht?

Gar nichts. Das ist ja das Problem. Ich wollte einfach, dass alles wieder so wird wie vorher.

Ich gucke rüber zu Matt. Der starrt weiter geradeaus, die gerunzelten Brauen treffen sich fast über der Nase, und seine Miene ist hochkonzentriert. Ein bleischweres Schweigen hüllt uns ein. »Okay«, brummt er schließlich. Dann legt er eine Hand auf mein Knie und drückt es ganz leicht. Er dreht sich zu mir um und schaut mich mit gefurchter Stirn und sorgenvollem Blick an. »Ich hole dich da raus.«

Und damit steht er auf und geht nach drinnen. Zitternd bleibe ich sitzen. Seine Worte hallen dumpf in meinem Kopf nach. *Ich hole dich da raus.*

Dich.

Warum hat er nicht *uns* gesagt?

Als Matt kurz darauf mit dem Autoschlüssel aus dem Haus kommt, sitze ich immer noch auf der Treppe. Er bleibt kurz hinter mir stehen. »Ich bin gleich wieder da«, sagt er.

»Was hast du vor?«

»Mach dir darüber keine Gedanken.«

Er könnte einfach abhauen. Sich in den nächstbesten Flieger nach Russland setzen und mich hier alleinlassen. Aber das würde er niemals tun, oder?

Was hat er also vor? Und warum hat er es nicht gleich getan?

»Du schuldest mir eine Erklärung.«

Wortlos geht er zu seinem Wagen in der Auffahrt. »Je weniger du weißt, Viv, desto besser.«

Empört springe ich auf. »Was soll das denn heißen?«

Worauf er stehen bleibt, sich umdreht und sehr leise sagt: »Lügendetektor. Verhandlung. Es ist besser, wenn du keine Einzelheiten erfährst.«

Ich starre ihn an, und er weicht meinem Blick nicht aus. Er wirkt aufgewühlt, wütend beinahe. Und das macht mich rasend. »Warum bist *du* denn jetzt sauer auf *mich*?«

Er hebt beide Hände, und die Autoschlüssel klirren. »Weil! Hättest du auf mich gehört, hätten wir jetzt nicht dieses Problem.«

Aufgebracht funkeln wir einander an, und das angespannte

Schweigen droht uns beide zu erdrücken, bis er schließlich resigniert den Kopf schüttelt, so als hätte ich ihn maßlos enttäuscht. Ich schaue ihm nach, als er sich ohne ein weiteres Wort umdreht und geht. In mir brodelt es. Alles geht drunter und drüber. Ich verstehe überhaupt nichts mehr.

Unseren ersten Hochzeitstag haben wir auf den Bahamas verbracht. Fünf Tage lang aalten wir uns mit tropischen Cocktails in der Sonne. Zwischendurch sind wir gelegentlich zur Abkühlung ins Meer gesprungen, wo wir uns eng umschlungen in den Wellen küssten. Lippen, die nach Rum und Salzwasser schmeckten.

Am letzten Abend saßen wir an der Bar. Eigentlich war es nur eine kleine Hütte im Sand, mit Strohdach und Lichterketten und fruchtigen, zuckrig-süßen Drinks. Auf verwitterten Barhockern saßen wir so dicht beieinander, dass unsere Beine sich berührten. Seine Hand auf meinem Oberschenkel. Nur ein klitzekleines bisschen zu weit oben. Ich erinnere mich, wie sich die Wellen hinter uns brachen und ich die frische Meeresbrise einatmete und mir ganz warm war vor Sonne und Glück.

»Also …«, sagte ich und strich mit dem Finger über den kleinen bunten Sonnenschirm an meinem Cocktail. Ich musste endlich die Frage loswerden, die mir schon den ganzen Abend durch den Kopf ging. Die sich mir seit Wochen, wenn nicht Monaten immer drängender stellte. Krampfhaft hatte ich überlegt, wie ich sie am besten einleiten könnte. Aber mir hatte partout nichts einfallen wollen. Weshalb ich jetzt einfach damit herausplatzte: »Wird es nicht bald Zeit für unser erstes Kind?«

Vor Schreck hätte er fast seinen Cocktail zurück ins Glas gespuckt. Dann schaute er auf und sah mich mit großen Augen an. Zärtlich, offen, voller Vorfreude. Und dann passierte irgendwas, und plötzlich schien er zurückhaltend, verschlossen, und schaute weg.

»Kinder sind ein großer Schritt«, murmelte er. Und ich war selbst mit dem rumgetränkten Wattenebel im Hirn verdattert. Er liebte doch Kinder! Wir hatten immer Kinder haben wollen. Zwei, vielleicht auch drei.

»Wir sind jetzt schon seit einem Jahr verheiratet«, wandte ich ein.

»Wir sind noch so jung.«

Konsterniert guckte ich in meinen Cocktail, irgendwas Rosarotes, und stocherte mit dem Strohhalm zwischen den halb zerschmolzenen Eiswürfeln herum. Mit dieser Reaktion hatte ich nicht gerechnet. Überhaupt nicht. »Was ist los?«

»Ich finde bloß, wir haben doch keine Eile, weißt du. Vielleicht warten wir noch ein paar Jahre, konzentrieren uns erst mal auf die Karriere.«

»Die Karriere?« Seit wann wollte er denn, dass wir beide Karriere machten?

»Ja.« Geflissentlich wich er meinem Blick aus. »Ich meine, denk doch mal an deinen Job.« Dann senkte er die Stimme, beugte sich zu mir herüber und schaute mich durchdringend an. »Afrika. Ist das wirklich der Bereich, auf den du dich konzentrieren willst?«

Ich wich dem Blick aus. Eigentlich war ich mit meiner Arbeit in der Afrika-Abteilung mehr als zufrieden. Es gab immer genug zu tun, die Arbeit war abwechslungsreich und interessant. Ich hatte das Gefühl, etwas zu bewirken, wenn auch nur im Kleinen. Mehr wollte ich gar nicht. Afrika war nicht so prestigeträchtig wie einige andere Bereiche, aber das störte mich nicht. »Klar.«

»Ich meine, wäre es nicht viel spannender gewesen, in einem anderen Bereich zu arbeiten? Wie beispielsweise … Russland?«

Ich trank einen großen Schluck durch den Strohhalm. Klar wäre das spannender gewesen. Aber auch anstrengender. Stressiger. Überstunden waren da programmiert. Und es gab so viele

Leute, die sich daran abarbeiteten. Was konnte ein Einzelner da schon ausrichten? »Denke, schon.«

»Und vielleicht auch besser für die Karriere? Für eine Beförderung und so?«

Seit wann interessierte er sich für Beförderungen? Und warum glaubte er, dass ich mich dafür interessierte? Wäre es mir ums Geld gegangen, hätte ich mich nicht für eine Stelle in einer Behörde entschieden. Das wohlig-warme Gefühl wich einer lähmenden Eiseskälte, die langsam in mir hochkroch.

»Ich meine, das musst natürlich du wissen, Liebling. Schließlich ist es dein Job und so.« Er zuckte die Achseln. »Ich glaube bloß, du wärst glücklicher, wenn du etwas ... Bedeutenderes tun würdest. Weißt du?«

Die Worte brannten wie ein Wespenstich. Zum ersten Mal hatte ich das Gefühl, dass mein Job nicht gut genug war für Matt. Dass *ich* nicht gut genug war.

Sein Gesicht wurde wieder weicher, und er legte eine Hand auf meine und schaute mich ernst an. Entschuldigend. Als wüsste er, wie sehr er mich gerade gekränkt hatte. »Ich meine bloß – na ja, daran arbeiten doch die besten Analysten, oder? Russland?«

Was sollte das denn jetzt? Ich war sprachlos. Klar, das war ein Bereich, um den die Leute sich rissen. Aber ein weniger begehrtes Gebiet zu beackern, hatte durchaus seine Vorteile. Ich sorgte dafür, dass nichts durchs Raster fiel, nichts übersehen wurde. Ich konnte tagtäglich erkennen, was ich geleistet hatte.

»Du gehörst zu den Menschen, die immer ihr Bestes geben. Das liebe ich so an dir.«

Das liebte er so an mir? Ein Kompliment wie ein Giftstachel.

»Und bestimmt wäre so eine Veränderung mit Kindern viel schwieriger«, fuhr er fort. »Vielleicht solltest du also erst mal beruflich dorthin kommen, wo du hinwillst, *und dann* gehen wir die Kinderfrage an.« Währenddessen rührte er geschäftig mit dem Strohhalm in seinem Cocktail und wich meinem Blick geflissentlich aus.

Mit einem großen Schluck leerte ich mein Glas. Alles Süße war fort, es blieb nur ein bitterer Nachgeschmack. »Okay«, murmelte ich niedergeschlagen, und dabei überlief es mich eiskalt.

Sobald die Rücklichter von Matts Wagen um die Ecke verschwunden sind, gehe ich wieder ins Haus. Dort schaue ich erst nach Ella, die immer noch vor dem Fernseher sitzt, dann tappe ich zu dem Stauraum unter der Treppe. Ich muss herausfinden, was es mit diesem Laptop auf sich hat.

Der Raum ist winzig und bis zur niedrigen Decke mit Stapeln blauer Plastikcontainer vollgestopft. Ich ziehe an der Kette, um das Licht einzuschalten, und suche den Boden ab. Die eine schmale Stelle, die nicht zugestellt ist. Nichts Ungewöhnliches zu erkennen. Ich gehe auf Hände und Knie nieder und taste, herumkrabbelnd, alles ab. Meine Fingerspitzen finden ein Dielenbrett, das an einer Seite minimal hervorsteht. Ich fahre mit der Hand darüber und versuche, es anzuheben, aber es lässt sich nicht bewegen.

Hilfesuchend schaue ich mich um und entdecke ganz oben auf einem der Plastikcontainer einen Schraubenzieher. Mit dem stemme ich das Dielenbrett heraus und spähe in den Hohlraum darunter. Irgendwas wirft schwach das Licht zurück. Ich greife hinein und ziehe einen kleinen silbergrauen Laptop heraus.

Im Schneidersitz hocke ich mich auf den Boden, lege mir den Laptop in den Schoß und schalte ihn ein. Er fährt hoch, und sofort erscheint eine schwarze Bildfläche mit einem einzelnen weißen Balken und einem blinkenden Mauszeiger. Kein Text, aber der Rechner ist passwortgeschützt – so viel steht schon mal fest.

Ich versuche es mit Matts üblichen Passwörtern, verschiedenen Kombinationen aus den Namen und Geburtsdaten unserer Kinder. Dann probiere ich es mit dem Passwort für unsere gemeinsamen Konten. Nichts davon funktioniert. Aber hatte ich das ernsthaft erwartet? Unvermittelt muss ich an andere Wörter und Namen denken. *Alexander Lenkow. Michail und Natalia. Wolgograd.* Keine Ahnung, woran er gerade gedacht hat, als er sich das Passwort ausdachte. Wenn er es sich überhaupt selbst ausgedacht hat. Das hier hat wirklich keinen Zweck.

Frustriert klappe ich den Laptop zu und verstaue ihn dort, wo ich ihn gefunden habe. Dann gehe ich wieder ins Wohnzimmer, um nach Ella zu sehen. »Alles okay bei dir, Süße?«, frage ich.

»Ja«, murmelt sie, ohne den Blick von der Mattscheibe zu wenden.

Kurz stehe ich noch unschlüssig da, dann gehe ich nach oben, in unser Schlafzimmer. Zuerst steuere ich Matts Nachttischchen an. Öffne die Schublade, krame darin herum. Zerknitterte Quittungen, Kleingeld, ein paar Bilder, die Ella für ihn gemalt hat. Nichts auch nur annähernd Verdächtiges. Ich schaue unter das Bett, ziehe eine Plastikkiste hervor. Die ist voller Sommersachen: Badehosen, Shorts, T-Shirts. Ich mache sie wieder zu und schiebe sie zurück an ihren Platz.

Dann öffne ich die oberste Schublade seiner Kommode. Rücke die ordentlich gestapelten Boxershorts und den Sockenberg beiseite auf der Suche nach irgendetwas, das nicht hierhergehört. Das Gleiche mache ich auch bei der zweiten und der dritten Schublade. Nichts.

Schließlich nehme ich mir unseren begehbaren Kleiderschrank vor. Fahre mit der Hand über die Kleiderbügel auf seiner Seite. Poloshirts, Hemden, Hosen. Ich weiß gar nicht, was ich eigentlich suche. Etwas, das beweist, dass er nicht der ist, für den ich ihn gehalten habe. Oder eben das Fehlen eines solchen Beweises. Wäre das nicht Beweis genug, dass er es doch ist?

Auf dem Regalbrett über der Kleiderstange ein alter Matchsack. Ich greife danach und hole ihn herunter auf den Teppich. Öffne den Reißverschluss und schaue hinein. Eine Krawattensammlung – er hat schon seit Jahren keine mehr getragen – und ein paar alte Baseballkappen. Ich sehe in sämtlichen Reißverschlusstaschen nach. Alle leer.

Enttäuscht stopfe ich den Sack wieder oben ins Regal und hole einen Stapel Schuhkartons herunter, mit denen ich mich erneut auf den Teppich knie. Der erste ist voller alter Rechnungen. Im zweiten sind Quittungen. Im dritten ein paar elegante Schuhe, schwarz und auf Hochglanz poliert. Ich hocke mich auf die Fersen, die Schachtel offen auf dem Schoß. Was mache ich hier eigentlich? Wie konnte es so weit kommen? Was ist nur aus meinem Leben geworden?

Gerade will ich den Deckel wieder auf den Karton setzen, da bleibt mein Blick an etwas hängen. An etwas Schwarzem, das in einem der beiden Schuhe steckt. Noch ehe sich meine Finger darum schließen, weiß ich, was es ist.

Eine Pistole.

Ich umfasse den Griff, ziehe sie heraus und betrachte sie eingehender. Schwarzer Schlitten, breiter Abzug. Eine Glock. Ich bewege den Schlitten, sehe Messing aufblitzen.

Geladen.

Matt hat eine geladene Pistole in unserem Schrank.

Ich höre Ella nach mir rufen. Mit zitternden Händen stecke ich die Pistole zurück in den Schuh. Schließe den Deckel. Stapele die Schachteln wieder auf dem Regalbrett. Schaue noch mal, ob alles an seinem Platz ist. Schalte das Licht aus und gehe nach unten.

Drei Stunden später ist Matt wieder zu Hause. Kommt geschäftig herein, zieht die Jacke aus und lächelt mir zu. Entschuldigend und leicht verlegen. Dann kommt er zu mir und legt die Arme um mich. »Es tut mir leid«, murmelt er in meine Haare. Er ist kalt von der Winterluft draußen. Kalte Hände, kalte Wangen. Mich schaudert. »Ich hätte das nicht sagen sollen vorhin. Es ist nicht fair, sauer auf dich zu sein. Schließlich ist das alles meine Schuld.«

Ich weiche ein Stück zurück und schaue ihn an. Er sieht aus wie ein Fremder. Fühlt sich an wie ein Fremder. Ich muss die ganze Zeit an die Pistole im Schlafzimmer denken. »Hast du getan, was du tun musstest?«

Er lässt die Hände sinken und wendet sich ab, aber ich sehe den Ausdruck in seinem Gesicht. Angespannt. »Ja.«

»Dann ... ist also alles okay?«

Wieder habe ich die Pistole vor Augen. Stunden sind vergangen, seit ich sie gefunden habe, und ich weiß noch immer nicht, was ich davon halten soll. Ist das der Beweis, dass er nicht der ist, für den ich ihn halte? Dass er gefährlich ist? Oder will er uns, seine Familie, nur vor den *wirklich* gefährlichen Leuten beschützen?

Er wird sehr still und kehrt mir den Rücken zu. Ich sehe, wie seine Schultern sich heben und senken, als atme er einmal tief durch. »Hoffentlich.«

Als ich am nächsten Morgen an meinen Schreibtisch komme, blinkt das kleine rote Licht an meinem Telefon. Eine Sprachnachricht. Rasch sehe ich die Anruferliste durch. Dreimal Omar, zweimal gestern und einmal heute Morgen. Ich schließe die Augen. Habe ich das nicht kommen sehen? Habe ich nicht gewusst, dass das kommen würde? Zumindest hätte ich es wissen können. Sollen. Müssen. Wenn ich die ganze Geschichte zu Ende gedacht hätte.

Ich greife zum Hörer, wähle Omars Nummer. Ich muss das so schnell wie möglich hinter mich bringen.

»Vivian«, sagt er sofort.

»Omar. Entschuldige, dass ich deine Anrufe verpasst habe. Ich bin gestern früher gegangen und gerade erst wieder an meinem Platz.«

»Nicht weiter schlimm.« Es entsteht eine Pause.

»Also, wegen Juris Computer …« Meine Fingernägel graben sich in meine Handfläche. »Sieht nicht sehr vielversprechend aus. Da ist wohl leider nichts zu holen.« Ich hasse es, ihn anzulügen. Ich sehe uns beide vor mir, damals. Wie ich ihm Mut gemacht und ihm gut zugeredet habe, als das FBI sein Projekt kippte. Und all die vielen Male seither, die wir zusammengesessen und uns ausgetauscht haben. Im *O'Neills* und im Büro, sogar bei ihm und bei uns zu Hause. Wie wir gemeinsam darüber geklagt haben, wie frustrierend es auf Dauer ist, nichts Handfestes zu finden. Unsere Einigkeit darüber, dass die Schläfer eine echte Gefahr darstellen und wir nichts gegen sie in der Hand haben. Eine Freundschaft, gegründet auf dem gemeinsamen Gefühl der Vergeblichkeit. Und jetzt habe ich endlich etwas gefunden, und mir bleibt nichts anderes übrig, als ihn anzulügen.

Am anderen Ende der Leitung ist es still.

Ich schließe die Augen, als würde das Lügen dadurch leichter. »Natürlich müssen wir erst mal die Übersetzung und die detaillierte Auswertung abwarten. Aber bisher habe ich nichts gefunden, das irgendwie von Interesse wäre.« Ich höre mich erstaunlich überzeugend an.

Wieder eine Pause. »Gar nichts?«

Meine Nägel bohren sich noch tiefer in die Handflächen. »Es besteht immer die Möglichkeit, dass irgendwas in den Dateien versteckt ist, steganografisch oder sonst wie. Aber bisher nichts.«

»Du findest immer was.«

Ich stutze. Enttäuschung kann ich nachvollziehen. Aber in diesem Satz schwingt noch was anderes mit. Und das beunruhigt mich. »Ja.«

»Bei den vier anderen. Bei jedem von ihnen hast du was gefunden. Jedenfalls genug, um Übersetzungen anzufordern.«

»Ich weiß.«

»Aber bei diesem nicht.« Das ist eine Feststellung, keine Frage. Und darin klingt unüberhörbar ein Anflug von Skepsis an. Mir schlägt das Herz bis zum Hals.

»Na ja«, murmele ich und versuche, meine zitternde Stimme zu kontrollieren. »Bisher ist mir nichts untergekommen.«

»Hmm«, brummt er. »Peter hat was anderes erzählt.«

Es ist wie ein Faustschlag in den Magen. Mir bleibt die Luft weg. Bestimmt meint er die Bilder. Er muss die Bilder gefunden haben. Was immer Matt auch gemacht hat, es hat nicht funktioniert. Und auf einmal sträuben sich mir die Nackenhaare, und ich merke, dass jemand hinter mir ist. Ich drehe mich um und sehe Peter. Schweigend steht er da und sieht mich an. Hört zu.

»Ich wusste nicht, dass er was gefunden hat«, sage ich in den Hörer und lasse Peter nicht aus den Augen. Er soll hören, was ich sage. Mein Mund ist staubtrocken.

Peter nickt. Er verzieht keine Miene. Unmöglich zu erahnen, was er denkt.

Omar redet weiter. Irgendwas von ›ins Hauptquartier kommen‹. Von einem Meeting. Ich höre die Worte zwar, verstehe sie aber nicht. In meinem Kopf überschlagen sich die Gedanken. Ob Peter das Foto von Matt entdeckt hat? Unmöglich, dann wäre er längst zur internen Sicherheit gegangen. Ob er gesehen hat, dass ich eine Datei gelöscht habe? Auch dann wäre längst die Sicherheit im Spiel. Dann würde er nicht hier stehen und seelenruhig mit mir reden.

»*Vivian?*«

Ich blinzele und versuche, mich wieder auf das Gespräch zu konzentrieren, auf Omars Stimme an meinem Ohr.

»Sehen wir uns nachher?«

»Ja«, stammele ich. »Wir sehen uns nachher.« Dann lege ich den Hörer auf und die Hände in den Schoß, damit Peter nicht sieht, wie sehr sie zittern. Drehe mich zu ihm um und warte darauf, dass er was sagt, weil mein Mund mir nicht gehorchen will.

Er lässt sich einen Moment Zeit. Schließlich sagt er: »Du warst schon am Telefon, ehe ich dich erwischt habe. Ich habe Athena heute Morgen geöffnet und mich ein bisschen umgeschaut. Dachte mir, du könntest vielleicht Hilfe brauchen. Jemanden, der dir etwas Arbeit abnimmt.«

Ach, du lieber Himmel. Ich hätte mir denken können, dass er auf die Idee kommt.

»Ich habe eine Datei gefunden. Sie war gelöscht.«

Meine Kinder. Ich sehe ihre Gesichter vor mir. Ihr Lächeln, ihre strahlenden Augen, ihre kindliche Unschuld.

»… mit dem Namen *Freunde* …«

Luke ist alt genug. Er wird vieles verstehen. Wie oft haben wir ihm gesagt, dass er nicht lügen soll? Jetzt wird er erfahren, dass das Leben seines Vaters eine einzige Lüge war. Die Ehe seiner Eltern, alles Lüge.

»… fünf Fotos …«

Und Ella. Ella betet Matt an. Er ist ihr Held. Wie soll sie das nur verkraften?

»… Meeting um zehn mit dem FBI …«

Chase und Caleb. Die beiden sind noch zu klein, um das zu begreifen. Zu klein, um sich später daran zu erinnern, wie es war, bevor unsere Familie zerbrach.

»… Omar kommt auch dazu …«

Omar. Omar kennt Matt. Die beiden haben sich kennengelernt, als Omar und ich anfingen, so eng zusammenzuarbeiten. Er ist bei uns zu Hause gewesen, und wir waren bei ihm. Peter hätte ihn vielleicht nicht erkannt. Aber Omar bestimmt. So oder so, wenn sie das Foto zeigen, während ich im Raum bin …

Ich muss ihnen was vorspielen. Überrascht tun. Darf mir nichts anmerken lassen.

»Vivian?«

Ich blinzele. Mit hochgezogenen Augenbrauen schaut Peter mich an.

»Entschuldige«, sage ich. »Was?«

»Kommst du auch? Zum Meeting?«

»Ja. Klar. Natürlich.«

Er zögert kurz und schaut mich besorgt an, dann kehrt er in sein Büro zurück. Ich starre auf den Bildschirm und versuche, mich an den Augenblick zu erinnern, als ich das Foto von Matt zum ersten Mal gesehen habe. Dieses Gefühl muss ich irgendwie reproduzieren. Ungläubigkeit. Verwirrung. Entsetzen.

Und dann die einzig logische Erklärung: Sie haben versucht, ihn anzuwerben.

Ich könnte Peter bitten, mir die Datei vorab zu zeigen. So tun, als sähe ich sie in seinem Beisein zum ersten Mal. Aber es wird besser sein, wenn ein größeres Publikum meine Reaktion sieht. Mitbekommt, wie ich mit meinen Gefühlen ringe.

Aber ob ich das überzeugend hinbekomme?

Nichts da, ob. Ich muss. Ich muss das glaubhaft spielen. Denn wenn ich ihnen auch nur den kleinsten Hinweis liefere, dass ich es schon wusste, wird es nicht lange dauern, bis sie herausfinden, dass es nicht Juri war, der die Datei gelöscht hat.

Sondern ich.

Ein paar Minuten vor zehn kommt Peter. Gemeinsam gehen wir den Flur hinunter bis zu dem Flügel mit den Büros der leitenden Kriminalermittler.

»Alles okay, Vivian?«, fragt er im Gehen und mustert mich über den Rand seiner Brille hinweg.

»Bestens«, brumme ich. Im Geiste bin ich schon im Konferenzraum, sehe das Foto von Matt.

»Wenn du mehr Zeit brauchst, um dich um Caleb zu kümmern …«

Stumm schüttele ich den Kopf. Ich bringe kein Wort heraus. Ich hätte tun sollen, was Matt mir gesagt hat. Ich hätte ihn melden sollen. Er wird ohnehin auffliegen, und jetzt hänge ich mit drin. Warum habe ich nicht auf ihn gehört?

Die Sekretärin führt uns in den Konferenzraum. Hier war ich schon ein paarmal, und immer fand ich diesen Raum, gelinde gesagt, einschüchternd. Abgedunkelt, schwerer, glänzender Holztisch und teure Lederstühle. An der Wand vier Uhren – D.C., Moskau, Peking, Teheran.

Omar sitzt schon am Tisch, bei ihm zwei weitere Anzugträger vom FBI. Seine Vorgesetzten, nehme ich an. Er nickt mir zu, aber ohne das gewohnte Grinsen. Nur ein kurzes Nicken, bei dem er mich fest im Auge behält.

Ich nehme auf der anderen Seite des Tisches Platz und warte. Peter geht an den Computer und loggt sich ein, und der große Bildschirm an der Wand leuchtet flackernd auf. Man sieht, wie er das Programm startet und durch Athena navigiert. Und ich starre auf die Uhr, die mit unserer Ortszeit. Sehe zu, wie der kleine Zeiger weitertickt. Konzentriere mich auf nichts anderes. Denn wenn ich jetzt an Matt denke oder an die Kinder, breche ich zusammen. Und dann bricht alles zusammen, und ich werde das hier nicht durchstehen. Ich muss es aber irgendwie durchstehen.

Einen Moment später kommt Tina herein, gefolgt von Nick, dem Chefermittler für Russland. Kurz nickt sie den Anwesenden zu, dann geht sie zu ihrem Platz an der Stirnseite des Tischs. Sie macht ein höchst ungnädiges Gesicht. Ungnädig und furchteinflößend. »Hier sind wir also in Laptop Nummer fünf«, erklärt sie. »Da ist hoffentlich mehr zu holen als in den ersten vier?« Ihr Blick wandert durch den Raum und bleibt an Peter hängen.

Der räuspert sich unbehaglich. »Ja, Ma'am.« Er weist auf den Bildschirm, die Homepage von Athena. Doppelklickt auf das Symbol mit Juris Namen, und einen Augenblick später sieht man das Duplikat von Juris Laptop mit den blauen Blasen, die ich zur Genüge kenne. Mein Blick geht zur letzten Symbolreihe. Dorthin, wo der Ordner sein sollte. Und wo er nicht ist.

Peter sagt irgendwas, aber ich höre gar nicht richtig hin. Ich bin völlig darauf konzentriert, gleich sehr überrascht zu tun. Mir möglichst nichts anmerken zu lassen. Denn ich weiß, dass Omar mich beobachtet. Ich sehe zu, wie die Anzeige des Monitors sich in lange Zeichenreihen verwandelt. Das Datenwiederherstellungsprogramm arbeitet auf Hochtouren. Kurz darauf erscheint der Ordner wieder. *Freunde*.

Das war's. Mein Leben, wie ich es kannte, ist vorbei.

Ich versuche, die Gesichter meiner Kinder aus meinem Kopf zu verbannen. Atme durch die Nase, ein und aus.

Er doppelklickt auf den Ordner, und ich sehe die Liste mit den fünf Bildern. Er bewegt den Mausanzeiger nach oben, wechselt die Ansicht von Text auf große Symbole. Sofort erscheinen fünf Gesichter auf dem Bildschirm. Vage bemerke ich die große runde Brille auf dem ersten, die roten Haare auf dem zweiten Bild. Eigentlich habe ich nur Augen für das dritte. Für Matt.

Nur dass es nicht mehr Matt ist.

Es ist jemand, der aussieht wie Matt. Zumindest ein bisschen. Dunkle Haare, dunkle Augen, freimütiges Lächeln. Und es sieht ganz eindeutig aus wie das Foto von Matt, das vorher da war. Unter demselben Dateinamen. Leicht schiefgelegter Kopf, gleicher Abstand zur Kamera, gleicher Hintergrund. Nur die Gesichtszüge sind definitiv andere. Das ist jemand anders. Und nicht mein Mann.

Ich blinzele. Einmal, zweimal. Ich kann es kaum glauben. Und ganz langsam weicht das ungläubige Staunen der Erleichterung. Einer überwältigenden, kribbelnden Erleichterung. Matt hat es geschafft. Er hat alles wieder hingebogen, wie er es versprochen hat. Keine Ahnung, wie er das gemacht hat, aber das Foto von ihm ist verschwunden. Wir sind noch mal davongekommen.

Wir sind gerettet.

Endlich reiße ich den Blick von dem Bild los und schaue auf die beiden links daneben, das von dem Mann mit der runden Brille und das von der Frau mit den roten Haaren. Und mir bleibt fast die Luft weg. Der Mann hat ein kantigeres Gesicht, das Kinn ist markanter. Die Frau hat höhere Wangenknochen und eine breitere Stirn. Die beiden sind ebenfalls ausgetauscht worden.

Mein Blick geht nach rechts, zu den beiden restlichen Fotos, dem von der blassen Frau und dem von dem Mann mit der Igelfrisur. Wobei ich schon weiß, was mich erwartet. Ähnliche Gesichtszüge, ähnlicher Kamerawinkel, aber nicht dieselben Leute.

O Gott.

Matts Foto auszutauschen war eine Sache. Aber die von vier weiteren Schläfern?

Mir wird eng um die Brust. Ein erdrückendes Gefühl, als schlösse sich eine große Faust um mein Herz. Und ich weiß noch nicht einmal, warum. Schließlich habe ich die anderen vier Fotos mitgelöscht, als ich das von Matt entfernt habe. Ich war bereit, sie verschwinden zu lassen, um meinen Mann zu schützen. Warum also störe ich mich jetzt daran, dass sie ebenfalls ersetzt worden sind? Wo ist der Unterschied?

Stimmen dringen durch den Nebel in meinem Kopf. Ein Gespräch zwischen Tina und Peter. Ob das wirklich Schläfer sein können? Wieder blinzele ich und versuche, mich zu konzentrieren.

»Aber die Datei ist nicht verschlüsselt«, wendet Tina ein.

»Stimmt. Und unsere sämtlichen geheimdienstlichen Erkenntnisse deuten darauf hin, dass sie eigentlich codiert sein müsste«, entgegnet Peter. »Andererseits: Sie ist gelöscht worden.«

Stirnrunzelnd legt Tina den Kopf schief. »Vielleicht ein Fehler von Juri?«

Peter nickt. »Könnte sein. Vielleicht ist die Datei versehentlich hochgeladen worden. Oder die Verschlüsselung hat versagt. Oder irgendwas in der Art. Weshalb Juri sie gelöscht hat.«

»Ohne mitzukriegen, dass sie trotzdem noch da ist«, fügt Tina hinzu.

»Genau.«

»Und dass wir sie finden.«

Wieder nickt er.

Sie hebt den Zeigefinger an die Lippen, und der knallrote

Nagellack funkelt im Licht. Tippt sich einmal an die Lippen, dann noch mal. Dann schaut sie rüber zu den Vertretern des FBI, den drei Anzug tragenden Agenten, die in einer Reihe dasitzen, die Hände gefaltet auf dem Tisch. »Anmerkungen?«

Der in der Mitte räuspert sich und ergreift das Wort. »Erscheint mir sinnvoll, das als konkreten Hinweis auf russische Schläfer zu behandeln.«

»Dem stimme ich zu.«

»Wir tun, was wir können, um die Personen umgehend zu identifizieren, Ma'am.«

Tina nickt kurz.

In meinem Kopf hämmert es wie wild. Das sind keine Schläfer. Das sind womöglich nicht einmal real existierende Personen. Sondern digital abgewandelte Bestandteile unterschiedlicher Fotos. Das FBI jagt Phantome.

Und das ist meine Schuld. Letztendlich bin ich dafür verantwortlich. Ich habe geheime Informationen weitergegeben. Zwar nur, um meine Familie zu schützen, aber trotzdem. Uns entgeht dadurch die Möglichkeit, vier weitere russische Agenten zu enttarnen. Mir wird schwindelig, und ich klammere mich an den Armlehnen meines Stuhls fest. Was habe ich angerichtet?

Das Gespräch geht derweil weiter. Ich versuche krampfhaft, mich darauf zu konzentrieren. Juris Name fällt.

»... in Moskau«, meint Peter.

»Woher wissen wir, dass er in Moskau ist?«, wirft Tina ein.

»Wissen wir nicht. Wir werden in den nächsten Tagen zusätzliche Kräfte mobilisieren, um seinen genauen Aufenthaltsort zu bestimmen.«

»Der Computer? Können wir den lokalisieren?«

»Nein. Er ist nicht damit ins Internet gegangen.«

Er ist hier, schreit eine Stimme in meinem Kopf. In den USA. Gleich um die Ecke. Mit falschen Papieren. Alle paar Monate, oder wann immer mein Mann ihm ein Zeichen gibt, kommt er in den Innenhof einer Bank im Nordwesten von D. C. Ich beiße die Zähne zusammen, und als ich aufschaue, sehe ich, dass Omar mich beobachtet. Ohne zu blinzeln, ohne zu lächeln. Das Gespräch im Hintergrund verschwimmt zu weißem Rauschen, und ich höre nur noch das Blut in meinen Ohren pochen.

Nach dem Meeting will ich mich möglichst rasch und unauffällig in mein Büro verkrümeln, aber Omar holt mich ein. Er muss fast joggen, so schnell bin ich weg, und trotzdem läuft er irgendwann neben mir her. Mir schlägt das Herz bis zum Hals. Ich weiß nicht, was ich sagen soll, was er sagen wird, wie ich seine Fragen beantworten soll.

»Alles okay, Vivian?«

Aus den Augenwinkeln schaue ich ihn an. Er wirkt besorgt. Aber vielleicht ist die Sorge auch nur gespielt. Mein Mund ist plötzlich staubtrocken. »Ja. Habe nur gerade ziemlich viel um die Ohren.«

Noch ein paar Meter, immer noch im Gleichschritt, dann stehen wir vor dem Aufzug. Ich drücke auf den Knopf, sehe ihn aufleuchten, hoffe, dass der Aufzug schnell kommt. »Familienangelegenheiten?«, fragt er. Wie er das sagt, mit diesem angestrengt nichtssagenden Gesichtsausdruck, komme ich mir vor wie bei einer Befragung. Einem Verhör, bei dem zu Beginn unverfängliche, harmlose Fragen gestellt werden, um erst mal ein Vertrauensverhältnis aufzubauen – oder den anderen in eine Falle zu locken.

Ich wende mich ab, gucke stur auf die Fahrstuhltür. »Ja. Ella ist krank. Caleb musste zu allen möglichen Arztterminen …« Ich breche ab und frage mich plötzlich abergläubisch, ob ich mit diesen Lügen die Gesundheit meiner Kinder aufs Spiel setze. Karma und so.

Aus den Augenwinkeln sehe ich, dass auch er auf die Fahrstuhltür starrt. Dann wendet er sich zu mir um. »Das tut mir leid«, sagt er. »Wir sind Freunde, vergiss das nicht. Solltest du je Hilfe brauchen …«

Ich nicke rasch, den Blick auf die Zahlen über der Fahrstuhltür geheftet, die eine nach der anderen aufleuchten. Aber langsam, viel zu langsam. Was soll das denn heißen? *Sollte ich je Hilfe brauchen?* Stumm stehen wir da und warten.

Endlich pingt es, und die Türen öffnen sich. Ich gehe hinein, Omar hinter mir, drücke den Knopf für mein Stockwerk, gucke kurz zu ihm hoch. Ich sollte jetzt was sagen, ein bisschen Smalltalk machen. Wir können doch nicht stumm wie die Fische nebeneinander im Fahrstuhl stehen. Wie sieht das denn aus? Krampfhaft überlege ich, was ich sagen könnte, aber er kommt mir zuvor. »Hast du schon gehört, wir haben hier einen Maulwurf.«

»Was?«

Aufmerksam sieht er mich an. »Einen Maulwurf. In der Spionageabwehr.«

Warum erzählt er mir das? Haben sie mich im Verdacht? Ich darf mir nichts anmerken lassen. »Das wusste ich nicht.«

Er nickt. »Das FBI hat jemanden unter Beobachtung.«

Nicht etwa mich, oder? Wie verhält man sich in so einer Situation? »Das ist ja Wahnsinn.«

»Absolut.«

Er verstummt, und ich habe keine Ahnung, was ich noch sagen soll. Es ist so still, dass ich schwören könnte, er hört meinen Herzschlag.

»Hör zu, ich habe für dich gebürgt«, murmelt er plötzlich. »Ich habe gesagt, dass wir Freunde sind und dass du so was unter gar keinen Umständen machen würdest. Dass du bei dieser Untersuchung nicht als eine der Hauptverdächtigen behandelt werden solltest.«

Der Aufzug kommt zum Stehen. Ich habe aufgehört zu atmen. Bin vollkommen erstarrt. Die Türen öffnen sich.

»Aber irgendwas ist im Gange, da gibt es kein Vertun.« Er senkt die Stimme. »Und früher oder später werden sie dich ins Visier nehmen.«

Ich zwinge mich, ihn anzusehen. Er wirkt besorgt, mitfühlend, und aus unerfindlichen Gründen verstört mich das mehr, als offensichtliches Misstrauen es könnte. Er streckt die Hand aus und hält sie vor den Sensor, um die Tür auf zu halten. Ich trete aus dem Aufzug und rechne damit, dass er mir folgt, aber er macht keinerlei Anstalten dazu. Also drehe ich mich zu ihm um. Sein Blick bohrt sich in meinen. »Wenn du irgendwie in Schwierigkeiten steckst«, sagt er eindringlich und nimmt die Hand weg, damit die Türen sich schließen können, »du weißt, wo ich bin.«

Der Rest des Tages verschwimmt. In unserer Abteilung geht es zu wie in einem Taubenschlag. Alle tuscheln aufgeregt über die fünf Fotos und wie man Juri am besten aufspüren könnte; mit welcher Strategie an *seinen* Betreuer heranzukommen wäre, den schier unerreichbaren Ringführer. Und ich wünschte, das alles würde einfach aufhören. Um Zeit zu haben, um mit meinen Gedanken allein sein zu können. Um verdauen zu können, was da um mich herum passiert.

Das Gespräch mit Omar: Warum hat er mich den Maulwurf betreffend gewarnt? Warum tut er, als halte er mich womöglich nicht mehr für vertrauenswürdig? Und wenn er glaubt, ich sei eine Doppelagentin, warum stellt er sich dann schützend vor mich und behindert die Ermittlungen?

Das ergibt doch alles keinen Sinn.

Und dann die Sache mit Matt und den Fotos. Keine Ahnung, wie er das angestellt hat. Er selbst hat doch sicher keinen Zugriff auf Juris Rechner, oder? Wahrscheinlicher ist, dass er mit Juri gesprochen hat. Aber würde Matt mich derart verraten? Er hat mir versprochen, niemandem ein Sterbenswörtchen zu sagen.

Ich habe das Gefühl, die ganze Welt um mich herum wird bleischwer. Und dunkel. Alle fünf Fotos ausgetauscht. Wäre es nur darum gegangen, unsere Familie zu schützen, hätte er bloß sein eigenes auszutauschen brauchen. Alle fünf auszutauschen war mehr als notwendig. Damit schützt er das ganze Schläferprogramm.

Mein Blick geht zu dem Bild an der Ecke meines Schreibtischs. Das von unserer Hochzeit. Ich starre in Matts Augen, bis es mir vorkommt, als verspotteten sie mich. *Willst du das Beste für uns?*, denke ich. *Oder für sie?*

Zwei Monate nachdem ich den Sprung in die Spionageabwehr, Abteilung Russland, geschafft hatte, stellte ich fest, dass ich schwanger war. Ich weiß noch, wie ich auf dem Badewannenrand gehockt und auf das Plastikstäbchen gestarrt habe. Auf den blauen Strich, der sich langsam immer dunkler färbte. Wie ich ihn mit der Abbildung auf der Schachtel verglichen habe, ungläubig und ganz kribbelig vor Aufregung.

Vorher hatte ich tausend zuckersüße Ideen gehabt, wie ich es Matt sagen würde, wenn es so weit wäre. Ideen, von denen ich gehört oder im Internet gelesen und die ich schon seit Jahren im Hinterkopf hatte. Aber als ich diesen blauen Strich sah und wusste, da drinnen in meinem Bauch ist ein Baby, *unser* Baby, da konnte ich es gar nicht erwarten, es ihm zu sagen. Ich platzte zur Badezimmertür hinaus. Da stand er vor dem Kleiderschrank und knöpfte sich das Hemd zu. Kurz vor ihm blieb ich stehen und zögerte einen Augenblick, dann hielt ich mit einem strahlenden Lächeln das Stäbchen hoch.

Seine Hände erstarrten in der Bewegung. Er guckte auf das Stäbchen, dann in mein Gesicht, und dann wurden seine Augen groß und rund. »Echt jetzt?«, fragte er ungläubig. Und als ich nickte, grinste er das fetteste Honigkuchenpferdgrinsen, das ich je im Leben gesehen hatte. Seit dem Urlaub auf den Bahamas hatte ich insgeheim befürchtet, sein Kinderwunsch sei vielleicht doch nicht so ausgeprägt wie meiner. Aber dieses Lächeln vertrieb alle Ängste und Sorgen. Es war pure Freude. So glücklich hatte ich ihn noch nie gesehen.

»Wir bekommen ein Baby«, wisperte er. Und ich hörte in seiner Stimme die gleiche fassungslose Verwunderung, die ich selbst bei diesem Gedanken empfand. Ich nickte, und er kam auf mich zu und nahm mich in den Arm und küsste mich. Ganz behutsam, als sei ich plötzlich ein Feenwesen, zart und zerbrechlich. Und mir ging das Herz auf, so weit, dass ich fast fürchtete, es könnte mir aus der Brust springen.

Den Rest des Tages verlebte ich in glückselig taumelnder Benommenheit; ich ertappte mich dabei, wie ich stundenlang auf dieselbe Seite auf dem Computerbildschirm starrte, ohne irgendwas mitzubekommen. Als gerade keiner guckte, schlug ich im Online-Mitarbeiterhandbuch *Mutterschutz* und *Sonderurlaub* nach. Klickte auf Drucken und stopfte die Seiten dann rasch in die Handtasche.

Ich machte an dem Tag zeitig Schluss. Matt hatte gekocht, und wir aßen gemütlich zu Abend. Er fragte mich bestimmt ein halbes Dutzend Mal, wie es mir gehe und ob ich irgendwas brauche. Irgendwann zog ich eine Jogginghose an, holte die ausgedruckten Seiten aus der Tasche und setzte mich damit zu Matt auf die Couch. Während er die aufgezeichneten Sendungen auf dem Festplattenrecorder durchging, blätterte ich in den Papieren. Er schaute auf, und sein Blick ging erst zu den Dokumenten und dann zu mir. Da wusste ich seinen Gesichtsausdruck nicht recht zu deuten.

Schließlich entschied er sich für eine Sendung. Eine dieser

Kochshows, die wir dann gemeinsam anschauten. Ich kuschelte mich an ihn, den Kopf an seiner Brust. Kurz vorm Ende der Sendung, als die Teilnehmer alle vor dem Tisch der Jury standen, hielt er die Aufzeichnung an.

»Wir brauchen ein Haus«, erklärte er.

»Was?« Natürlich hatte ich gehört, was er gesagt hatte. Aber es kam so unvermittelt, dass ich es noch mal hören wollte, nur, um mich zu vergewissern.

»Ein Haus. *Hier* können wir doch kein Kind großziehen.« Und mit einer ausladenden Geste umschloss er die Hauptetage unseres Stadthäuschens – Wohnzimmer, Küche, Essplatz, alles auf einen Blick zu sehen. Noch nie war es mir so klein vorgekommen.

Andererseits waren wir finanziell nicht so stark eingebunden. Wir brauchten keinen Kredit abzubezahlen. Wir wohnten ziemlich zentral. Bis dahin hatte ich nie den Wunsch nach einem eigenen Haus verspürt. Und er auch nicht, soweit ich wusste. »Na ja, die ersten paar Jahre ...«, setzte ich an.

»Wir brauchen Platz. Einen Garten. In einer guten Gegend.«

Er wirkte so entschlossen, so *besorgt*. Und natürlich hätte ich es schön gefunden, das alles zu haben. Irgendwann mal. Ich zuckte die Achseln. »Kostet ja nichts, wenn wir uns mal umschauen.«

Eine Woche später hatten wir einen Immobilienmakler. Einen kleinen mausgrauen Mann mit flusigem Haar, auf das ich starrte, während ich auf dem Rücksitz seines Wagens saß und er endlos lange mit uns durch die Vorstädte von D.C. tingelte. Anfangs suchten wir recht stadtnah und noch innerhalb unseres Budgets. Die Häuser waren klein. Und größtenteils sanierungsbedürftig. Man sah Matt schon beim Reinkommen an, dass er sie allesamt grässlich fand. Indiskutabel. Durch die Bank. *Die Treppe ist nicht kindersicher*, konstatierte er. *Wir brauchen mehr Platz. Da kann man ja nicht mal eine Schaukel aufstellen.* Immer war irgendwas.

Also fuhren wir weiter raus. Die Häuser wurden zwar größer, aber nicht unbedingt besser. Oder besser, aber nicht größer. Wir erhöhten unser Budget. Ich dachte, das würde uns einige reelle Angebote bescheren. Unrenoviert und altmodisch womöglich, aber bewohnbar. Beengt, aber akzeptabel. Außerhalb vielleicht, aber wir waren ja beide nicht auf öffentliche Verkehrsmittel angewiesen.

An jedem einzelnen Haus fand Matt etwas auszusetzen. Sie waren alle vollkommen unzumutbar. Ein Treppenabsatz, der eine Gefahr für Krabbelkinder wäre. Ein Bach hinter dem Haus – was, wenn die Kinder da reinfielen? Noch nie hatte ich ihn derart pingelig erlebt. »Etwas Perfektes finden wir nie«, wandte ich ein.

»Ich möchte einfach nur das Beste für das Baby. Und die Kinder, die noch kommen«, meinte er. Und dann schaute er mich an, als wollte er sagen: Das willst du doch auch, oder?

Wäre der Makler nicht so stoisch gewesen – und hätte ihm nicht eine fette Provision ins Haus gestanden, sollten wir uns *doch* irgendwann für eins seiner Angebote entscheiden –, ich schwöre, er wäre schreiend weggerannt. Aber wir suchten weiter, tapfer und unbeirrt. Erweiterten noch einmal den Preisrahmen, zogen immer größere Kreise, bis die Gegend schon beinahe ländlich wurde. Die Vorvorstädte, wie der Makler erklärte.

Da taute Matt allmählich auf. Er mochte die imposanten Villen im Kolonialstil, die weitläufigen Gärten, die Wohngegenden, in denen Kinder auf dem Fahrrad über die Straße flitzten. Mir wurde flau bei den Preisen und der Entfernung zur Stadt. »Stell dir doch nur mal vor, wie toll das für die Kinder wäre«, schwärmte er. Was sollte ich dagegen schon einwenden?

Dann entdeckten wir eins. Toller Grundriss, am Ende einer Sackgasse, von Bäumen flankiert. Matts Gesicht sagte alles: Für ihn war das Haus perfekt. Mir gefiel es auch. Ich konnte mir gut vorstellen, hier eine Familie zu gründen, Kinder großzuziehen. Und obwohl ich das nie zugegeben hätte, ich hatte inzwischen die Nase gestrichen voll von der Sucherei. Ich wollte einfach nur zu Hause auf der Couch sitzen und Babybücher wälzen. Noch am selben Abend beschlossen wir, ein Gebot abzugeben.

Als ich am nächsten Morgen nach unten kam, saß Matt schon am Laptop. Ich sah ihm gleich an, dass irgendwas nicht stimmte. Er sah aus, als habe er kein Auge zugetan. »Die Schulen dort«, erklärte er niedergeschlagen. »Das geht gar nicht. Die sind unzumutbar.« Ich trat hinter ihn und schaute ihm über die Schulter. Er hatte sich Bewertungen der Schulen angesehen. Und tatsächlich, sie waren grottenschlecht.

»Gute Schulen sind ein Muss«, sagte er.

Und wandte sich wieder dem Bildschirm zu. Minimierte das Fenster, hinter dem ein anderes erschien. Ein Haus. Ein eher kleines, unscheinbares, wie wir sie uns zu Beginn unserer Suche hier und da angeschaut hatten. »Das ist in Bethesda«, erklärte er. »Die Schulen in der Gegend haben alle eine glatte Zehn.« Plötzlich klang er ganz aufgeregt. So hatte ich ihn zuletzt erlebt, als wir uns die perfekte Kolonialvilla angeschaut hatten. »Das ist unser Haus, Viv.«

»Zu klein. Du hasst doch kleine Häuser.«

»Ich weiß.« Er zuckte die Achseln. »Dann wird es halt ein bisschen eng. Dann ist unser Garten eben kein Park. Ich werde ohnehin nicht alles bekommen, was ich mir wünsche. Aber die Schulen sind Spitzenklasse, das ist die Hauptsache. Es geht schließlich um die Kinder.«

Ich schaute mir das Bild auf dem Monitor ein bisschen genauer an. »Hast du den Preis gesehen?«

»Ja. Ist auch nicht viel mehr als das Letzte, das wir eigentlich kaufen wollten.«

Mein Herz schlug einen Flickflack, als ich das hörte. Nicht viel mehr? Es waren beinahe Fünftausend mehr. Das vorige Haus hätte unser Budget schon gesprengt. Und das lag ohnehin meilenweit über dem, was wir uns meiner Meinung nach leisten konnten. Dieses Haus war für uns einfach unerschwinglich.

»Das können wir stemmen«, erklärte er, als könne er Gedanken lesen, und öffnete ein weiteres Fenster, eine Tabelle. »Siehst du?«

Es war ein Finanzierungsplan. Er hatte bereits alles genau durchgerechnet.

»Bei mir steht demnächst eine Beförderung an. Du bekommst auch stufenweise jedes Jahr ein bisschen mehr, und irgendwann ist bei dir auch eine Beförderung drin. Das ist machbar.«

Mir blieb die Spucke weg, und ich schnappte nach Luft. »Das funktioniert nur, wenn ich meinen Job behalte.«

Betretenes Schweigen. Dann: »Wolltest du denn aufhören?«

»Na ja, nein. Nicht ganz. Mich vielleicht eine Weile beurlauben lassen ...« Darüber hatten wir gar nicht gesprochen. Ich war einfach davon ausgegangen, dass ich fürs Erste zu Hause bleiben würde. Und ich war davon ausgegangen, dass wir uns da einig waren. Unsere Mütter waren beide zu Hause geblieben, als wir klein waren. Wir hatten keine Verwandten in der Nähe. Wir würden unser Baby doch nicht gleich in eine Krippe bringen, oder?

»Du willst aber keine Heimchen-am-Herd-Mami werden, oder?«, fragte er.

Heimchen-am-Herd-Mami? Was sollte das denn bitte heißen? »Ich meinte ja nicht, dass ich ab jetzt nur noch Hausfrau und Mutter sein will.« Unvermittelt hatte ich wieder das gleiche Gefühl wie damals am Strand. Das Gefühl, nicht gut genug zu sein. Das Gefühl, dass er denken könnte, er hätte eine Bessere haben können. »Nur für die erste Zeit.«

»Ich dachte, du liebst deinen Job.«

Nein. Ich liebte ihn nicht. Nicht mehr. Seit ich in der Russland-Abteilung arbeitete, nicht mehr. Ich hasste den Stress, die vielen Überstunden, das Gefühl, dass ich, ganz gleich, wie hart ich auch arbeitete, wie sehr ich mich auch anstrengte, einfach nichts erreichte. Und ich wusste genau, mit einem Kleinkind würde es nur noch schlimmer werden. »Ich mag die Vorstellung, dass ich etwas verändern kann. Aber seit ich zu Russland gewechselt bin …«

»Du hast den besten Job bei der CIA, oder? Um den dich alle beneiden.«

Ich zögerte. »Ist ein ganz guter Bereich, ja.«

»Und jetzt willst du alles hinschmeißen, um den ganzen Tag mit einem Baby zu Hause zu bleiben?«

Fassungslos starrte ich ihn an. »Mit *unserem* Baby. Und ja, vielleicht will ich das. Ich weiß es nicht.«

Worauf er nur den Kopf schüttelte. Ein unbehagliches Schweigen machte sich breit. »Wenn du nicht mehr arbeitest, wie sollen wir dann Geld fürs College sparen? Wie sollen wir mit den Kindern verreisen? All solche Sachen?«, fragte er schließlich.

Zum ersten Mal, seit ich das Testergebnis gesehen hatte, wurde mir übel. Aber ehe ich etwas sagen konnte, redete er schon weiter. »Viv, die Schulen haben alle eine Zehn. Eine *Zehn*. Wie toll wäre das, bitte?« Er streckte die Hand nach mir aus und legte sie auf meinen Bauch, dann schaute er mich vielsagend an. »Ich will doch nur das Beste für unser Baby.« Und in der anschließenden Stille schwang die unausgesprochene Frage mit: *Du etwa nicht?*

Natürlich wollte ich das. Wie konnte es bitte sein, dass ich mir jetzt schon wie eine Rabenmutter vorkam? Mein Blick wanderte zurück zum Monitor. Darauf war das Haus zu sehen. Das Haus, das mir schon in dem Moment wie eine Bürde erschien, wie eine tonnenschwere Last. Dabei hatten wir es noch gar nicht gesehen. Schließlich sagte ich mit erstickter Stimme: »Wir können es uns ja mal anschauen.«

Ich komme später nach Hause als sonst. Die anderen sitzen schon alle um den Küchentisch, in den Plastikschüsselchen und auf den Tabletts der Hochstühle die Reste von Spaghetti mit Fleischbällchen.

»Mommy!«, kreischt Ella, und Luke ruft: »Hi, Mom.« Die Zwillinge sind oben ohne und haben mit Spaghettisoße verschmierte Gesichter. Pastareste kleben an den unmöglichsten Stellen – der Stirn, den Schultern, in den Haaren. Matt lächelt mich an, als sei alles wie immer. Als sei nichts passiert. Dann steht er auf, geht an den Herd und füllt mir etwas von dem Essen auf einen Teller.

Ich lasse Tasche und Jacke an der Tür und gehe mit einem aufgesetzten Lächeln zum Tisch. Gebe erst Ella einen Kuss auf die Stirn und dann Luke. Winke den Zwillingen zu, die einander gegenüber an den Stirnseiten sitzen. Chase grinst übers ganze Gesicht und haut auf sein Tablett, dass die Pastasoße nur so spritzt. Ich setze mich, und Matt stellt mir den Teller Spaghetti hin. Dann lässt er sich mir gegenüber nieder, und ich schaue ihn an und spüre förmlich, wie mir das Lächeln auf den Lippen gefriert. »Danke«, murmele ich.

»Alles okay?«, fragt er vorsichtig.

Ich weiche seiner Frage aus und wende mich an Ella. »Wie geht es dir, Süße?«

»Besser.«

»Gut.«

Kurz schaue ich hoch zu Matt. Er lässt mich nicht aus den Augen. Dann sehe ich rüber zu Luke. »Wie war's in der Schule?«

»Okay.«

Ich überlege, was für eine Frage ich ihm noch stellen könnte. Gezielt. Nach einem Test oder einem Vortrag oder so was in der Art. Aber mir fällt nichts ein, also esse ich einfach ein paar lauwarme Spaghetti und weiche Matts Blick geflissentlich aus.

»Ist alles in Ordnung?«, fragt er noch mal.

Ich kaue sehr langsam. »Ich dachte, eigentlich nicht. Aber man höre und staune, alles ist *in bester Ordnung.*« Ich lasse ihn nicht aus den Augen.

Er versteht sofort. »Freut mich zu hören«, sagt er.

Betretenes Schweigen, das Ella schließlich bricht. »Daddy, ich bin schon lange fertig«, ruft sie. Wir schauen sie beide an.

»Warte, bis Mommy auch fertig ist, Süße«, sagt Matt.

Ich schüttele den Kopf. »Nein, schon gut.«

Er zögert, und ich fixiere ihn. *Lass sie gehen. Lass sie alle gehen, damit wir reden können.*

»Okay«, meint er schließlich, und an Ella gewandt: »Räumst du deine Schüssel bitte in die Spüle?«

»Darf ich auch aufstehen, Dad?«, fragt Luke.

»Klar, Großer.«

Luke und Ella springen auf. Matt holt nasses Küchenkrepp und fängt an, Chases Hände und Gesicht abzuwischen. Ich esse noch ein paar Bissen und sehe zu, wie er Chase saubermacht, ihn aus dem Stuhl hebt und auf den Boden setzt. Nach einem kurzen Seitenblick zu mir widmet er sich anschließend Calebs verschmiertem Gesichtchen. Ich lege die Gabel beiseite. Mir ist der Appetit vergangen.

»Wie hast du das gemacht?«, frage ich.

»Die Fotos ausgetauscht?«

»Ja.«

Er hat nur Augen für Calebs Hand und wischt ihm sorgfältig die Fingerchen ab. »Ich hab doch gesagt, ich hole dich da raus.«

»Aber wie hast du das *gemacht*?«

Er gibt keine Antwort, schaut mich nicht an, wischt einfach weiter an Caleb herum.

Wütend presse ich hervor: »Würdest du *bitte* meine Frage beantworten?«

Er hebt Caleb aus seinem Stuhl und setzt sich mit ihm auf dem Schoß wieder hin. Caleb steckt sich die Finger in den Mund und nuckelt daran.

»Ich hab dir doch gesagt, je weniger du weißt, desto besser.«

»Komm mir nicht so. Warst *du* das? Oder hast du jemanden um Hilfe gebeten?«

Er lässt Caleb auf seinem Knie hopsen. »Ich habe es Juri gesagt.«

Ich zucke zusammen. Er hat mich verraten. Verraten und verkauft. »Du hast versprochen, niemandem etwas zu sagen!«

Perplex guckt er mich an. »Was?«

»Du hast mir versprochen, niemals irgendwem ein Wort davon zu sagen.«

Er blinzelt, dann scheint es ihm zu dämmern. »Nein, Viv. Ich habe versprochen, es nicht den *Behörden* zu melden.«

Fassungslos starre ich ihn an. Caleb windet sich und will unbedingt runter von Matts Schoß.

»Ich musste es Juri sagen. Was blieb mir denn anderes übrig?«, sagt er. Caleb kreischt los. »Bin gleich wieder da«, murmelt Matt und verlässt mit ihm auf dem Arm die Küche.

Mein Blick geht nach unten, zu meinem Ehering. Ob es sich so anfühlt, wenn man betrogen wird? Als ich Matt geheiratet habe, war ich überzeugt, zu den wenigen Glücklichen zu gehören, die das nie erleben werden. Nicht in meinen wildesten Träumen hätte ich mir vorstellen können, dass er mich betrügt. Ich lege die rechte Hand auf die linke, damit ich den Ring nicht mehr sehen muss.

Einen Moment später kommt er allein zurück. Setzt sich wieder an den Tisch. Ich horche auf die Geräusche aus dem Nebenzimmer. Luke und Ella spielen Quartett. Ich beuge mich vor und sage leise: »Also wissen die Russen jetzt, dass ich geheime Verschlusssachen an dich weitergegeben habe.«

»*Juri* weiß es.«

Ich schüttele den Kopf. »Wie konntest du nur?«

»Hätte ich es allein hinbiegen können, hätte ich es getan. Aber ich hatte keine Wahl. Juri um Hilfe zu bitten war die einzige Möglichkeit.«

»Und *alle fünf* Fotos auszutauschen?«

Er lehnt sich zurück und sieht mich an. »Was willst du damit sagen?«

Ich gebe ihm keine Antwort. Was soll ich dazu auch sagen? Dass ich mir nicht sicher bin, auf wessen Seite er steht? Und ob ich ihm noch vertrauen kann?

»Das wäre alles nicht passiert, wenn du mich angezeigt hättest.« Er schaut mich an, als sei *er* verraten worden.

Aber er hat recht. Und ein Teil der Wut in meinem Bauch verwandelt sich unversehens in schlechtes Gewissen. Er hat gesagt, ich soll ihn ausliefern. Er ist nicht gleich zu Juri gegangen. Die Fotos sind nicht gleich am nächsten Tag ausgetauscht worden.

Wäre ihm das Programm wichtiger gewesen als ich, hätte er sofort etwas unternommen.

»Dann ist jetzt also alles in Butter?«, frage ich schließlich. Zugleich versuche ich, die Gesichter der anderen vier Schläfer aus meinem Kopf zu verdrängen und nicht daran zu denken, dass sie nun meinetwegen unentdeckt bleiben werden. *Du hast die Datei selbst gelöscht, Viv. Du warst es, die die Fotos gelöscht hat.* »Jetzt kann nichts mehr passieren?«

Er wendet den Blick ab, und noch ehe er antwortet, weiß ich, dass dem nicht so ist. »Na ja, nicht ganz.«

Nicht ganz. Ich zwinge mich weiterzudenken. »Weil sie immer noch nachvollziehen können, dass ich die Datei ursprünglich gelöscht habe?« Ich stelle mir vor, wie die interne Sicherheit mich vernimmt. Wie sie mir mitteilen, sie hätten herausgefunden, dass ich die Datei gelöscht habe. Ich könnte behaupten, es sei ein Versehen gewesen. Ich hätte es gar nicht gemerkt. Bisschen weit hergeholt. Vielleicht würden sie mich eine Weile observieren. Aber das würde vorübergehen. Allerdings nur, wenn sie nicht auf Matts Foto stießen.

»Ja«, sagt er. »Aber das ist nicht das Einzige. Athena führt Protokoll über die User-Aktivitäten.«

Woher kennt er den Namen Athena? Den habe ich ihm gegenüber ganz sicher nie erwähnt.

»Das heißt, es ist dokumentiert, was genau du auf Juris Rechner gesehen hast, Viv. Theoretisch könnte man hingehen und sich ansehen, wie du dich in Juris Computer umgeschaut hast. Welche Dateien du geöffnet hast.«

»Man könnte nachvollziehen, dass ich dein Foto angeklickt habe.«

»Genau.«

»Dann existiert das Foto von dir also noch irgendwo auf dem Server?«

»Ja.«

Was heißt, dass die anderen vier Fotos auch noch da sind. Es wäre also noch nicht zu spät, dem FBI die echten Fotos zu übergeben. Ich könnte immer noch reinen Tisch machen. Der CIA sagen, was ich über die anderen Schläfer weiß. Und das von Matt. Es ist immer noch Zeit, mich richtig zu entscheiden.

Alles halb so wild, oder? Vielleicht würden sie dann sogar darüber hinwegsehen, dass ich die Datei gelöscht habe. Die Affekthandlung einer zutiefst verstörten Ehefrau.

Wobei das nicht ganz stimmt. Denn es gibt nur eine einzige

Erklärung dafür, dass die fünf Fotos ausgewechselt worden sind: Ich habe den Russen Details eines streng geheimen Projekts verraten. Das ist Landesverrat. Allein dafür würde ich schon hinter Gitter kommen. Bei dem Gedanken gefriert mir das Blut in den Adern.

Ich muss an Omar denken, wie er mich in den letzten Tagen angesehen hat. *Es gibt einen Maulwurf.* Wenn sie mich verdächtigen, liegen sämtliche Beweise, die sie brauchen, um mich zu überführen, auf diesem Server.

»Es gibt allerdings einen Ausweg«, meint Matt. »Eine Möglichkeit, den Verlauf zu löschen.« Er wirkt hin- und hergerissen, will nicht so recht mit der Sprache heraus.

»Wie?« Meine Stimme ist kaum mehr als ein Flüstern.

Er greift in die Tasche und zieht einen USB-Stick heraus. Ein rechteckiges schwarzes Stück Plastik. Das hält er mir hin. »Da ist ein Programm drauf, das löscht deine gesamten Aktivitäten der letzten zwei Tage.«

Wortlos starre ich das Ding an. Das würde jeden Hinweis darauf, dass ich das Foto von Matt entdeckt habe, beseitigen. Dann hätten sie nichts mehr gegen mich in der Hand. Um mich zu verurteilen. Mich meinen Kindern wegzunehmen.

»Deine und die von allen anderen«, sagt er. »Es würde die Server komplett um zwei Tage zurücksetzen.«

Ich starre ihn an. *Die Server um zwei Tage zurücksetzen.* Zwei Tage Arbeit umsonst. Für die gesamte CIA. Alle Mitarbeiter, all die Mühe.

Aufs Ganze gesehen nicht so viel, oder?

Damit wäre meine Familie gerettet. Matts Foto wäre ein für alle Mal gelöscht. Wobei, damit wären auch die Fotos der anderen vier Schläfer endgültig gelöscht. Und es ist gar keine Frage, dass ich mich dabei von den Russen benutzen lasse. Ich würde die anderen vier Schläfer ungeschoren davonkommen lassen, um meine Familie zusammenzuhalten. Ich weiß, dass das falsch ist. Und ich komme mir vor wie eine Verräterin, es auch nur in Erwägung zu ziehen. Aber wir reden hier von meinen Kindern.

»Und jetzt?«, frage ich. »Die ziehen das einfach auf den Rechner?«

»Na ja, das ist der Haken an der Sache.« Er schaut mich an. »*Du* müsstest es auf den Rechner ziehen.«

Er legt den USB-Stick auf den Tisch, und ich beäuge ihn misstrauisch, als könne er jeden Augenblick explodieren. »Das geht nicht, ich kann da nichts machen. Die Computer sind modifiziert. Ich habe gar keinen USB-Eingang …«

»Im Leseraum gibt es einen.«

Wortlos starre ich ihn an. Habe ich unseren abgeschirmten Leseraum ihm gegenüber je erwähnt? Und selbst wenn, habe ich ganz bestimmt kein Wort über die Rechner darin verloren. Aber es stimmt, was er sagt. Da gibt es eigens einen Rechner, um externe Recherchedaten hochzuladen. »Na ja, ist auch egal. Der Computer ist passwortgeschützt. Ich habe keine Zugangsberechtigung …«

»Die brauchst du nicht. Das Programm installiert sich selbst. Du brauchst den Stick nur einzustöpseln.«

Was er verlangt, verschlägt mir die Sprache. »Du sagst mir allen Ernstes, ich soll im internen Computernetzwerk der CIA ein russisches Programm installieren?«

»Es würde jeden Beweis dafür tilgen, dass du die Datei gelöscht hast.«

Und die Fotos würde es auch gleich mit löschen. Alle fünf. Ich wende mich ab. Und dann spreche ich aus, was mir durch den Kopf geht, obwohl ich weiß, dass ich das lieber nicht sollte. »Du bist ein russischer Agent und bittest mich, ein feindliches Programm in ein gesichertes CIA-Netzwerk einzuschleusen.«

»Ich bin dein Mann und versuche zu verhindern, dass du ins Gefängnis gehst.«

»Indem du mich drängst, etwas zu tun, das mich bis an mein Lebensende hinter Gitter bringen könnte.«

Er streckt die Hand aus und legt sie auf meine. »Wenn sie herausfinden, was du gemacht hast, landest du sowieso für ziemlich lange Zeit im Knast.«

Ich höre Ella nebenan schreien: »Das ist nicht fair!« Das kannst du laut sagen, denke ich und starre auf den USB-Stick. *Das ist nicht fair. Das ist alles einfach nicht fair.*

»Daddy!«, kreischt sie. »Luke schummelt!«

»Tue ich gar nicht!«, schreit Luke zurück.

Noch immer starre ich den Stick an wie ein Kaninchen die Schlange. Ich spüre, dass Matt mich beobachtet. Keiner von uns beiden macht Anstalten, aufzustehen und nebenan Frieden zu stiften. Die beiden streiten munter weiter, wenn auch etwas leiser. Als sie sich wieder beruhigt haben, ziehe ich die Finger unter Matts Hand weg und lege meine Hände gefaltet in den Schoß. »Was ist da wirklich drauf? Irgendwas, das den Russen Zugang zu unserem System verschafft?«

Stumm schüttelt er den Kopf. »Nein. Ganz bestimmt nicht. Ich schwöre dir, es ist nur ein Programm, das den Server um zwei Tage zurücksetzt.«

»Woher willst du das wissen?«

»Ich hab's mir genau angesehen. Hab ein Diagnose-Tool drüberlaufen lassen. Mehr ist da nicht.«

Und warum sollte ich dir das glauben? Diesen Gedanken spreche ich nicht aus, aber das brauche ich auch nicht. Man sieht ihn mir sicher an der Nasenspitze an.

»Wenn du's nicht machst, landest du über kurz oder lang im Gefängnis.« Sein Ausdruck ist dabei ganz offen. Aufrichtig. Und leicht besorgt. »Das ist der einzige Ausweg.«

Wieder geht mein Blick zu dem Stick. Als wollte ich ihn mit schierer Willenskraft verschwinden lassen. Als könnte ich das alles ungeschehen machen. Ich habe das Gefühl, unaufhaltsam tiefer und immer tiefer zu fallen, in ein bodenloses Loch, und nichts dagegen tun zu können. Ist das wirklich der einzige Ausweg?

Ich schaue auf und sehe ihn durchdringend an. Seine Worte klingen mir in den Ohren. *Hab ein Diagnose-Tool drüberlaufen lassen.* »Zeig's mir.«

Verdattert guckt er mich an. »Was?«

»Du hast gesagt, du hast ein Diagnose-Tool drüberlaufen lassen. Zeig's mir.«

Er zuckt zusammen, als hätte ich ihm eine Ohrfeige verpasst. »Du glaubst mir nicht.«

»Ich will es mit eigenen Augen sehen.«

Ohne zu blinzeln, starren wir einander an, bis er schließlich nachgibt. »Also gut.« Er steht auf und geht aus dem Zimmer. Ich folge ihm. Zielstrebig marschiert er zu dem Stauraum unter der Treppe. Schaltet das Licht an, greift nach dem Schraubenzieher, den ich auch benutzt habe. Wortlos sehe ich zu, wie er die Bodendiele hochstemmt und den Laptop hervorholt. Mit einem langen Blick, den ich nicht deuten kann, schiebt er sich an mir vorbei und geht zurück zum Küchentisch.

Dort klappt er den Laptop auf und setzt sich. Ich stehe hinter ihm, den Blick auf den Monitor gerichtet. Der weiße Balken erscheint, der Mauszeiger blinkt. Ich gucke auf die Tastatur, verfolge, was seine Finger, sehr langsam und bedächtig, tippen. Das Muster kenne ich. Es ist eins seiner üblichen Passwörter, die Geburtstage der Kinder. Am Schluss drückt er noch ein paar weitere Tasten, und es dauert einen Moment, bis ich es verstanden habe. Das war unser Hochzeitsdatum. Er hat also doch an uns gedacht.

»Vermutlich verstehst du nur Bahnhof, oder?«, fragt er, ohne sich umzudrehen.

Und ich bin froh, dass er mir den Rücken zukehrt, denn er hat natürlich recht. Ich hab's nicht so mit der Technik. Die Feinheiten erschließen sich mir nicht, aber darum geht es auch nicht. Es geht darum, wie er sich verhält, was er mir zeigt. Ich verstehe genug von der Materie, um zu erkennen, ob er wirklich ein Diagnose-Tool angewendet hat oder ob das gelogen war. Und vielleicht reicht mir das ja schon. »Ich verstehe mehr, als du glaubst.«

Er öffnet ein Programm, gibt einen Befehl ein und beginnt, sich durch einen Text zu scrollen. »Das ist ein Protokoll der Nutzer-Aktivitäten«, erklärt er und zeigt auf eine Zeile, das Datum von heute, dann auf eine andere, einen Zeitstempel von vor ein paar Stunden.

Immer weiter scrollt er und zeigt schließlich auf einen Textabschnitt. »Das Inhaltsverzeichnis des Sticks.« Ich überfliege die Zeilen, die ich größtenteils nicht entziffern kann. Aber einzelne Fetzen ergeben Sinn und passen zu dem, was Matt gesagt hat. Kein Hinweis darauf, dass weitere Dateien auf dem Stick sind.

Viel wichtiger aber ist der Zeitstempel. Dass er etwas vorzuzeigen hat. Dass er tatsächlich ein Diagnose-Tool über den Stick hat laufen lassen, genau, wie er behauptet hat.

Er hat nicht gelogen.

Langsam dreht er sich um und sieht zu mir auf. Mit gekränkter Miene, was mir prompt ein schlechtes Gewissen macht. »Glaubst du mir jetzt?«

Ich gehe um den Tisch herum auf die andere Seite und setze mich ihm gegenüber. Zögere kurz, ehe ich schließlich antworte. »Die sind gut, meine Kollegen von der CIA. Was, wenn sie das zu mir zurückverfolgen?«

»Werden sie nicht«, sagt er leise.

»Wie kannst du dir da so sicher sein?«

»Denk doch mal über das nach, was ich dir gesagt habe. Was die Russen alles wissen.« Damit streckt er die Hand nach mir aus und legt sie auf dem Tisch auf meine. »Die sind auch gut.«

Auch in dieser Nacht mache ich kein Auge zu. Stattdessen tigere ich mit einem Ziehen im tonnenschweren Herzen durch das Haus. Sehe den Kindern zu, wie sie schlafen. Wie tief und ruhig sie atmen. Wie klein sie aussehen, wenn sie so friedlich in ihren Betten liegen und schlummern. Ich tappe durch die dunklen Flure, betrachte die Bilder an den Wänden, all die auf Papier gebannten flüchtigen Augenblicke, all die fröhlich lächelnden Gesichter. Die mit Magneten an den Kühlschrank gehefteten kleinen Kunstwerke. Das Spielzeug, das im Dunkeln verstreut herumliegt und auf den kommenden Tag zu warten scheint. Ich will bloß, dass das alles weitergeht. Unser ganz normales Leben.

Tatsache ist aber, dass ich im Gefängnis landen könnte. Ziemlich sicher sogar. Sollten sie je herausfinden, was ich getan habe. Weitergabe sensibler, streng geheimer Informationen, Gefährdung von CIA-Operationen. Ach, und was ich alles versäumen würde, sollte das wirklich passieren. Wie Ella den ersten Milchzahn verliert und aufgeregt auf die Zahnfee wartet. Ballettstunden, T-Ball-Training, Radfahren lernen. Vor allem aber die vielen kleinen, unspektakulären Augenblicke. Sie in den Arm nehmen und trösten, wenn sie einen Albtraum hatten oder krank sind. *Ich hab dich lieb, Mommy*, und hören, was sie in der Schule gelernt haben. Worüber sie sich freuen und was ihnen Angst macht.

Natürlich werden dem FBI auch Schläfer entwischen, die sonst vielleicht aufgeflogen wären. Aber spielt das im Endeffekt wirklich so eine große Rolle? Allein bei meiner Hochzeit müssen unter den Gästen mehrere Dutzend Schläfer gewesen sein. Das

Problem ist so viel größer, als wir dachten, da sind fünf doch nur ein Tropfen auf den heißen Stein.

Es hat noch nicht angefangen zu dämmern, und ich hocke im Dunkeln auf der Couch, als Matt herunterkommt. Er knipst das Licht in der Küche an und blinzelt, während seine Augen sich an die plötzliche Helligkeit gewöhnen. Verschlafen schlurft er zur Kaffeemaschine und drückt auf den Knopf. Schweigend sehe ich ihm zu. Irgendwann schaut er auf, sieht mich, bleibt wie angewurzelt stehen und starrt mich an. Ich erwidere seinen Blick, und dann hebe ich, ganz langsam, die Hand, den USB-Stick zwischen Daumen und Zeigefinger. »Sag mir, was ich machen muss.«

Ich werde es wirklich tun. Eigentlich unglaublich. Undenkbar. Unvorstellbar. Wie durch dichten Nebel sehe ich zu, wie er den Stick mit einem der kleinen Reinigungstücher abwischt, die er sonst benutzt, um seine Sonnenbrille zu putzen. *Wegen der Fingerabdrücke*, erklärt er. Dann versteckt er den Stick im doppelten Boden eines Thermo-Kaffeebechers. Glänzend, metallisch, nie gesehen. Wo kommt der plötzlich her? Wo hat er all diese Sachen versteckt?

Wie konnte ich nur so blind sein?

»Du brauchst ihn nur einzustöpseln«, sagt er und reicht mir den Becher. Ich nehme ihn an mich und sehe mein Spiegelbild darin, verzerrt bis zur Unkenntlichkeit. Das bin ich, und doch sieht es aus wie jemand anderes. »Das Computerterminal hat vorn einen USB-Eingang.«

»Okay«, murmele ich und starre weiter benommen auf mein Spiegelbild. Diese Fratze, die ich kaum erkenne.

»Du steckst ihn ein, wartest mindestens fünf Minuten, aber nicht mehr als zehn, und ziehst ihn wieder raus. Nach zehn Minuten wird der Server automatisch herunterfahren und neu starten. Wenn der Stick nach Beendigung des Neustarts noch im Rechner steckt, können sie ihn zurückverfolgen und orten.«

Fünf Minuten? Ich soll fünf Minuten lang untätig dasitzen, während der Stick im Rechner steckt? Was, wenn mich jemand sieht? »Dann warte ich bis nach Dienstschluss.«

Er schüttelt den Kopf. »Geht nicht. Der Rechner muss eingeloggt sein.«

»Eingeloggt?« Bei diesem Wort wird mir ganz anders. Das heißt, ich muss es während der Arbeitszeit tun. Peter loggt den Rechner morgens ein, aktiviert ihn für den Tag und loggt ihn wieder aus, bevor er geht. Was Matt da von mir verlangt, erscheint mir unendlich riskant. »Und wenn mich jemand sieht?«

»Das sollte besser nicht passieren«, entgegnet er, und ich sehe die Angst auf seinem Gesicht. Das erste Aufzucken von Unsicherheit, seit er mir den Stick gezeigt hat. »Lass es nicht dazu kommen.«

Während der Autofahrt zum Büro steckt der Becher in der dafür vorgesehenen Halterung. Auf dem Weg vom Parkplatz zum Büro halte ich ihn fest in der Hand. Als ich ins Foyer komme und die amerikanische Flagge von den Deckenbalken wehen sehe, umklammere ich ihn noch fester. Ganz und gar darauf konzentriert, ganz ruhig.

Ich passiere drei Hinweisschilder – bisher war mir nie aufgefallen, dass es so viele sind –, auf denen jene Gegenstände aufgelistet sind, die mitzuführen strengstens untersagt ist. Die Liste ist lang, und sie beinhaltet auch elektronische Geräte jedweder Art. Selbst wenn der USB-Stick leer wäre, dürfte ich ihn nicht mit hineinnehmen. Und ich könnte nicht behaupten, ich hätte das nicht gewusst.

Vor einem der Drehkreuze muss ich warten. Rechts von mir ist nach dem Zufallsprinzip eine Frau herausgewunken worden. Ron durchsucht ihre Handtasche. Links steht ein älterer Mann und wird mit einem Metalldetektor abgetastet, auch das eine Stichprobenkontrolle. Rasch schaue ich weg. Spüre, wie mir Schweißperlen auf Stirn und Oberlippe treten. Als ich schließlich an der Reihe bin, halte ich meinen Dienstausweis an das Lesegerät und gebe den Code ein. Das Drehkreuz entriegelt sich, und ich kann passieren.

Augenblicklich geht der Sensor los. Ein tiefes durchdringendes Piepsen. Sofort schauen zwei Wachleute, die ich nicht kenne, zu mir rüber. Mein Herz rast und hämmert so laut, dass ich mir sicher bin, die Umstehenden müssen es hören. Für den Bruchteil einer Sekunde heuchele ich Erstaunen, dann lächele ich und halte den Kaffeebecher hoch. *Hier, ist bloß mein Kaffee. Alles paletti, nix Elektronisches.* Die Sensoren, die verbotenes elektronisches Gerät aufspüren sollen, sind berüchtigt dafür, überempfindlich zu reagieren und ständig Fehlalarm auszulösen.

Einer der Wachmänner kommt auf mich zu. Greift zum Metalldetektor, fährt damit an mir hoch und runter und lässt ihn schließlich über meine Handtasche wandern. Das Piepsen ertönt nur bei dem Thermosbecher. Mit gelangweilter Miene winkt der Mann mich durch.

Ich lächele ihm kurz zu und nicke. Dann gehe ich weiter, ganz ruhig, ganz gelassen, nicht zu schnell, nicht zu langsam. Als ich endlich außer Sichtweite bin, wische ich mir mit zitternden Händen den Schweiß von der Stirn.

Am Eingang zu unserer abgeschotteten Abteilung halte ich den Ausweis an den Scanner und tippe den Code ein. Die schwere Tür wird entriegelt, und ich drücke sie auf. Dabei stolpere ich um ein Haar über Patricia. Im Vorbeigehen lächele ich ihr zu, ein »Guten Morgen« wie an jedem anderen Tag auch. Dann gehe ich zu meinem Arbeitsplatz und logge mich ein. Alltagsroutine, Alltagssituationen, Alltagsgeschäft.

Ich setze mich an den Schreibtisch und starre die verschlossene Tür an. EINGESCHRÄNKTER ZUGANG steht da in großen roten Lettern. Daneben zwei Lesegeräte: eins, das den Dienstausweis scannt, eins für den Fingerabdruck. Auf meinem Bildschirm ist ein Programm geöffnet, aber ich habe keine Augen dafür.

Kurz nach neun kommt Peter. Ich sehe zu, wie er den Dienstausweis an das eine Lesegerät hält, einen Code eingibt und dann den Finger auf den anderen Scanner legt. Er betritt den Lesesaal und schließt die schwere Sicherheitstür hinter sich. Ein paar Minuten später geht die Tür wieder auf, und er kommt heraus.

Mein Blick wandert zu dem Thermosbecher, der vor mir auf dem Tisch steht. Der Computer ist eingeloggt. Ich könnte es also jederzeit tun. Ich muss es tun. Zögerlich greife ich nach dem Becher, meine Finger schließen sich darum. Wie schwer es ist, aufzustehen und meine Beine zu zwingen, auf diese Tür zuzugehen!

Ich scanne meinen Ausweis, halte den Finger auf das Lesegerät. Das Schloss wird entriegelt, und ich ziehe die schwere Tür auf. Drinnen ist es dunkel. Ich knipse das Licht an. Es ist ein kleiner Raum, kleiner noch als Peters Büro. Zwei Rechner nebeneinander auf einem Tisch, ein wenig voneinander weggedreht. Ein dritter an der gegenüberliegenden Wand. Zu dem geht mein Blick. Er hat an der Frontseite einen USB-Eingang.

Ich setze mich an einen der anderen beiden Rechner und stelle den Becher vor mich auf den Tisch. Logge mich ein, damit es, sollte jemand hereinkommen, so aussieht, als würde ich arbeiten. Dann suche ich die geheimsten Dokumente heraus, auf die ich zugreifen kann. Zu denen hat nur eine Handvoll Mitarbeiter der CIA überhaupt Zugang. Sie sind so sensibel, dass ich jeden Neuankömmling umgehend und nachdrücklich bitten müsste, den Raum zu verlassen und erst wiederzukommen, wenn ich fertig bin. Dann atme ich leise durch und schraube den Boden des Bechers ab. Darin liegt der Stick. Ich ziehe den Ärmel über die Finger, kippe den Stick in meine hohle Hand und schraube den Boden wieder unter den Becher.

Einen Moment verharre ich reglos und lausche, aber es ist nichts zu hören.

Und dann bin ich auch schon aufgesprungen und zu dem dritten Rechner gehechtet. Mit dem Ärmel über den Fingerspitzen stöpsele ich den Stick ein, was rasch und problemlos geht. Augenblicklich flackert das Ende orangerot auf. Sekunden später sitze ich wieder auf dem Stuhl.

Ich zittere am ganzen Leib. Nie im Leben habe ich solche Angst gehabt.

Immer noch ist alles still. Ich schaue auf die Uhr rechts unten auf dem Bildschirm. Fünf Minuten. Mehr brauche ich nicht. Ich muss fünf Minuten hier drin allein sein, den Stick abziehen, ihn wieder in dem Becher verstauen, und das war's dann. Als wär nie etwas gewesen.

Ich spähe zu dem Stick hinüber; das Ende flackert immer noch orangerot. Was macht er gerade? Schickt seinen Wurm über die Server, nehme ich an. Damit alles gelöscht wird, was an den vergangenen beiden Tagen hier passiert ist. Und das ist es dann, oder? Himmel, ich hoffe wirklich, dass es das dann ist.

Eine Minute vergeht – und kommt mir vor wie eine Ewigkeit. Ich mache Bruchrechnung im Kopf. Ein Fünftel ist geschafft. Zwanzig Prozent.

Und dann piepst es an der Tür. Jemand hat draußen seinen Ausweis eingescannt. Ich erstarre und drehe mich ganz langsam um. Ruhig. Ich *muss* jetzt ganz ruhig bleiben. Vier Minuten. Ich brauche nur noch vier Minuten.

Die Tür geht auf. Es ist Peter. O Gott, ausgerechnet Peter. Mir wird schlecht. Er weiß alles, was ich weiß. Es gibt keinen Vorwand, um ihn hinauszukomplementieren, oder? Bestimmt setzt er sich gleich an den Rechner neben mich. Wie soll ich dann an den anderen Computer kommen, um den Stick herauszuziehen?

»Hi, Vivian«, sagt er. Freundlich wie immer. Ich hoffe, er merkt mir meine Panik nicht an. Meine schreckliche Angst.

»Hey.« Ich muss versuchen, ruhig zu klingen.

Er kommt rein, setzt sich an das Terminal neben mich, tippt sein Passwort ein. Ich kann an nichts anderes denken als an den blinkenden USB-Stick in dem Rechner hinter uns. Aber weshalb sollte er ausgerechnet *den* benutzen? Und wenn er den Stick trotzdem bemerkt?

Ich schaue auf die Uhr. Drei Minuten sind vergangen. Sechzig Prozent. Noch zwei, und dann …

»Vivian?«, sagt Peter.

»Ja?« Ich drehe mich zu ihm um.

»Würdest du mich ein paar Minuten allein lassen? Ich muss ein paar neue Infos prüfen. Eagle Justice.«

Wofür ich keine Zugangsberechtigung habe. Er tut genau das, was ich eigentlich tun wollte: jedem die Tür weisen, der keine Zugangsberechtigung hat. Wieder schaue ich auf die Uhr. Noch immer zwei Minuten. Ich könnte schwören, die Zeit vergeht langsamer, als sie sollte. »Gibst du mir nur noch ein paar Minuten, damit ich das eben zu Ende bringen kann? Bin gleich fertig.«

»Eigentlich gern, aber ich muss mir das noch vor dem Management-Meeting heute Morgen anschauen. Order von Nick.«

Nein. Nein, das darf nicht wahr sein. Was soll ich denn jetzt bitte machen? Was um alles auf der Welt soll ich tun?

»Vivian?«

»Ja. Klar. Muss mich nur eben ausloggen.«

»Vielleicht sperrst du den Rechner nur kurz … Ich muss mir das wirklich dringend ansehen. Es eilt.«

Ich zögere. Mein Hirn verweigert den Dienst. Es gibt mir nicht den kleinsten Tipp, außer den, mich stumm in mein Schicksal zu fügen. »Okay.« Ich sperre den Bildschirm, Steuerung-Alt-Entfernen. Stehe auf. Und gerade, als ich die Tür aufmachen will, fällt mein Blick auf den Stick, der immer noch im Rechner steckt und immer noch orangerot leuchtet.

Benommen wanke ich zu meinem Schreibtisch und sinke auf den Stuhl. Mein Blick geht zur Uhr – fünf Minuten – und dann zur Tür, an der er sich festsaugt. Mein Hirn ist wie gelähmt. Mir will partout nichts einfallen, das ich unternehmen könnte. Ich muss an das denken, was Matt heute Morgen gesagt hat. *Fünf Minuten … nicht mehr als zehn … dann fahren die Server automatisch runter und starten neu.*

Sechs Minuten, und noch immer ist die Tür verschlossen. Was, wenn Peter den Stick sieht?

Sieben Minuten. Panisch sitze ich da, stocksteif vor Schreck.

Acht Minuten. Vielleicht kann ich ihn irgendwie rauslocken? Aber keine Ahnung, wie. Einfach abwarten? Er muss doch bald fertig sein. Oder?

Neun Minuten. Ich bin starr vor Angst, kann mich kaum rühren. Doch ich zwinge mich, den Stuhl zurückzuschieben und aufzustehen. Ich sage einfach, ich habe was vergessen. Meinen Kaffeebecher. Dann wedele ich den Becher vom Tisch, in Richtung des Rechners, und ziehe schnell den Stick raus, während ich auf allen vieren herumkrieche, um den Becher aufzuheben …

Ein leichtes Flackern meines Monitors reißt mich aus meinen Gedanken. Ein Farbwechsel – oder vielmehr ein Helligkeitswechsel. Der Bildschirm wird kurz schwarz. Ich fahre herum und schaue rüber zu den anderen Rechnern, und auch dort flackern die Monitore und werden kurz schwarz. Einer nach dem anderen. Ein Flackern, das wie eine elektrische Entladung durch die ganze Abteilung läuft. Dann ist alles wieder ganz normal. Allgemeines Gemurmel, fragende Blicke. *Was ist los?*

O Gott.

Mit einem Hechtsprung bin ich an der Tür zum Leseraum. Halte den Ausweis an den Scanner und dann den Finger. Immer wieder höre ich Matts Anweisungen. Wenn der Stick nach Beendigung des Neustarts noch im Rechner steckt, können sie ihn zurückverfolgen …

Just in dem Augenblick, als das Schloss sich entriegelt und ich dagegen drücke, öffnet sich die Tür. Ich gerate ins Taumeln und falle Peter förmlich in die Arme.

»Vivian!«, ruft er verdattert und schiebt die Brille auf der Nase nach oben.

»Becher. Hab meinen Becher vergessen«, stammele ich. Zu schnell. Zweifelnd, fast schon misstrauisch schaut er mich an. Aber das ist mir egal. Alles ist mir egal. Ich muss nur diesen vermaledeiten Stick rausziehen. Hastig mache ich einen Schritt zur Seite und warte, bis Peter draußen ist. Jeder Sekundenbruchteil ist reinste Folter.

Endlich ist er weg, und ich gehe rein und mache die Tür hinter mir zu. Im nächsten Augenblick knie ich schon auf dem Boden, reiße den Stick aus dem Rechner, greife nach dem Thermosbecher, schraube den Boden ab, lege den Stick hinein und schraube ihn wieder fest.

Und dann falle ich, fix und alle, in den Stuhl. Zittere am ganzen Leib. Ringe um Atem.

Selbst als das Zittern längst nachgelassen hat, ist die Angst noch da. Und ich weiß nicht, warum. Eigentlich müsste sie doch verschwinden. Ich habe den USB-Stick. Jetzt kann nichts mehr passieren, oder? Auf gar keinen Fall war der Neustart schon abgeschlossen.

Und doch beschleicht mich das unbehagliche Gefühl, dass

ich mich noch nicht in Sicherheit wiegen kann, auch wenn eben alles genau nach Plan gelaufen ist.

Man kann sich denken, dass ein ganzer Raum voller Analysten nicht lange braucht, um festzustellen, dass die Arbeit von zwei ganzen Tagen gelöscht worden ist. Jeder bemitleidet jeden, weil praktisch alle wichtige Unterlagen oder PowerPoint-Folien verloren haben. Schnell hat sich herumgesprochen, dass das gesamte Netzwerk von dem Blackout betroffen ist. Und sofort kursieren die wildesten Gerüchte und haarsträubendsten Verschwörungstheorien. Verdächtig ist jeder, von ausländischen Geheimdiensten über Hacker bis hin zu frustrierten IT-Mitarbeitern.

Peter geht von Schreibtisch zu Schreibtisch, um sich zu vergewissern, dass tatsächlich die Accounts sämtlicher Analysten betroffen sind. Anhand der leisen Wortwechsel kann ich verfolgen, wie er immer näher kommt. Bei mir bleibt er einen Moment wortlos stehen und sieht mich an. Es ist ihm nichts anzumerken, aber irgendwie wird mir bei seinem Blick mulmig.

»Bei dir auch, Vivian?«, fragt er. »Zwei Tage weg?«

»Sieht so aus.«

Mit noch immer ausdrucksloser Miene nickt er und geht weiter.

Ich schaue ihm nach, und meine Angst verwandelt sich in eine überwältigende Übelkeitswelle. Ich muss mich übergeben. Ich muss weg. Ich muss hier raus.

Hektisch springe ich auf und renne den Gang hinunter, an den endlosen Reihen von Zellen entlang, raus aus dem abgeschotteten Bereich. Eine Hand an der Wand, um nicht das Gleichgewicht zu verlieren, haste ich zur Damentoilette. Stürze hinein, vorbei an der Doppelreihe Waschbecken und Spiegel, weiter zu den Toiletten. Verschwinde in der hintersten Kabine. Schließe mich ein, drehe mich um und kotze ins Klo.

Als es vorbei ist, wische ich mir mit der Hand über den Mund. Ich habe weiche Knie. Zittere am ganzen Körper. Schwerfällig stehe ich auf, atme tief durch, versuche, mich zu beruhigen. Es hat funktioniert, es muss funktioniert haben. Und ich muss mich sammeln und irgendwie den Rest des Tages überstehen.

Schließlich zwinge ich mich, die sichere Kabine zu verlassen, und schwanke zu den Waschbecken. Am ersten bleibe ich stehen und wasche mir die Hände. Am anderen Ende der Reihe steht jemand. Eine junge Frau, die aussieht, als käme sie frisch vom College. Sie lächelt mir im Spiegel schüchtern zu. Ich lächele zurück, und dann betrachte ich mein Spiegelbild. Dunkle Ringe unter den Augen. Leichenblass. Schrecklich sehe ich aus. Wie eine Verräterin.

Ich gucke weg, ziehe eins der kratzigen braunen Papiertücher aus dem Spender und trockne mir die Hände ab. Ich muss mich beruhigen. Muss ruhig *wirken*. Schließlich bin ich von Spionageabwehranalysten umgeben, Himmel noch eins.

Tief durchatmen, Viv. Tief durchatmen.

Ich gehe zurück in unsere Abteilung, schleiche mich an den Zellen vorbei bis ganz nach hinten zu meinem Schreibtisch und versuche, sämtliche Unterhaltungen auszublenden. Das ganze nervöse Geschnatter über den unerklärlichen Ausfall. Meine Teamkollegen stehen im Gang zusammen. Ich stelle mich dazu, möglichst nahe an meiner Zelle. Alle reden durcheinander, aber ich schnappe nur gelegentlich einen Fetzen auf. Trotzdem nicke ich und empöre mich an den richtigen Stellen. Hoffe ich zumindest. Ich kann den Blick nicht von dem Kaffeebecher losreißen. Und von der Uhr. Kann es nicht erwarten, endlich hier rauszukommen und nach Hause zu fahren. Matt den Stick zurückzugeben. Das Beweisstück loszuwerden. Nicht mehr daran denken zu müssen.

»Was meinst ihr, wer es war?«, fragt Marta halb im Scherz,

und ihre Stimme dringt durch den dichten Nebel in meinem Hirn. »Die Russen? Die Chinesen?«

Sie schaut uns reihum an, und Peter sagt: »Hätten die Russen einen Weg in unser System gefunden, würden sie ganz bestimmt mehr löschen als zwei Tage Arbeit.« Dabei schaut er Marta an, nicht mich, aber als ich sein Gesicht sehe, überläuft es mich trotzdem eiskalt. »Wenn das die Russen waren, dann war das noch nicht alles. Noch lange nicht.«

Ich bin auf dem Weg nach Hause, und der Thermosbecher steckt wieder in der Halterung neben mir. Langsam weicht die Anspannung aus meinen Schultern, aber der Knoten im Magen will sich nicht lösen. Was habe ich getan?

Meine Hände umklammern das Lenkrad. Meine Gefühle fahren Achterbahn. Erleichterung, Ungewissheit, Gewissensbisse.

Vielleicht funktioniert es. Vielleicht rettet es mich vor dem Gefängnis. Aber werde ich jetzt nicht in der ständigen Angst leben, irgendwann doch erwischt zu werden? Ich werde meine Kinder aufwachsen sehen, aber wird nicht alles von jetzt an einen bitteren Beigeschmack haben? Jeder süße Augenblick ein bisschen weniger süß sein?

Hätte ich es riskieren und mich stellen sollen?

Wieder beschleicht mich das unbestimmte Gefühl, dass ich mir das alles genauer hätte überlegen sollen. Dass ich zu unbedacht agiert habe. Auch wenn ich glaubte, wohlüberlegt zu handeln.

Matts Auto steht vor dem Haus, wie immer. Es dämmert schon, und die Lichter drinnen verbreiten einen warmen, einladenden Schein. Die Gardinen am Küchenfenster sind zurückgezogen, und ich sehe alle fünf am Tisch sitzen.

Dann werde ich vielleicht nie mehr ganz entspannt, nie mehr wirklich glücklich sein. Und wenn schon. Meine Kinder werden unbeschwert und glücklich aufwachsen. Ist das nicht das Wichtigste für alle Eltern?

Ich mache den Motor aus, steige aus dem Wagen und öffne den Briefkasten. Darin die üblichen Umschläge und Reklamesendungen. Und obenauf ein großes, dünnes, braunes Kuvert, gebogen, damit es überhaupt in den Briefkasten passt, und auf einer Seite eingeklemmt. Ich ziehe die Post heraus, wobei ich nur Augen für dieses Kuvert habe. Keine Briefmarke, kein Absender, bloß mein Vorname in dicken schwarzen Druckbuchstaben. *VIVIAN.*

Mir wird eiskalt. Reglos starre ich auf das braune Papier, und schließlich zwinge ich meine Beine, sich zu bewegen. Langsam, ganz langsam gehe ich rüber zur Treppe. Setze mich, lege den übrigen Poststapel neben mich und halte nur noch das eine Kuvert in den Händen. Drehe es um und fahre mit dem Finger unter die zugeklebte Lasche.

Ich weiß genau, was das ist. Da gibt es gar kein Vertun.

Zögerlich ziehe ich den Inhalt heraus – ein paar lose Blätter, drei oder vier, sonst nichts. Mein Magen krampft sich zusammen. Da, ganz obenauf, ein Screenshot. Mein Rechner. Die Anzeige mit den Sicherheitsfreigaben oben, meine Mitarbeiter-Identifikation unten. Athena ist geöffnet, und man sieht Juris Laptop. Eine Datei ist geöffnet. *Freunde.*

Ich schaue mir das zweite Blatt an. Wieder die Sicherheitsfreigaben, wieder die Ident-Nummer. Nur ist diesmal eins der Fotos geöffnet, eine Porträtaufnahme, die den gesamten Bildschirm ausfüllt.

Und wieder starre ich entsetzt in das Gesicht meines Ehemanns.

Ich kann nicht atmen. Ich habe das doch gelöscht. Ich habe alles genau so gemacht, wie Matt es mir gesagt hat. Ich bin dieses wahnsinnige Risiko eingegangen, habe den USB-Stick eingeschleust und in den Rechner gesteckt. Und trotzdem, da ist er, vor meiner Nase. Auf meinem Schoß. Der Beweis, der mich ins Gefängnis bringen könnte. Den jemand hergebracht hat, *hierher*, zu mir nach Hause.

Ich hebe das Blatt an, schaue mir das nächste an und dann das darunter. Computersyntax, Zeichenfolgen, die ich nicht ganz verstehe. Aber das brauche ich auch nicht. Es ist eine Aufzeichnung meiner Aktivitäten, meiner Suchanfragen. Der Beweis, dass ich das Foto von Matt gesehen habe. Dass ich die Datei gelöscht habe.

Hinter mir geht die Tür auf. »Viv?«, sagt Matt.

Ich schaue nicht auf. Ich kann nicht. Es ist, als sei mit einem Mal alle Kraft aus meinem Körper gewichen. Er ist still, und ich kann mir genau vorstellen, wie er unschlüssig in der Tür steht, zu mir herunterschaut und über meine Schulter einen Blick auf die Papiere erhascht. Ob sie ihn genauso schockieren wie mich?

Ich merke, wie er näher kommt, und dann steht er neben mir auf der Stufe und setzt sich zu mir. Noch immer habe ich ihn nicht angeschaut. Ich bringe es einfach nicht über mich.

Er greift nach den Papieren, und ich lasse ihn gewähren.

Stumm sieht er sie durch, blättert in den wenigen Seiten. Kein Wort. Dann schiebt er sie wieder in das Kuvert.

Noch immer Schweigen. Ich konzentriere mich auf meinen Atem, beobachte, wie jeder Lufthauch zu einem Wölkchen wird und dann verfliegt. Ich weiß nicht mal, was ich Matt fragen, wie ich die wirren Gedankenstränge in meinem Kopf verständlich formulieren soll. Also warte ich darauf, dass er etwas sagt und meine unausgesprochenen Fragen beantwortet.

»Das ist ihre Rückversicherung«, sagt er schließlich.

Rückversicherung. Schön wäre es. Ist es aber nicht. Es ist mehr. Viel mehr als das.

»Eine Warnung«, fährt er fort. Und dann, etwas leiser: »Sie wollen nur sichergehen, dass du die Sache für dich behältst.«

Jetzt drehe ich mich zu ihm um. Seine Wangen sind rosig, seine Nase rot von der Kälte. Er trägt keine Jacke. »Das ist Erpressung«, bringe ich schließlich mit brüchiger Stimme hervor.

Kurz erwidert er meinen Blick, und ich versuche verzweifelt, seine Miene zu deuten. Ist er erschrocken? Beunruhigt? Ich weiß es nicht. Er schaut weg. »Ja, ist es.«

Ich sehe hinunter zur Straße, zum Gehweg, wo wir die Zwillinge im Kinderwagen spazierenfahren, wo Luke Radfahren gelernt hat. »Sie waren hier«, wispere ich. »Sie wissen, wo wir wohnen.«

»Das haben sie immer gewusst.«

Seine Worte sind wie eine Ohrfeige. Natürlich haben sie es gewusst. Mit einem Mal ist nichts mehr sicher. »Die Kinder …«, stammele ich.

Aus den Augenwinkeln sehe ich, wie er mit entschlossener Miene den Kopf schüttelt. »Für die Kinder besteht keinerlei Gefahr.«

»Woher willst du das wissen?« Meine Stimme ist kaum mehr als ein Flüstern.

»Weil ich für sie arbeite. Für sie sind das meine Kinder …und *ihre.*«

Ich weiß, dass mich das beruhigen soll, aber es macht mir nur noch mehr Angst. Ich schlinge die Arme um meinen Oberkörper und wende mich wieder zur Straße hin. Ein Auto kommt auf unser Haus zu, brummender Motor, schwankende Lichtkegel. Das Auto der Nguyens. Ihr Garagentor steht offen, sie fahren die Einfahrt hinauf und verschwinden. Noch ehe der Motor abgestellt wird, hat sich das Tor wieder geschlossen.

»Was ich da heute gemacht habe …«, setze ich an, und dann versagt mir die Stimme. Ich versuche es noch einmal. »Das sollte die ganze Geschichte eigentlich beenden.«

»Ich weiß.«

»Warum hast du mir nicht gesagt, dass sie das hier haben?«

»Weil ich nichts davon wusste.« Jetzt hat er wieder diese geschwungenen Sorgenfalten auf der Stirn, die Augenbrauen treffen sich fast über der Nase. »Ich schwöre dir, Viv, ich wusste es nicht. Sie müssen irgendwie Zugriff auf das Programm haben. Oder jemanden, der den Suchverlauf anzapfen kann.«

Wieder zwei Scheinwerfer. Dieses Auto kenne ich nicht. Es fährt an uns vorbei, weiter die Straße entlang. Ich schaue ihm nach, bis die Rücklichter verschwunden sind.

»Aber egal, sie tun ja nichts damit«, meint er. »Sonst müssten sie mich enttarnen.«

Langsam kristallisiert sich ein Gedanke heraus. Einer, durch den die ganze Sache plötzlich einen Sinn ergeben würde. Mein Gehirn versucht, ihn zu Ende zu denken.

»Die würden nicht zweiundzwanzig Jahre einfach so wegwerfen …«, sagt er.

Mein Hirn arbeitet sich an dem Gedanken ab und versucht, ihn in Worte zu fassen. Sechs kommen dabei heraus. Sechs Wörter, die alles erklären. Ich spreche sie langsam aus.

»Sie haben mich in der Hand.«

Wie konnte ich bloß so naiv sein? Ich bin Spionageabwehrspezialistin, verdammt. Ich weiß, wie Nachrichtendienste arbeiten, zumindest die aggressiveren. Sie bringen dich dazu, etwas für sie zu tun, und dann haben sie dich in der Hand. Und erpressen dich, mehr für sie zu tun. Mehr und mehr und mehr. Da gibt es keinen Ausweg.

»Das siehst du falsch«, entgegnet er.

»Das sehe ich genau richtig!«

»Sie haben *mich* in der Hand. Du bist meine Frau. Dir würden sie das nicht antun.«

»Ach, echt?« Nachdrücklich weise ich mit dem Kinn auf das Kuvert. *Gerade sieht es nämlich ganz anders aus.*

Ein Schatten huscht über sein Gesicht – ein Anflug von Unsicherheit? – und ist gleich wieder verschwunden. Er wendet sich ab und schaut runter zur Straße. Keiner von uns beiden sagt mehr ein Wort. Dieser kleine Satz bringt mich an die Grenze. Er geht mir nicht aus dem Kopf, hallt mir in den Ohren. *Sie haben mich in der Hand.*

»Sie werden mich zwingen, für sie zu arbeiten«, sage ich schließlich.

Er schüttelt den Kopf, aber nicht gerade nachdrücklich. Nicht, als meine er es ernst. Denn wenn er ganz ehrlich ist, weiß er es auch. *Sie haben mich in der Hand.*

»Es ist bloß eine Frage der Zeit«, fahre ich fort, »bis sie mich bitten, etwas für sie zu tun. Und was mache ich dann?«

»Uns fällt schon was ein«, versichert er, aber es klingt nach einem hohlen Versprechen. »Wir stehen das gemeinsam durch.«

Meinst du wirklich?, denke ich und sehe zu, wie eine der Straßenlaternen anfängt zu flackern und dann ausgeht.

Hat es überhaupt je ein Wir gegeben?

Der Tag, an dem Luke geboren wurde, hat etwas in mir verändert. Nichts war mehr wie vorher. Nichts hatte mich vorbereitet auf die überwältigende, erdrückende, alles verschlingende Liebe, die ich augenblicklich für dieses winzige Menschlein empfand. Auf den Drang, ihn zu beschützen und für ihn da zu sein.

Sein erster Lebensmonat war die reine Glückseligkeit. Ermüdend auch, ja, und strapaziös. Aber wonnig und wunderbar. Der zweite und dritte waren schon anders. Jeden Morgen beim Aufwachen bedrängte mich der Gedanke, bald wieder zur Arbeit zu müssen. Luke in der Obhut eines Menschen lassen zu müssen, der nicht seine Mutter oder sein Vater war. Der ihn unmöglich so lieben konnte, wie ich ihn liebte. Die vielen Stunden, diese ach-so-endlos-langen Tage. Und wozu das alles? Ich hatte nicht das Gefühl, irgendwas zu bewegen. Nicht mehr.

Viel lieber wäre ich noch für Afrika zuständig gewesen. Aber meine alte Stelle war längst neu besetzt, ein anderer hatte meine Arbeit übernommen, und so schlecht war die neue Aufgabe nun auch nicht, oder? Als der Tag schließlich kam, war ich so gut vorbereitet, wie ich nur sein konnte. Wir gaben Luke in die beste Tagesbetreuung weit und breit. Die mit der längsten Empfehlungsliste und einem tadellosen Ruf. In unserem Gefrierschrank türmten sich die Behälter mit abgepumpter Muttermilch. Zahllose Fläschchen, sorgfältig beschriftet. Bettlaken, Windeln und Feuchttücher, alles ordentlich eingepackt. Und ich hatte mir ein neues Outfit zugelegt, eine Seidenbluse und eine Hose, unter denen die letzten Babypfunde verschwanden und die mir, wie ich hoffte, die Extraportion Selbstbewusstsein verleihen würden, die ich brauchte, um einen der schwierigsten Tage meines Lebens zu überstehen.

Wie hatte ich mich geirrt. Ich war so was von gar nicht vorbereitet auf das, was mich an diesem Tag erwartete. Nichts hätte mich auf das grässliche Gefühl vorbereiten können, einer wildfremden

Frau mein Baby in die Arme zu legen. Lukes Blick, als ich mich umdrehte und zur Tür ging, werde ich nie vergessen. Wie er mir nachschaute. Vollkommen verdutzt starrte er mich an, als wollte er sagen: *Wo willst du hin? Warum nimmst du mich nicht mit?*

Kaum hatte sich die Tür zum Kleinkinderzimmer hinter mir geschlossen, brach ich in Tränen aus. Ich heulte während der ganzen Fahrt zur Arbeit wie ein Schlosshund, kam mit roten verquollenen Augen und tränennasser Bluse an und fühlte mich, als habe man mir ein Bein oder einen Arm amputiert. Dreimal an diesem Morgen schauten Kollegen bei mir vorbei, hießen mich willkommen an Bord, erkundigten sich nach Luke. Und jedes Mal kamen mir die Tränen. Das muss sich herumgesprochen haben, denn irgendwann gingen die Kollegen mir geflissentlich aus dem Weg. Mir war das nur recht.

Als ich abends nach Hause kam, lag Luke schon im Bettchen und schlief. In der Krippe hatte er den ganzen Tag kein Auge zugemacht, weshalb Matt ihn früh ins Bett gebracht hatte. Ich kam zu spät. Ich hatte einen ganzen Tag seines Lebens versäumt. Einen Tag, den mir niemand zurückgeben konnte. Wie um alles auf der Welt sollte ich das fünfmal die Woche überstehen? Ihn höchstens eine Stunde am Tag zu sehen? In Matts Armen kamen mir wieder die Tränen. »Ich kann das nicht«, schluchzte ich verzweifelt.

Er hielt mich fest, strich mir übers Haar. Bestimmt würde er das verstehen. Ich wollte, dass er sagte, das sei meine Entscheidung. Wenn ich zu Hause bleiben und mich um Luke kümmern wolle, würden wir das schon irgendwie hinbekommen. Wenn ich mir einen anderen Job suchen wolle, würden wir die Zeit ohne mein Gehalt irgendwie überbrücken. Wir könnten das Haus verkaufen, in einen anderen Stadtteil ziehen, weniger reisen, weniger ansparen, weniger essen gehen. Was auch immer nötig sei.

Als er schließlich den Mund aufmachte, klang seine Stimme gepresst. »Es wird bestimmt mit der Zeit leichter, Schatz.«

Ich erstarrte. Schaute zu ihm hoch. Wollte, dass er mir in die Augen sah. Wollte sehen, wie ernst es ihm damit war. Er kannte mich. Er würde mich verstehen. »Matt, ich kann das einfach nicht.«

In seinen Augen sah ich meinen eigenen Schmerz. Ich vergrub das Gesicht an seiner Schulter und begann, mich zu entspannen. Er verstand mich. Ich hatte es gleich gewusst. Wieder strich er mir sanft über das Haar.

Und sagte: »Kopf hoch, das wird schon wieder.« Die Worte trafen mich wie ein Messerstich. »Nur nicht unterkriegen lassen.«

Tage vergehen, Wochen. Jeden Morgen fahre ich zur Arbeit. Versehe diesen Job, der eine einzige Lüge geworden ist. Wenn es überhaupt etwas Gutes zu berichten gibt, dann, dass nichts darauf hindeutet, dass sie die Ursache des Blackouts dem Rechner im Leseraum zuordnen können. Der USB-Stick scheint keine weiteren Schäden angerichtet zu haben. Ich habe mit gespitzten Ohren die unzähligen Gerüchte verfolgt, die im Umlauf sind. Habe alle Berichte gelesen, derer ich habhaft werden konnte. Und auch von den Russen, Matts Leuten, habe ich, seit das Kuvert im Briefkasten lag, nichts mehr gehört.

Zuerst hat sich die gesamte CIA wie ein Rudel Wölfe auf Juri gestürzt. Sie versuchten, ihn in Moskau aufzuspüren. Ihn irgendwie dingfest zu machen. Und zugleich war das FBI bemüht, die fünf Personen auf den Fotos zu identifizieren – bis einer der Analysten vergangene Woche bei einem bekannten Anwerber über dieselben fünf Fotos gestolpert ist. Mitsamt weiteren Details. Das FBI hat die fünf Leute ausfindig gemacht, sie befragt und am Ende befunden, dass sie in keinerlei Verbindung zu Juri stehen, sondern wohl einfach Personen sind, von denen die Russen gehofft hatten, sie könnten sie anwerben. Woraufhin das FBI rasch das Interesse an Juri verlor – als rangniederer Anwerber galt er als kleiner Fisch – und bald darauf auch die CIA.

Mir fiel ein Stein vom Herzen. Je weniger Juri im Fokus der Ermittlungen stand, desto besser. Außerdem scheint, nachdem das FBI zu dem Schluss gekommen ist, dass Juri nichts mit dem Schläferprogramm zu tun haben kann, auch Omars Misstrauen mir gegenüber nachzulassen. Zumindest ein wenig. Wir haben uns seitdem ein paarmal unterhalten, und diese Gespräche sind wieder etwas freundschaftlicher und persönlicher ausgefallen. Normaler. Ich vermute zwar, dass er mir immer noch nicht hundertprozentig über den Weg traut, aber es bessert sich.

Und Peter. Peter ist in letzter Zeit nicht oft da gewesen. Katherines Gesundheitszustand hatte sich rapide verschlechtert, wie Bert uns bei einem Meeting mitteilte, als Peter schon den dritten Tag hintereinander fehlte. Alle waren plötzlich ganz still; Helen hat geweint, und wir anderen hatten auch Tränen in den Augen. Ein paar Tage später ist Katherine gestorben. Irgendwann ist Peter wieder zur Arbeit gekommen, aber er wirkt leer und leblos. Gebrochen. Das Letzte, was ihn jetzt interessiert, bin ich.

Matt und ich tänzeln zu Hause umeinander herum wie auf rohen Eiern. Ich mache ihn für die ganze Geschichte verantwortlich. Nicht bloß, weil er mich jahrelang angelogen und damit dieses ganze Schlamassel überhaupt erst angerichtet hat. Sondern vor allem wegen Juri. Weil er den Russen alles erzählt und mich ihnen damit ausgeliefert hat.

Zu Hause fühle ich mich nicht mehr sicher. Ich habe alle Schlösser austauschen und Sicherheitsriegel anbringen lassen. Auch tagsüber lasse ich die Vorhänge zu und die Rollos unten. Ich habe das Tablet, den Laptop, die schnurlosen Lautsprecher, einfach alles vom Netz genommen, in eine Kiste gepackt und in die Garage gestellt. Wenn wir alle zusammen sind, die Kinder, Matt und ich, schalte ich mein Handy aus und nehme den Akku heraus. Und dränge Matt, das Gleiche zu tun. Worauf er mich immer anschaut, als sei ich paranoid, vollkommen verrückt. Als sei das albern und überflüssig. Aber das ist mir gleich. Ich weiß nicht, wer uns beobachtet, wer uns belauscht. Aber ich muss davon ausgehen, dass es jemand tut.

Einmal, nicht lange, nachdem das Kuvert im Briefkasten war, habe ich das Büro früher verlassen und bin zu einem Handyladen in einem Einkaufszentrum auf der anderen Seite der Stadt gefahren. Habe mich mehrfach vergewissert, dass mir niemand folgt, das Prepaid-Handy bar bezahlt. Ein Wegwerfteil, das ich gut verstecke. Matt habe ich nichts davon gesagt, ohne selbst recht zu wissen, warum. Ich hatte nur irgendwie das Gefühl, ich sollte so was haben.

Die Kinder sind meine einzige Rettung. Immer wieder ertappe ich mich dabei, wie ich einfach dasitze und ihnen zuschaue und jeden Augenblick gierig aufsauge. Hausarbeiten, Kochen, Putzen – das alles ist unwichtig geworden. Ich überlasse Matt, was ich nicht schaffe. Irgendwie muss er den Laden am Laufen halten. Unser Familienleben regeln, während ich danebensitze und zuschaue. Das ist er mir schuldig.

Und das weiß er auch. Jede Woche bringt er mir frische Blumen mit. Das Haus ist blitzblank und aufgeräumt, wenn ich nach Hause komme, steht das Abendessen auf dem Tisch, und die Wäsche liegt gewaschen, gefaltet und gebügelt im Schrank. Er kümmert sich um die Kinder, wenn sie quengeln, schlichtet Streit, spielt den Chauffeur für sämtliche Spielverabredungen und außerschulischen Aktivitäten. Als könnte er damit die Lügen wiedergutmachen, die uns beinahe Kopf und Kragen gekostet hätten und das womöglich irgendwann auch noch tun.

Es ist Freitag. Fünf Wochen sind vergangen, seit ich das Foto entdeckt habe und unser Leben sich für immer verändert hat. Die Tage werden länger, das Wetter freundlicher. Die Bäume grünen. Das Gras sprießt. Es wird Frühling. Endlich. Und ich habe das Gefühl, dass auch für uns eine neue Zeit anbrechen könnte. Dass ein Neuanfang möglich wird.

Heute habe ich ein paar Stunden früher Schluss gemacht, damit wir mit den Kindern auf den Jahrmarkt gehen können. Wir haben auf einer großen Wiese geparkt, in einer langen Reihe von Minivans und SUVs, eingewiesen von freundlichen freiwilligen Ordnern in orangeroten Westen. Dann sind wir gemeinsam zum Rummelplatz gegangen, Matt mit dem Doppelkinderwagen, den er mühsam über die holprige Weide schob, ich mit den beiden älteren Kindern an der Hand. Ella ist vor Aufregung und Vorfreude herumgehopst wie ein Känguru und hat ununterbrochen geplappert.

Matt und ich haben den Kindern zugeschaut, die ein Fahrgeschäft nach dem anderen ausprobierten: die tanzenden Tassen, den Wellenflug, die Mini-Drachen-Achterbahn. Die unbändige Freude in ihren Gesichtern hat die unverschämten Preise der Fahr-Chips wettgemacht. Zur Erinnerung haben wir Handy-Fotos geknipst. Und wir haben uns zu sechst Schmalzgebäck geteilt und über die Zwillinge gelacht, deren kleine Gesichter voller Puderzucker waren.

Jetzt stehen Matt und ich vor dem Zug mit den kleinen Waggons, der auf Schienen immer im Kreis fährt. Die letzte Fahrt für heute Abend. Alle vier Kinder sitzen im Zug – Luke und Caleb zusammen in einem Wagen, Ella und Chase in einem anderen. Alle vier strahlen übers ganze Gesicht. Und ich glaube fast, mir zerspringt das Herz in der Brust vor Glück.

Matt greift nach meiner Hand. Eine kleine Geste, so vertraut und doch so fremd. Wochenlang habe ich mich jeder Berührung entzogen. Heute nicht. Ich lasse zu, dass seine Finger sich um meine schließen, spüre die wohlige Wärme und die weiche Haut. Und dann, einfach so, holt die Realität mich mit voller Wucht ein. Mit einem Mal ist alles wieder da. Ich denke an die Russen, Matts Lügengebäude, den USB-Stick und die drohende Strafverfolgung. An all die Dinge, die mich seit Wochen umtreiben – und an die ich in den letzten wunderbar glückseligen Stunden nicht gedacht habe.

Mein erster Impuls ist, meine Hand wegzuziehen. Aber ich tue es nicht. Ich halte ihn fest.

Lächelnd sieht er mich an und zieht mich an sich, und für einen Augenblick gibt es nur uns beide. So wie früher. Ganz langsam löst sich die Anspannung, die ich, ohne es zu merken, noch immer mit mir herumgetragen habe, und verfliegt. Vielleicht wird es allmählich Zeit, ihm zu verzeihen. Zeit, weiterzumachen, das Leben zu genießen, nicht mehr in ständiger Angst zu leben. Vielleicht hatte er recht, und das Kuvert war nur eine Warnung. Die es nicht gebraucht hätte, weil ich ihn niemals ausliefern würde. Jetzt, da ich die Wahrheit weiß, sind sie vielleicht fertig mit uns. Und wir können das alles irgendwie hinter uns lassen.

Der kleine Zug kommt wieder zum Stehen. Ich gehe hin und hebe Caleb heraus. Die anderen drei klettern selbst aus den Wagen. Chase tappt hinter den Großen her. Wir setzen die Zwillinge in den Kinderwagen, schnallen sie fest und spazieren über die Wiese zurück zum Auto. Ella hält einen Ballon fest, Luke trägt einen Feuerwehrhelm auf dem Kopf, für den er nach eigenem Bekunden schon viel zu alt ist, den er aber trotzdem aufgesetzt hat. Die Zwillinge werden immer stiller, während der Wagen über die unebene Weide holpert. Am Minivan angekommen, sind die beiden tief und fest eingeschlafen.

Ich hole Chase heraus und Matt Caleb, und dann setzen wir sie behutsam in den Van. Lächelnd versuchen wir, Ella und Luke, die noch ganz aufgedreht sind, ein bisschen zur Ruhe zu bringen. Ich sehe zu, wie Luke seinen Gurt anlegt, und kontrolliere ihn noch mal. »Gut gemacht, Großer«, lobe ich ihn. Mein Blick geht zu Matt, der Ella auf der anderen Seite anschnallt und sich vergewissert, dass ihr Ballon ebenfalls sicher im Auto verstaut ist. Schließlich gehe ich nach vorne und öffne die Beifahrertür.

Und da sehe ich es.

Ein braunes Kuvert. Mein Name in Großbuchstaben. Mit schwarzem Edding. Auf meinem Sitz. Genau wie das in unserem Briefkasten.

Vor Schreck bleibe ich stocksteif stehen. Starre reglos auf das Kuvert. Glotze es einfach nur an. Es pocht in meinem Kopf, hämmert in meinen Ohren. Ich höre nichts anderes mehr als nur dieses Wummern. Die Stimmen der Kinder gehen unter. Alle Geräusche verstummen gegen das unablässige Hämmern.

Mach schon, schreit mein Hirn. *Nimm es.* Was ich dann auch tue. Ich nehme das Kuvert und rutsche auf den Beifahrersitz. Undeutlich höre ich Stimmen hinter mir und sehe, wie Matt die Fahrertür aufmacht und einsteigt. Aber ich schaue ihn nicht an. Reglos sitze ich da und stiere auf das Kuvert auf meinem Schoß. Aus den Augenwinkeln sehe ich, wie er stutzt und ebenfalls erstarrt. Jetzt weiß ich, er hat das Kuvert auch gesehen.

Ich zwinge mich, ihm in die Augen zu sehen. Wir gucken einander lange an. Ein Blick, der schwer ist von unausgesprochenen Gedanken.

Stimmen vom Rücksitz. Ella, die fragt, warum wir nicht endlich nach Hause fahren. Luke, der wissen will, was los ist.

»Schon gut, schon gut«, sagt Matt, aber ich höre, dass seine Heiterkeit nur gespielt ist. »Jetzt geht's los.« Er dreht den Schlüssel im Zündschloss und legt den Rückwärtsgang ein. Und ich starre wieder auf das Kuvert. Wohl wissend, dass ich es aufmachen und nachsehen muss, was drinnen ist.

Wer hat es hierhergelegt? Juri? Jemand anderer? Wie sind die überhaupt in unser abgeschlossenes Auto gekommen? Sie müssen uns gefolgt sein. Beobachten sie uns gerade?

Langsam drehe ich das Kuvert um und fahre mit dem Finger unter die Lasche. Reiße sie auf, gucke hinein. Drinnen ist ein USB-Stick. Schwarz. Genau wie der, den Matt mir gegeben hat. Den ich mit zur Arbeit genommen habe. Ich lasse ihn in meine Hand gleiten. Ein kleiner Zettel flattert mit heraus. Eine Nachricht; die vertraute Blockschrift:

GENAU WIE LETZTES MAL.

Fassungslos starre ich Stick und Zettel an. Eigentlich müsste jetzt die ganze Welt um mich herum zusammenbrechen. Eigentlich müsste ich denken: *Warum jetzt? Wo ich gerade wieder anfange, das Leben zu genießen?* Doch stattdessen überkommt mich eine eigenartige Ruhe. Schließlich habe ich die ganze Zeit gewusst, dass es irgendwann so kommen würde. Seit dem Moment, als ich das erste Kuvert im Briefkasten gefunden habe. Und jetzt, da es endlich so weit ist, bin ich seltsam beruhigt. Fast so, wie schlechte Nachrichten manchmal besser sind als gar keine.

Matt guckt stur geradeaus, den Blick fest auf die Straße gerichtet. Er ist leichenblass, wie ein Gespenst. Das könnte auch am fahlen Mondlicht liegen. Aber dass er die Zähne so zusammenbeißt – das liegt an dem Kuvert.

»Hast du's gesehen?«, frage ich mit erstickter Stimme.

Er schluckt schwer, dann murmelt er gepresst: »Ja.«

»Ich wusste es«, flüstere ich.

Hastig schaut er im Rückspiegel nach den Kindern und dann zu mir. »Uns fällt schon was ein.«

Ich schaue aus dem Fenster und sehe die Straßenlaternen vorbeifliegen, bis sie nur noch schattenhafte Lichtstreifen sind. Matt ist still, die Kinder sind still, man hört nur das Brummen des Motors, das Rauschen der Straße. Ich schließe die Augen. Jetzt ist es also so weit.

Jetzt ist das passiert, worauf ich die ganze Zeit gewartet habe. Ich hatte recht. Ich habe es gewusst. Aber auch der Gedanke kann mich nicht trösten. Nichts kann mich trösten. Alles ist leer. Und wieder überkommt mich das lähmende Gefühl, dass mir alles, was ich liebe, was mir das Wichtigste ist auf der Welt, gewaltsam entrissen wird.

Zu Hause angekommen, ist auch Ella eingeschlafen. Wir bringen alle vier Kinder ins Bett, was heute Abend erfreulich schnell geht. Als Letztes gebe ich Luke einen Gutenachtkuss, dann nehme ich den Baby-Monitor mit und gehe nach hinten in den Garten. Ich warte nicht auf Matt. Sitze einfach stumm auf einem der Stühle auf der Terrasse und starre in den Garten, in die Dunkelheit. Werfe hin und wieder einen Blick auf die Anzeige des Monitors, dessen körniges Bild zwischen den Kinderzimmern wechselt.

Die Luft ist süß. Ein lieblicher Duft weht von einem der Nachbargärten herüber. Zikaden zirpen ihre Melodie. Eine friedvolle Stille, die erst vom Quietschen der Tür hinter mir gestört wird. Ich drehe mich nicht um.

Matt kommt und setzt sich neben mich auf einen Stuhl. Sagt nichts, sitzt einfach nur schweigend da. »Tut mir leid«, murmelt er schließlich. »Ich hätte nie gedacht, dass es dazu kommt.«

»Ich schon.«

Aus den Augenwinkeln sehe ich ihn nicken. »Ich weiß.«

Dann schweigen wir uns wieder an.

»Ich könnte versuchen, mit Juri zu reden«, meint Matt schließlich.

»Um ihm was genau zu sagen?«

Worauf er still wird. Und ich weiß, er hat keinen Schimmer. »Willst du versuchen, ihm das auszureden?«

Ich muss laut lachen, und es klingt gemein. Eine Antwort darauf erübrigt sich; es ist lächerlich.

»Auffliegen lassen können sie uns nicht. Nicht, ohne mich zu enttarnen«, versucht er, sich zu verteidigen.

»Was kümmert es die, ob sie dich enttarnen?«, kontere ich. »Ich meine, mal ehrlich. Wenn ich ihnen nichts mehr nütze, wozu brauchen sie dich dann noch?«

Statt zu antworten, schiebt er mit der Fußspitze ein Stück Rindenmulch hin und her.

Ich blinzele in die Dunkelheit und tue nichts dagegen, dass sich erneut Schweigen über uns senkt, schwer und undurchdringlich. »Was ist da drauf?«, frage ich schließlich.

»Ich kann mal eben nachschauen«, erwidert er. Kurz zögert er, dann höre ich, wie sein Stuhl nach hinten schrappt und er aufsteht. Ohne ein weiteres Wort geht er nach drinnen. Ich drehe mich nicht um, schaue ihm nicht nach, ich sitze einfach nur da und starre auf die Umrisse der Bäume im Dunkeln. Allein mit meinen Gedanken.

Luke war zwei, als ich zum zweiten Mal schwanger wurde. Diesmal erzählte ich es Matt nicht sofort. Ich behielt die Neuigkeit den ganzen Tag für mich. Mein kleines Geheimnis. Auf dem Weg nach Hause machte ich einen Abstecher und kaufte ein T-Shirt für Luke. BIG BROTHER stand in dicken Großbuchstaben vorn drauf. Großer Bruder. Abends badete ich ihn und steckte ihn in seinen Pyjama. Oder vielmehr in die Fleecehose mit den Dinosauriern, aber statt des passenden Oberteils zog ich ihm das neue T-Shirt an.

»Geh und zeig Daddy dein neues Shirt«, flüsterte ich ihm zu und schaute ihm nach, wie er mit stolz geschwellter Brust ins Wohnzimmer rannte.

Matt sah ihn, und ich konnte zuschauen, wie es klick machte. Ruckartig schaute er auf und guckte mich an, und seine Augen leuchteten vor überschäumender Freude. Genau wie drei Jahre zuvor, als ich ihm den ersten positiven Schwangerschaftstest gezeigt hatte. »Wir sind schwanger?«, fragte er aufgeregt und strahlte wie ein Kind am Weihnachtsmorgen.

»Wir sind schwanger«, habe ich geantwortet und übers ganze Gesicht gegrinst.

Wochen vergingen. Die Klamotten wurden enger, der Bauch runder. Irgendwann packte ich meine normalen Hosen weg und kramte die Schwangerschaftshosen mit dem breiten Gummibund hervor. Wir gingen zum Ultraschall und sahen die kleine Erdnuss. Erfuhren, dass es ein Mädchen wird, verbrachten Abende damit, Namensbücher zu wälzen und uns Vorschläge zuzuspielen wie beim Pingpong. Luke drückte mir Küsse auf den Bauch, schlang die Ärmchen um meine Kugel und flüsterte: *Ich hab dich lieb, kleine Schwester.* Der erste feste Tritt, den ich spürte, ging gegen seine Hand.

Das Leben war schön.

»Ich will eine kleine Auszeit nehmen, wenn das Baby da ist«, erklärte ich Matt eines Abends im Bett. Seit Monaten lag mir dieser Satz schon auf den Lippen, und jetzt nahm ich endlich all meinen Mut zusammen und sprach ihn aus. »Zwei Kinder in der Kita wären fast mein ganzes Gehalt ...«

Er war still. Ich schaute zu ihm rüber, konnte aber im Dunkeln sein Gesicht kaum erkennen. »Wie lange?«

»Ein, zwei Jahre.«

»Kannst du danach noch zurück an deinen alten Arbeitsplatz?«

Ich zuckte die Achseln. »Keine Ahnung.« Die Gerüchteküche brodelte, man munkelte von Etatkürzungen, die Neueinstellungen – auch von ehemaligen Mitarbeitern – unwahrscheinlich bis unmöglich machten.

Wieder verstummte er. »Willst du das wirklich, Schatz? Ich meine, du hast so hart gearbeitet, um dahin zu kommen, wo du jetzt bist.«

»Ich bin mir sicher.« War ich nicht, jedenfalls nicht ganz, aber was hätte ich in dieser Situation anderes sagen sollen?

»Okay«, sagte er schließlich. »Wenn du das willst.«

Wir erstellten also einen neuen Haushaltsplan allein auf der Grundlage von Matts Gehalt. Ließen das Baby *nicht* auf die Warteliste für die Krippe setzen. Ich wollte mich länger beurlauben lassen und überlegte, wie genau ich das meinen Vorgesetzten am schonendsten beibringen konnte.

Doch dann, ich hätte es mir auch denken können, kam es, wie es kommen musste. »Sie streichen Stellen«, sagte Matt eines Abends beim Essen. »Entlassen Leute.« Wie besorgt er war, zeigten seine zusammengepressten Lippen.

Mir blieb für einen Augenblick das Herz stehen. Die Gabel noch in der Luft, fragte ich atemlos: »Ist dein Job dann noch sicher?«

Lustlos schob er das Kartoffelpüree auf dem Teller herum. Schaute mich nicht an. »Ich glaube schon.«

Danach kam er jeden Abend mit weiteren Hiobsbotschaften nach Hause. Ein Kollege entlassen. Ein Kollege auf der Kippe. Behaupteten jedenfalls alle. Und jede Nacht verlor ich ein bisschen mehr die Hoffnung. Wir redeten nicht darüber, aber mir war klar, worauf das hinauslief. Ich konnte nicht gehen, noch nicht. Mein Job war sicher. Bald würden wir zwei Kinder haben. Wir brauchten mindestens ein gesichertes Einkommen.

Also wartete ich. Und wartete. Das Baby, und mit ihm meine Kugel, wuchsen zusehends. Wir meldeten uns für die Tagesbetreuung an, nur für alle Fälle. Bald watschelte ich schwerfällig ins Büro, watschelte stündlich zur Toilette, watschelte schließlich ins Personalbüro, um meinen Mutterschaftsurlaub zu beantragen. Und um festzulegen, wann ich zurückkommen würde: drei Monate nach dem errechneten Geburtstermin.

Damit wurde das Ganze plötzlich sehr real. Dass ich nicht aufhören würde. Dass es mal wieder nicht so lief, wie ich es mir gewünscht hatte. Abends beim Essen sprach ich an, was mir auf der Seele lag. »Heute musste ich sagen, wann ich zurückkomme«, berichtete ich. Ganz nüchtern. In der stillen Hoffnung, er würde vielleicht widersprechen. Aber ich wusste schon, das würde er nicht tun.

»Ist ja nur vorübergehend«, meinte er. »Wenn die Entlassungswelle abebbt …«

»Ich weiß«, unterbrach ich ihn, obwohl ich es nicht wusste. Das hatte alles so eine erschreckende Endgültigkeit. Wieder würde ich mein Baby in die Ganztagsbetreuung geben müssen. Wieder würde ich nicht zu Hause bleiben können. Nicht bei dem Baby, nicht bei Luke.

»Es tut mir leid, Süße«, murmelte Matt kleinlaut. Und wirkte zerknirscht.

Ich zuckte die Achseln und legte die Gabel beiseite. Mir war der Appetit vergangen. »Mir bleibt ja nichts anderes übrig.«

Die Tür geht auf, und Matt kommt wieder nach draußen. Ich habe jegliches Zeitgefühl verloren. Wie lange war er weg? Eine Stunde? Zwei? Alles erscheint mir so unwirklich. Der Mond steht als schmale schimmernde Sichel hoch am Himmel. Die Zikaden sind verstummt, die Brise hat sich gelegt. Er setzt sich neben mich. Ich schaue ihn an. Warte, dass er etwas sagt. Was er nicht tut. Er dreht nur seinen Ehering am Finger.

»Wie schlimm ist es?«, erkundige ich mich schließlich.

Er dreht unablässig an dem Ring. Immer weiter im Kreis. Er sieht aus, als wollte er etwas sagen, tut es aber nicht.

»Was würde es anrichten?«, frage ich ausdruckslos.

Er atmet leise ein. »Ihnen Zugang zum System verschaffen. Sodass sie auf jedes Programm im ganzen Netzwerk zugreifen können.«

»Auf geheime Programme.«

»Ja.«

Das hatte ich mir fast gedacht. Ich an ihrer Stelle würde es genau so machen. Ich nicke. Ich fühle mich wie betäubt. Als sei das alles nicht wahr. »Ich würde ihnen also Zugang zu streng geheimen Informationen verschaffen«, murmele ich.

Er zögert kurz. »Mehr oder weniger.«

»Und sie könnten tun und lassen, was sie wollen.«

»Bis eure Technik es merkt und sie wieder rausschmeißt.«

Ich überlege, was sie wohl, wenn sie Zugang zu unserem System hätten, als Allererstes tun würden. Alles in Erfahrung bringen, was es über die Leute, die wir abschöpfen, zu wissen gibt. Und über die Informationen, die sie uns verschaffen. Sie in Russland aufspüren. Und einsperren. Oder Schlimmeres.

Den Server zurückzusetzen war eine Sache. Aber das? Das könnte Menschenleben kosten.

Ein leichter Windstoß wirbelt durch die Bäume, und ich zittere. Schlinge die Arme um den Körper, höre die Blätter rascheln. Wie kann ich so etwas tun? Wie kann ich so etwas tun und mir danach im Spiegel noch in die Augen sehen?

»Eure Technik-Leute«, meint Matt. »Die sind gut. Bestimmt kommen sie ihnen schnell auf die Schliche.«

»Eure Leute sind auch gut. Hast du selbst gesagt.« Ich wickele die Arme fester um mich. Wärme, Schutz, was auch immer. »Was, wenn sie besser sind?«

Er starrt auf seine Hände und schweigt. Erst da geht mir auf, dass ich die Russen »seine Leute« genannt habe. Und er mich nicht korrigiert hat.

Mit leerem Blick schaue ich in die Dunkelheit. Warum bin ich bloß in diese Situation geraten? Dass ich hier sitze und ernsthaft darüber nachdenke, etwas so Furchtbares, so Verräterisches zu tun, dass ich nicht mal weiß, ob ich hinterher damit leben könnte?

Weil ich schwach bin. Weil ich nicht gleich am Anfang Rückgrat bewiesen und das einzig Richtige getan habe. Stattdessen habe ich mich tiefer und immer tiefer in die Sache hineinmanövriert. Und mit jedem Mal ist es schwerer geworden, aus dem selbst gebuddelten Loch herauszukrabbeln. Weshalb ich es gar nicht erst versucht habe. Ich habe mir meine eigene Grube geschaufelt.

Eine weitere Brise. Fast eine Böe diesmal. Ich höre einen dünnen Ast brechen und zu Boden fallen.

Das habe ich also aus meinem Leben gemacht? Wie oft hätte ich dieses bisschen Rückgrat gebraucht, um mich durchzusetzen und das zu tun, was ich für das Richtige hielt? Nicht dieses Haus zu kaufen. Zu Hause zu bleiben, als Luke geboren wurde. Als Ella auf die Welt kam. Das Leben könnte heute ganz anders aussehen.

Ich spüre einen Regentropfen auf der Haut, dann noch einen. Wie kleine kalte Nadelstiche. Das ist noch nicht das Ende. Wenn ich das jetzt mache, hebe ich meine Grube nur noch tiefer aus.

»Ich kann das nicht«, flüstere ich.

Immer mehr Regentropfen fallen. Immer schneller, immer dichter. Ich höre sie auf die Holzdielen klatschen. Spüre, wie sie meine Kleider durchweichen. Ich kann es nicht verantworten, Menschenleben zu gefährden. Und dann sage ich es noch mal. Lauter, entschlossener. Als könnte ich mich so selbst überzeugen: »Ich mache das nicht.«

»Nicht?«, wiederholt Matt. Selbst im Dunkeln sehe ich das blanke Erstaunen in seinem Gesicht. Und wie es sich in etwas ganz anderes verwandelt. Frustration, glaube ich. »Du kannst das nicht einfach ... *nicht* machen.«

»Vielleicht ja doch.« Ich stehe auf und gehe ins Haus. Flüchte vor dem Regen. Vor ihm. Denn ich klinge wesentlich überzeugter, als ich es eigentlich bin. Tatsache ist, ich habe keine Ahnung, ob das geht. Oder *wie* das gehen soll. Juris Befehl verweigern, ohne dafür ins Gefängnis zu wandern. Es nicht zu machen und trotzdem meine Familie zusammenzuhalten. Aber ich will mir von ihm nicht anhören müssen, dass es nicht geht.

Er kommt hinter mir her, schließt die Tür und damit den prasselnden Regen aus. »Die lassen dich wegsperren.«

Ich sage nichts. Gehe stumm die Treppe hoch ins Schlafzimmer. *Nicht, wenn ich mich wehre*, denke ich. Aber das sage ich nicht. Ich weiß, wie er darauf reagieren würde. Mit einem unwilligen Schnauben. Als wäre das ein Ding der Unmöglichkeit. Als bliebe mir keine Wahl.

Tja, vielleicht habe ich doch eine. Vielleicht *kann* ich mich wehren.

Vielleicht bin ich stärker, als er glaubt.

An dem Tag, an dem Luke fast gestorben wäre, hatten wir gerade einen heftigen Streit. Ich weiß nicht mehr genau, worum es ging – irgendwas Banales, Bio-Obst vielleicht und dass der Einkauf im Supermarkt zu teuer war. Wir standen in der Garage. Ich hatte Luke aus dem Kindersitz losgeschnallt, ihn aus dem Auto gehoben und abgesetzt, um die Einkaufstüten aus dem Kofferraum zu holen. Matt wuchtete die Babytrage mit Ella, die tief und fest schlief, aus dem Wagen. Keiner von uns beiden merkte, dass Luke sein neues Fahrrad aus der Garage geschoben hatte und damit ganz oben in der Einfahrt stand. Dass er aufstieg und den Lenker in Richtung Straße drehte.

Ich hörte es, bevor ich es sah. Das Rad und wie es auf die Straße zurollte. Stützräder auf dem Asphalt. Erschrocken drehte ich mich nach dem Geräusch um. Und da war er: klammerte sich am Lenker fest, während das Rad schneller und immer schneller die Einfahrt hinunterrollte. Und dann noch ein Geräusch – ein Auto auf der Straße, das immer näher kam.

Ich schwöre, in diesem Augenblick blieb die Zeit stehen. Wie in Zeitlupe sah ich das rollende Rad, das fahrende Auto, beide auf Kollisionskurs, unausweichlich, unaufhaltsam. Luke. Mein Luke. Mein Herz. Mein Leben. Niemals würde ich rechtzeitig bei ihm sein. Das Rad war viel zu schnell. Niemals würde ich ihn noch aufhalten können.

Also schrie ich. Es war ein Schrei, der einem durch Mark und Bein ging. Bei dem einem das Blut in den Adern gefror. So laut, so animalisch, dass ich mich bis heute frage, ob wirklich ich das war, die da geschrien hat. Und dann rannte ich los, so schnell ich konnte. Schneller, als ich konnte. Und Luke erschrak so sehr, dass er sich halb zu mir umdrehte und den Lenker herumriss, gerade genug, dass das Rad umkippte und er hinfiel. Unten, am Ende der Einfahrt, schlug er auf, heftig, und das Rad landete auf ihm. Sekundenbruchteile später rauschte, keinen halben Meter von ihm entfernt, das Auto vorbei.

Und dann war ich bei ihm, nahm ihn in die Arme und küsste ihn. Sein Gesicht, die Tränen, die ihm über die Wangen liefen, die Schrammen am Knie. Ich schaute auf, und sah Matt neben uns stehen. Er beugte sich zu uns herunter, umarmte Luke, der noch immer wegen seines Knies weinte und nicht mal ahnte, wie knapp er gerade dem Tod entkommen war. Umarmte auch mich, weil ich Luke nicht losließ, nicht loslassen konnte. Und mein Blick fiel auf die Babytrage in der Garage, auf Ella, die dort friedlich schlummerte.

»O Gott«, keuchte Matt. »Das war knapp.«

Ich brachte kein Wort heraus. Hatte das Gefühl, mich kaum bewegen zu können. Als gehorchte mein Körper mir nicht mehr. Ich konnte nur da knien und Luke festhalten und nie wieder loslassen. Hätte das Auto ihn erwischt, dann hätte ich auch sterben wollen. Ich hätte nicht weiterleben können, hätte ich ihn verloren. Wirklich nicht.

»Ich habe es gesehen. Das Rad. Das Auto«, stammelte Matt. Seine Stimme klang gedämpft, weil wir uns so aneinanderklammerten. »Ich habe gesehen, was passieren würde. Habe gesehen, dass wir nichts tun konnten.«

Ich drückte Luke noch fester an mich. Und konnte kaum fassen, was Matt da gesagt hatte. Er hatte gesehen, was passieren würde. Er hatte es gesehen und nichts unternommen. Aber ich konnte es ihm nicht verdenken. Schließlich hatte auch ich nicht nach reiflicher Überlegung losgeschrien, sondern rein instinktiv.

Ich verfügte über diesen Instinkt, der Luke das Leben gerettet hatte, und hatte es nicht mal gewusst.

In dieser Nacht schlafe ich tief und fest, und als ich aufwache, steht mein Entschluss fest. Ich bin überzeugt, dass ich das Richtige tun werde. Und genauso entschlossen, mir nicht meine Kinder wegnehmen zu lassen. Ich lasse mich von denen nicht ins Gefängnis stecken.

Ich putze mir gerade die Zähne, als Matt ins Badezimmer kommt. »Morgen«, sagt er. Im Spiegel begegnen sich unsere Blicke. Ausgeschlafen sieht er aus, entspannter, als man es in diesen unruhigen Zeiten erwarten sollte.

Ich beuge mich nach vorn und spucke ins Waschbecken. »Morgen.« Beiläufig greift er nach der anderen Zahnbürste und drückt Zahnpasta aus der Tube. Dann fängt er an zu putzen – gründlich und energisch. Ich sehe ihm im Spiegel dabei zu und begegne wieder seinem Blick. Er spuckt aus, und dann dreht er sich mit der Zahnbürste in der Hand zu mir um.

»Und was jetzt?«

Ich zögere kurz, dann putze ich weiter, um ein bisschen Zeit zu schinden. Was jetzt? Ich wünschte, ich wüsste darauf eine Antwort. Dass ich keine habe, nagt an meiner Entschlossenheit. Schließlich beuge ich mich vor und spucke aus. »Ich weiß es nicht«, brumme ich und drehe den Hahn auf, um meine Zahnbürste abzuspülen. Schaue nicht auf. Sein Blick macht mich nervös.

»Ich sage dir, Liebling, du kannst sie nicht einfach ignorieren.«

Ich lege die Zahnbürste auf die Ablage, dann gehe ich an ihm vorbei zum Kleiderschrank. Nehme erst eine Bluse vom Bügel und dann eine Hose. Er hat recht. Juri weiß, was ich gemacht habe. Dass ich streng geheime Informationen weitergegeben habe. Dass ich die Datei gelöscht habe. Dass ich den Stick in den Rechner gesteckt habe. Und er hat die entsprechenden Beweise. Hinreichend, um mich zu verurteilen. Ich weiß das, und er weiß das.

Die Frage ist nur, was er damit anfängt.

»Ich habe Zeit«, sage ich. Wiederum wesentlich überzeugter, als ich es bin. Aber es stimmt doch, oder? Juri wird Matt nicht einfach so über die Klinge springen lassen. Und mich abschreiben. Er wird versuchen, mich dazu zu bringen, dass ich tue, was er verlangt. Was heißt, dass ich Zeit habe.

»Zeit wofür?«

Ich schaue auf die Knopfleiste, ziehe die Bluse gerade und fange an, sie zuzuknöpfen. »Mir einen Plan B zu überlegen.« Ihn davon zu überzeugen, dass er mich besser in Ruhe lassen sollte. Nur habe ich überhaupt keine Ahnung, wie ich das anstellen soll.

Matt kommt und stellt sich in den Durchgang zum begehbaren Schrank. Hinten stehen ihm die Haare zu Berge, wie immer, wenn er gerade aufgestanden ist und noch nicht geduscht hat. Was ziemlich süß aussehen würde, wenn dieser Gesichtsausdruck nicht wäre. Entnervt. Verärgert. »Vergiss es. Es gibt keinen Plan B, Viv.«

Ich gucke stur weiter auf meine Knöpfe. Es muss einen Ausweg geben. Juri hat Informationen, die ich gerne unter Verschluss halten würde. Aber was, wenn ich auch Informationen hätte, die *er* gerne unter Verschluss halten würde? »Dann kann ich vielleicht einen Kompromiss aushandeln?«

»Einen Kompromiss?«

»Ja, Schweigen gegen Schweigen.«

Matt schüttelt den Kopf und schaut mich ungläubig an. »Was bitte könntest du denn im Gegenzug anzubieten haben?«

Mir fällt nur eine einzige Sache ein, die wertvoll genug sein könnte. Ich richte meine Bluse, dann schaue ich ihn herausfordernd an. »Den Namen des Agentenführers.«

Nachdem er sich einmal in meinem Kopf festgesetzt hat, werde ich diesen Gedanken nicht mehr los. Es fühlt sich richtig an. Wie der einzige Ausweg aus diesem Schlamassel. Tag für Tag gehe ich zur Arbeit und mache unbezahlte Überstunden. Sitze bis spät in die Nacht am Schreibtisch auf der Suche nach Juris Agentenführer.

Ich entwickele einen neuen Algorithmus. Der im Grunde dem alten gleicht, nur leicht abgewandelt. Das Netz wird damit größer und gleichzeitig engmaschiger. Die Wahrscheinlichkeit, dass sich jemand, der eine wichtige Rolle spielt, darin verfängt, steigt. Ein Agentenbetreuer hier vor Ort wie Juri vielleicht, der direkte Anweisungen vom SWR bekommt.

Ich lasse den Algorithmus über unsere Datensammlung laufen. Prüfe gegen, ob eine der verdächtigen Personen irgendwann einmal Kontakt zu Juri hatte. Überprüfe Juris Kontakte und die Kontakte seiner Kontakte. Heraus kommt eine ellenlange Liste potenzieller Kandidaten. Viel zu lang. Irgendwie muss ich sie zusammenstreichen. Ich weiß nur noch nicht, wie. Und bis mir etwas einfällt, recherchiere ich stoisch weiter. Lege Profile potenzieller Agentenführer an. Fotos, Lebenslauf, Hinweise aus Akten der Behörde.

Ein paarmal habe ich mitbekommen, dass Peter mich erstaunt beobachtet hat. *Warum das jetzt?*, hat er einmal gefragt. *Ich muss einfach diesen Kerl finden,* habe ich gesagt.

Tagelang bekomme ich die Kinder kaum zu Gesicht. Wenn ich abends nach Hause komme, sind sie längst im Bett. Matt manchmal auch. Er kann es nicht ausstehen, wenn ich so viele Überstunden mache. Bisher hat er noch nichts dazu gesagt, aber ich glaube, er hält das alles für aussichtslos. Nutzlos. Hoffnungslos. Er findet, dass ich lieber tun soll, was Juri verlangt. Aber das kann ich nicht. Und das werde ich auch nicht.

Schließlich drucke ich mir die Ergebnisse meiner Recherchen aus. Viele hundert Seiten Material. Blättere sie durch, schaue in ein zorniges, verzerrtes Gesicht nach dem anderen. Einer dieser Typen muss unser Agentenführer sein. Und wenn ich erst mal herausbekommen habe, welcher es ist, werde ich Juri schon davon überzeugen können, dass ich kurz davor stehe, das gesamte Netzwerk hochgehen zu lassen. Damit werde ich mir sein Schweigen erkaufen können.

Das Problem ist nur, dass ich mich durch viel zu viele Informationen arbeiten muss. Mit wachsender Verzweiflung blättere ich in dem dicken Stapel bedruckter Seiten. Ich muss den Kreis der Verdächtigen weiter einschränken. Aber das braucht Zeit. Und viel Zeit bleibt mir nicht. Lange wird Juri nicht mehr darauf warten, dass sein Auftrag ausgeführt wird. Wann kommt das nächste Kuvert? Ich bin total überfordert. Frustriert. Verängstigt. Aber ein Kompromiss ist meine einzige Hoffnung, oder?

Ich stecke die gesammelten Unterlagen in einen Aktenordner. Der ist dick, er wölbt sich geradezu. Mit einer Hand auf dem Deckel sitze ich da. Ich muss irgendwas finden. Einen Hinweis, einen Ausweg. Schließlich lege ich den Ordner in meine Schreibtischschublade, verschließe sie und suche meine Siebensachen zusammen.

Als ich an diesem Abend nach Hause komme, bin ich noch niedergeschlagener als sonst. Eigentlich habe ich erwartet, dass alle schon schlafen, aber im Wohnzimmer brennt Licht. Matt ist noch wach, er sitzt auf der Couch. Der Fernseher ist ausgeschaltet. Matt hat die Hände im Schoß gefaltet und wippt mit einem Bein. Wie immer, wenn er nervös ist. Argwöhnisch mache ich einen Schritt auf ihn zu.

»Was ist los?«, frage ich.

»Juri ist bereit, sich auf einen Deal einzulassen.«

Ich bleibe wie angewurzelt stehen. »Was?«

»Er ist bereit, sich auf einen Deal einzulassen.« Das Bein wippt noch schneller.

Ich zwinge mich, weiterzugehen und mich neben ihn auf die Couch zu setzen. »Du hast mit ihm geredet?«

»Ja.«

Ich weiß nicht, ob ich mich empören oder darüber hinweggehen soll. Fürs Erste lasse ich es auf sich beruhen. »Was für einen Deal?«

Er ringt die Hände, und das Bein wippt immer weiter.

»Matt?«

Stockend atmet er ein. »Es ist der letzte Gefallen, um den er dich bitten wird.«

Ich starre ihn an. Plötzlich ist er ganz ruhig.

»Wenn du tust, was er verlangt, vernichtet er die Screenshots. Die ganze Datei. Dann gibt es keinen Beweis mehr für das, was du gemacht hast.«

»Der letzte Gefallen«, murmele ich. Es ist eine Feststellung, keine Frage.

»Ja.«

Eine Weile bleibe ich still. »Mein Land verraten.«

»Zurück in unser normales Leben.«

Mit hochgezogenen Augenbrauen sehe ihn an. »Normal?«

Er beugt sich zu mir herüber. »Das reicht, um mich in den Ruhestand zu schicken, Viv. Danach hätten wir nichts mehr mit ihnen zu tun.«

Ganz langsam atme ich aus. *Nichts mehr mit ihnen zu tun.* Mehr will ich doch gar nicht. Ich will, dass sie verschwinden. Uns in Ruhe lassen. Will mein altes Leben wiederhaben. Hätte am liebsten, dass nichts von alldem je passiert wäre. Als ich schließlich wieder etwas sage, ist meine Stimme kaum mehr als ein Flüstern. »Und dem haben sie wirklich zugestimmt?«

»Ja.« Ich sehe ihm die Aufregung an, die Erleichterung, endlich einen Ausweg gefunden zu haben. Eine Lösung. »Danach haben wir das mehr als verdient.«

Mehr als verdient. Mich überläuft es eiskalt. *Aber zu welchem Preis?*

Außerdem: Wer garantiert mir, dass sie sich an die Abmachung halten? Ich weiß doch, wie diese Leute arbeiten. Jahrelang habe ich mich mit ihrer Vorgehensweise beschäftigt. Die würden wiederkommen. Vielleicht nicht morgen, vielleicht nicht in diesem Jahr. Aber irgendwann würden sie wieder auf der Matte stehen. Es wäre nie wirklich vorbei. Und dann hätten sie mich erst *richtig* in der Mangel.

Erwartungsvoll schaut er mich an. Rechnet damit, dass ich zustimme und frage, was ich als Nächstes tun soll.

»Nein«, sage ich. »Die Antwort lautet immer noch nein.«

Die schwarze Limousine wartet im Leerlauf vor der Schule. In zweiter Reihe in einer ruhigen, baumbestandenen Straße. Der Motor schnurrt leise, kaum zu hören bei all dem Rumpeln der Schulbusse, dem fröhlichen Kreischen und aufgeregten Plappern der ankommenden Kinder.

»Das ist er«, sagt Juri. Er nimmt eine Hand vom Lenkrad und weist aus dem Beifahrerfenster. Draußen eine gebogene Zufahrt, eine ganze Reihe gelber Busse. Ein niedriger weißer Zaun trennt das Schulgelände vom öffentlichen Raum.

Der Beifahrer, Anatoli, folgt dem Arm, der quer vor seiner Brust liegt, und schaut in Richtung des ausgestreckten Zeigefingers. Setzt bedächtig ein Fernglas an.

»Der mit dem blauen T-Shirt«, sagt Juri. »Und dem roten Rucksack.«

Anatoli dreht an dem Fernglas, bis er den Jungen gestochen scharf sieht. Der steht gleich neben der Bustür auf dem Bürgersteig. Leuchtend blaues T-Shirt, Jeans und ein Rucksack, der an ihm geradezu absurd groß wirkt. Er lacht über etwas, das sein Freund gerade gesagt hat. Man sieht die Lücke zwischen seinen Zähnen.

»Ein Mini-Alexi«, brummt er.

Jetzt erzählt der Junge etwas. Sehr lebhaft, wie es scheint. Sein Freund hört zu und lacht.

»Er ist jeden Morgen hier?«, fragt Anatoli. Sein Blick geht zu dem Zaun hinter den Bussen, nur einen Steinwurf von dem Jungen entfernt.

»Jeden Morgen.«

Anatoli lässt das Fernglas sinken. Beobachtet den Jungen weiter. Ohne zu lächeln, ohne zu blinzeln.

Am nächsten Tag und am Tag danach gehen mir Matts Worte immer wieder durch den Kopf. *Das reicht, um mich in den Ruhestand zu schicken, Viv. Danach hätten wir nichts mehr mit ihnen zu tun.*

Immer wieder muss ich das energisch beiseiteschieben. Dabei ist es genau das, was ich will. Nichts mehr mit ihnen zu tun zu haben. Aber dafür tun, was sie verlangen? Das Programm herunterladen? Dafür verantwortlich sein, dass die Russen all unsere Geheimnisse erfahren, womöglich unsere Informanten eliminieren? Das kann ich nicht. Ich kann es einfach nicht.

Also arbeite ich wie besessen weiter. Tippe Namen in die Suchleiste, einen nach dem anderen. Lese alles, was ich über diese Typen in die Finger bekomme. Suche fieberhaft nach irgendwas, egal, was, das darauf hinweisen könnte, dass einer von ihnen der Agentenführer ist. Oder etwas, das es mir ermöglicht, wieder jemanden von der Liste zu streichen. Den Kreis der Verdächtigen weiter einzuschränken.

Aber auch am Ende der Woche habe ich noch nichts in der Hand. Ich habe kaum etwas abarbeiten, kaum Namen streichen und keinen einzigen konkreten Verdächtigen finden können, der unser Agentenführer sein könnte.

Es ist aussichtslos.

Am Abend schleppe ich mich wieder einmal kraftlos nach

Hause. Die Kinder liegen längst im Bett, Matt ist noch wach und wartet auf mich. Er sitzt auf der Couch, im Fernsehen läuft eine Sendung – eine von diesen Renovierungsshows. Sobald ich reinkomme, zückt er die Fernbedienung und richtet sie auf den Fernseher. Die Mattscheibe wird schwarz.

»Hi«, sage ich und bleibe neben dem Fernseher stehen.

»Hi.«

»Alles in Ordnung mit den Kindern?«

»Ja.« Er wirkt niedergeschlagen. Irgendwas stimmt nicht. Ich weiß nur nicht, was. Er ist so merkwürdig.

»Was ist los?«, frage ich.

»Nichts weiter. Mach dir keine Gedanken.«

Ich will schon was sagen, ihm widersprechen, aber ich bremse mich und klappe den Mund wieder zu. »Gut.« Ich habe genug eigene Sorgen, und ich bin todmüde. *Gut*.

Kurz sehen wir einander an und wissen nichts mehr zu sagen, dann steht er auf, nimmt den Baby-Monitor und geht aus dem Zimmer. Am Fuß der Treppe bleibt er stehen und dreht sich zu mir um. »Hast du noch mal darüber nachgedacht? Machst du es vielleicht doch?«

»Den Stick in den Rechner stecken?«

»Ja.«

Durchdringend sehe ich ihn an. Hier stimmt was nicht. Irgendwas macht ihm schwer zu schaffen. »Das kann ich nicht. Ich weiß, du findest, ich sollte es tun, aber ich kann das nicht.«

Mit gerunzelter Stirn sieht er mich an. Lange. »Okay.« Und wie er das sagt, hat es etwas so Resigniertes, so Schicksalergebenes, Endgültiges, dass ich ihm noch lange nachschaue, auch, als er längst fort ist.

Am nächsten Tag komme ich genauso wenig weiter wie an den Tagen zuvor, und diesmal bleibe ich nicht länger im Büro. Ich bin recht früh zu Hause, doch als ich zur Tür hereinkomme, ist es ganz still im Haus.

Es ist fast Zeit fürs Abendessen. Eigentlich müssten Luke und Ella sich gerade streiten, und Chase und Caleb müssten laut kreischend und trommelnd am Tisch sitzen. Matt müsste am Herd stehen, kochen, schlichten, irgendwie alles gleichzeitig machen wie ein Jongleur.

Stattdessen ist es totenstill. Ein unheimliches Gefühl beschleicht mich. Irgendwas stimmt nicht.

»Hallo?«, rufe ich ins Nichts.

»Hi, Mom«, kommt es zurück. Ich gehe in die Küche und sehe Luke am Tisch sitzen und Hausaufgaben machen. Von Matt keine Spur. Und von den anderen Kindern auch nicht.

»Hallo, Schatz. Wo ist Dad?«

»Hier ist er nicht.« Luke schaut nicht auf. Er hat den Blick fest auf das Blatt vor sich gerichtet, den Bleistift im Anschlag.

»Wo ist er?« Langsam werde ich panisch. Luke ist sieben. Den kann er doch nicht allein lassen. Und wo sind die anderen Kinder?

»Weiß ich nicht.«

Die aufkommende Angst steigert sich zu nackter Panik. »Hat er dich denn nicht am Bus abgeholt?«

»Nein.«

Ich kriege kaum noch Luft. »War das das erste Mal, dass er dich nicht abgeholt hat?«

»Ja.«

Mir schlägt das Herz bis zum Hals. Hektisch krame ich in meiner Handtasche, ziehe das Handy heraus und wähle Matts Nummer. Es klingelt, und ich schaue auf die Uhr. Die Schule schließt in neunzehn Minuten. Ob die Kinder noch da sind? Es geht sofort die Mailbox an. Ich lege auf.

»Okay, Schatz«, sage ich und versuche, ruhig und beherrscht

zu klingen, mir die Panik nicht anmerken zu lassen. »Komm, wir holen deine Geschwister von der Schule ab.«

Im Auto versuche ich noch einmal, Matt zu erreichen. Wieder die Mailbox. *Wo steckt er?* Ich rausche nur so an den anderen Autos vorbei, mit Bleifuß auf dem Gaspedal. Ob die Kinder noch da sind? Ich weiß nicht mal, warum ich mich das frage. Tue ich aber. Lieber Gott, lass sie da sein.

Es geht mir alles nicht schnell genug. Ich muss mich auf der Stelle vergewissern. Wieder greife ich zum Telefon, wähle diesmal aber die Nummer der Kita. Gleich nach dem ersten Klingeln geht die Sekretärin dran. »Hier ist Vivian Miller«, sage ich. »Ich kann meinen Mann nicht erreichen und wollte nachfragen, ob er die Kinder schon abgeholt hat.« Währenddessen schicke ich stumme Stoßgebete gen Himmel. *Bitte, lieber Gott, lass sie da sein.*

»Ich schaue gleich mal nach«, entgegnet sie. Dann höre ich es Rascheln und weiß, jetzt schaut sie vorn auf die Klemmbretter, auf denen man die Kinder beim Hinbringen und Abholen ein- und austragen muss. »Ich sehe hier nichts«, sagt sie.

Flatternd schließe ich die Augen, und eine Woge der Erleichterung flutet meinen Körper. Begleitet von einer ganz neuen Angst. »Danke«, sage ich. »Ich bin schon auf dem Weg.«

Die Kinder sind da. Gott sei Dank sind die Kinder da. Obwohl ich tausendmal glücklicher sein werde, wenn ich sie mit eigenen Augen sehe. Aber warum sind sie noch da? Die Kita schließt gleich. Matt kennt die Regeln. Und er konnte nicht ahnen, dass ich heute früh genug heimkommen würde, um sie selbst abzuholen. Nach der Erfahrung der letzten Wochen hätte er eigentlich davon ausgehen müssen, dass ich erst mitten in der Nacht von der Arbeit komme.

Wie Starkstrom fährt mir die Angst in alle Glieder. Luke allein an der Bushaltestelle, allein zu Hause. Die anderen Kinder lange nach der üblichen Abholzeit noch in der Kita.

Und Matt spurlos verschwunden.

O Gott. Matt ist weg.

»*Mom!*« Lukes Stimme vom Rücksitz reißt mich aus meinen Gedanken. Ich schaue in den Rückspiegel. Mit weit aufgerissenen Augen sieht er mich an. »Es ist grün!«

Ich blinzele, dann gucke ich wieder nach vorn. Die grüne Ampel springt gerade auf Gelb um. Hinter uns hupt jemand entnervt. Ich trete das Gaspedal durch und rase über die Kreuzung.

Ich muss an unseren Wortwechsel gestern Abend denken. Ich habe gesagt, dass ich es nicht tun werde, und er hat *okay* gesagt. Aber das Gesicht, das er dabei gemacht hat! Ob ihm da endgültig klar geworden ist, dass er mich nicht überreden kann, das Programm hochzuladen? Und dass es darum keinen Sinn mehr macht zu bleiben? Aber das hieße, er hätte die Kinder im Stich gelassen und es wäre ihm egal gewesen, was mit ihnen passiert. Das wäre nicht Matt.

Schließlich sind wir an der Kita und rumpeln unsanft über den Bordstein. Ich rangiere in eine der Parklücken, und nur mit viel gutem Willen ließe sich behaupten, ich stünde zwischen den Markierungen. Dann trete ich so heftig auf die Bremse, dass meine Handtasche vom Beifahrersitz fällt. Hektisch ziehe ich den Schlüssel aus dem Zündschloss und haste, Luke vor mir her scheuchend, zum Eingang. Aus den Augenwinkeln sehe ich die große Wanduhr – zwei Minuten zu spät, Verwarnung Nummer zwei und eine Strafgebühr werden damit fällig. Fünf Dollar pro Minute und Kind. Aber das ist mir gerade vollkommen gleich. Ich sehe die drei schon beim Reinkommen. Wie bestellt und nicht abgeholt stehen sie mit der Direktorin an der Rezeption.

Ich bin schrecklich erleichtert und weiß selbst nicht recht, warum. Warum nur bin ich so erleichtert, sie zu sehen? Ob ich gedacht habe, die Russen könnten ihnen etwas angetan haben? Ich habe doch nicht insgeheim befürchtet, Matt könnte sie mitgenommen haben, oder? Ich weiß es nicht. Ich kann das Durcheinander meiner Gedanken gerade nicht ordnen, und es ist mir auch egal.

Ich laufe hin und schließe sie in die Arme und drücke sie und verschwende keinen Gedanken daran, wie durchgeknallt ich auf die Direktorin wirken muss und dass mich diese Familienknuddelei im Foyer sicher noch fünfzehn Dollar extra kosten wird. Für mich zählt nur eins: dass sie alle hier sind, bei mir.

Und dass ich sie nie, nie mehr loslassen werde.

Es hat lange gedauert, bis wir uns durchgerungen haben, ein Testament aufzusetzen. Eigentlich hätten wir das schon vor Lukes Geburt machen sollen. Aber erst nach dem zweiten Kind sind wir schließlich nach D. C. gepilgert, zu einer Kanzlei in der K Street, und haben uns mit einem Anwalt an den Tisch gesetzt.

Das Testament selbst war schnell geschrieben. Wir haben meine Eltern als Nachlassverwalter benannt für den Fall, dass uns beiden etwas zustoßen sollte. Und als Vormunde für die Kinder. Das war zwar nicht ideal, aber wir haben beide keine Geschwister. Und auch keine engen Freunde oder anderen Verwandten, die in Frage kämen.

Auf der Fahrt von der Kanzlei nach Hause brachte ich das Gespräch darauf, dass meine Eltern sich also unserer Kinder annehmen würden, sollte uns je etwas zustoßen. »Ich will mir gar nicht ausmalen, was passiert, wenn Luke bei ihnen einen seiner legendären Wutanfälle bekommt«, gluckste ich und drehte mich um zu ihm, der wie ein Engelchen schlummernd auf der Rückbank saß. »Wir sollten lieber zusehen, dass immer einer von uns da ist, um sich um sie zu kümmern.«

Matt hielt den Blick starr auf die Straße gerichtet. Das Lächeln verschwand von meinen Lippen, als ich ihn so sah. »Alles okay?«, fragte ich.

Er biss die Zähne zusammen und umklammerte das Lenkrad noch fester.

»Matt?«

Worauf er mich kurz von der Seite ansah. »Ja, ja, alles bestens.«

»Was hast du denn?«, hakte ich nach. Er verhielt sich so eigenartig. Ob das an dem Testament lag? Störte ihn, dass wir meine Eltern als Vormunde für die Kinder eingetragen hatten?

Er zögerte. »Ich musste nur gerade daran denken, also… weißt du, was wäre, wenn mir was zustoßen sollte?«

»Hm?«

»Ich meine, nur mir. Was, wenn ich plötzlich nicht mehr da bin?«

Ich lachte kurz auf, ein nervöses Kichern.

Er schaute mich an, und sein Blick ging mir durch Mark und Bein. »Ich meine das ganz ernst.«

Ich wich seinem Blick aus und schaute durch die Windschutzscheibe; sah zu, wie andere Autos uns überholten. Wenn ich ganz ehrlich war, hatte ich darüber noch nie nachgedacht. Über die Kinder, ja. Schon ganz am Anfang, als sie noch so winzig waren und ich mich über ihre Bettchen beugte, um mich zu vergewissern, dass sie atmeten. Als sie anfingen, feste Nahrung zu sich zu nehmen, und sich ständig verschluckten. Die allgegenwärtige Angst, so unbegründet sie auch sein mochte, eines versehentlich fallenzulassen. Ihr Leben schien ständig am seidenen Faden zu hängen, so zerbrechlich wirkten sie. Auf den Gedanken, Matt könnte etwas zustoßen, war ich dagegen noch nie gekommen. Er war mein Fels. Eine beständige, verlässliche Konstante in meinem Leben. Der Mensch, der immer da war und da sein würde.

Plötzlich war der Gedanke da. Ich stellte mir vor, wie es wäre, einen Anruf zu bekommen und von der Polizei zu hören, er sei bei einem Verkehrsunfall ums Leben gekommen. Oder vor einem Arzt zu stehen, der mir erklärt, Matt habe einen Herzinfarkt erlitten und sie hätten getan, was sie konnten. Die Lücke, die sein Tod in mein Leben reißen würde. Die Leere. Die Unvollständigkeit. Und ich habe ehrlich geantwortet. »Himmel, ich weiß es nicht. Ich glaube, ohne dich könnte ich nicht weiterleben.«

Dass ich diesen Satz gesagt, dass ich ihn überhaupt *gedacht* hatte, erschütterte mich bis ins Mark und gab mir das Gefühl, mich selbst nicht mehr zu kennen. Was war nur aus der eigenständigen jungen Frau geworden, die ganz allein vier Kontinente bereist und an der Uni zwei Jobs gehabt hatte, nur, um sich eine Wohnung ohne Mitbewohner leisten zu können? Wie konnte mein Leben nach einigen wenigen Jahren so mit dem eines anderen Menschen verwoben sein, dass ich mir nicht mehr vorstellen konnte, allein zu sein?

»Das müsstest du aber«, murmelte er leise. »Für die Kinder.«

»Ja, ich weiß. Ich meine bloß …« Ich schaute ihn an. Er guckte geradeaus, und man sah die Muskeln in seinem Unterkiefer arbeiten. Ich vergaß, was ich hatte sagen wollen, verstummte und schaute wieder aus dem Fenster.

»Sollte mir was zustoßen, Viv, dann musst du tun, was immer nötig ist, um für die Kinder zu sorgen.«

Wieder schaute ich ihn von der Seite an. Sah die Sorgenfalten auf der Stirn, das schmerzlich verzogene Gesicht. Glaubte er, ich sei nicht in der Lage, mich allein um die Kinder zu kümmern? Hatte er wirklich eine so geringe Meinung von mir? »Das versteht sich ja wohl von selbst«, gab ich zurück.

»Ganz egal was. Du darfst dann nicht mehr an mich denken, sondern musst einfach tun, was nötig ist.«

Ich hatte keine Ahnung, was ich davon halten sollte und warum er das alles sagte oder auch nur *dachte*. Keine Ahnung, was ich darauf antworten sollte. Ich wollte dieses Gespräch nur schnell beenden.

Er drehte sich zu mir und nahm den Blick beunruhigend lange von der Straße. »Versprich mir das, Viv. Versprich mir, dass du für die Kinder alles tun würdest.«

Ich klammerte mich an den Türgriff. Krallte mich regelrecht fest. Warum sollte ich ihm das versprechen? Natürlich würde ich für die Kinder alles tun. Plötzlich fühlte ich mich nutzlos, vollkommen unzulänglich. Als traute er mir nicht zu, mich auch allein um die Kinder zu kümmern. Es war kaum mehr als ein Wispern, mit dem ich schließlich antwortete: »Versprochen.«

Ich bringe die Kinder nach Hause, wärme in der Mikrowelle etwas zu essen auf und versammele alle um den Tisch. Immer wieder fragen die Kinder nach ihm. *Wo ist Dad? Wann kommt Daddy nach Hause?* Und ich habe keine Ahnung, was ich anderes antworten soll als ganz ehrlich: *Ich weiß es nicht. Bald, hoffentlich.*

Luke rührt sein Essen kaum an. Ella ist auffallend still. Was mich nicht weiter überraschen sollte. Er ist ihr Fels. Ihr sicherer Hafen. Er ist immer für sie da.

Auf mich zählen sie nicht. Ich bin für sie unberechenbar. Er nicht.

Ich bade sie und stecke sie in die Pyjamas. Und die ganze Zeit rechne ich damit, dass er gleich zur Tür hereinkommt. Dass mein Telefon klingelt. Ständig schaue ich nach, ob ich vielleicht eine Nachricht bekommen und es nicht gehört habe, obwohl ich mich schon ein halbes Dutzend Mal vergewissert habe, dass das Handy nicht stummgeschaltet ist. Sicherheitshalber rufe ich meine Mails noch mal ab, auch wenn er mir schon seit Jahren keine E-Mail mehr geschrieben hat.

Irgendwie muss er sich doch melden, oder? Er kann schließlich nicht einfach so verschwinden.

Als ich die Kinder endlich im Bett habe, gehe ich nach unten. Spüle das Geschirr. Trockne ab. Das Haus ist so still, fast so, als halte es den Atem an. Und es fühlt sich schrecklich einsam und verlassen an. Ich sammele die Spielsachen ein und verstaue sie in den Plastikcontainern. Es ist, als habe jemand die Zeit angehalten, und ich wartete nur darauf, dass er zur Tür hereinkommt, mich umarmt und sich dafür entschuldigt, dass er so spät dran ist. Als wüsste ich um die Möglichkeit, dass er das vielleicht nicht tut, dass er vielleicht weg ist, könne diesen Gedanken aber nicht zulassen, könne es einfach nicht glauben.

Wieder muss ich an jene eigenartige Autofahrt denken, damals, vor Jahren. Dieses seltsame Gespräch. *Was, wenn mir was zustößt? Was, wenn ich plötzlich nicht mehr da bin?* War das ein Alarmzeichen? Seine Art, mich zu warnen, mich darauf vorzubereiten, dass er eines Tages einfach verschwinden könnte?

Energisch schüttele ich den Kopf. Das ergibt keinen Sinn. Nicht so, wie er verschwunden ist. Er würde die Kinder nicht einfach so alleinlassen.

Mein Bauch sagt, da stimmt etwas nicht. Es muss ihm was zugestoßen sein. Er muss in Gefahr sein. Aber was soll ich tun? Zur Polizei kann ich schließlich nicht gehen. Ich habe keine Ahnung, wo er stecken könnte, und ich kann niemandem von meinem Verdacht erzählen. Ich weiß ja nicht mal, ob er wirklich in Schwierigkeiten ist.

Mir dreht sich der Magen um vor Angst und Hoffnungslosigkeit.

Ich muss daran denken, wie panisch ich auf dem Weg zur Kita war. Ich hatte schreckliche Angst um die Kinder. Wenn ich mir wirklich sicher wäre, dass Matt in Schwierigkeiten steckt, dass ihm etwas zugestoßen ist, müsste ich dann nicht genauso panisch werden? Sollte ich dann nicht vollkommen neben mir stehen vor Angst?

Vielleicht irre ich mich. Vielleicht denke ich insgeheim, er sei abgehauen. Vielleicht bin ich sogar froh darüber.

Und dann kommt mir plötzlich ein Gedanke. So naheliegend, dass ich nicht weiß, wieso mir das nicht viel früher eingefallen ist. Ich hechte die Treppe hinauf ins Schlafzimmer, rüber zum Schrank, und hole die Schuhschachtel herunter. Die mit seinen Ausgehschuhen. Sinke mit dem Karton auf dem Schoß auf den Teppich. Fast habe ich Angst, ihn zu öffnen. Angst vor dem, was ich entdecken könnte. Obwohl ich das eigentlich schon weiß.

Ich hebe den Deckel, sehe die Schuhe. Sie sind leer.

Die Pistole ist weg.

Das ist nicht wahr. Das kann nicht sein. Wie gelähmt starre ich auf die Stelle, als könnte die Pistole sich plötzlich wieder materialisieren. *Er ist weg,* dröhnt es unüberhörbar in meinem Kopf. Mit beiden Händen greife ich mir an die Schläfen, als könnte ich damit für Ruhe sorgen. *Ist er nicht. Er würde nicht einfach gehen.* Es muss eine logische Erklärung geben.

Schließlich greife ich in meine Gesäßtasche, ziehe das Handy heraus und scrolle runter zu einer der Nummern in meiner Favoritenliste.

»Mom?«, rufe ich, als ich ihre Stimme höre.

»Schatz, was ist passiert?«

Wie sie nach nur einer Silbe weiß, dass etwas nicht stimmt, ist mir ein Rätsel. Ich schlucke. »Könnt ihr für eine Weile herkommen? Ich brauche ein bisschen Hilfe mit den Kindern.«

»Aber sicher. Ist alles in Ordnung?«

Mir schießen die Tränen in die Augen. Ich bekomme kein Wort heraus.

»Schatz? Wo ist Matt?«

Krampfhaft versuche ich, mich zu beherrschen und meine Stimme wiederzufinden. »Weg.«

»Wie lange?«

Ein ersticktes Schluchzen bricht sich Bahn. »Ich weiß es nicht.«

»Ach, Schatz«, seufzt meine Mom mitfühlend. Und da kann ich nicht mehr. Ich sitze in unserem dunklen, einsamen Haus und heule und schluchze in den Hörer, bis ich vor Tränen kaum noch etwas sehe.

Die Nacht vergeht, ohne dass ich etwas von Matt höre, und am nächsten Morgen habe ich dann die Hoffnung aufgegeben, dass er sich jeden Moment melden wird. Noch immer weiß ich nicht, ob er gegangen oder ob ihm etwas zugestoßen ist. Und ich weiß nicht, warum meine Verzweiflung nicht viel größer ist. Warum es sich anfühlt, als sei das alles gar nicht wahr.

Alle vier Kinder sitzen um den Küchentisch, die beiden älteren mit Frühstücksflocken in ihren Schälchen, die Zwillinge mit verstreuten kleinen Cheerios-Kringeln und zermatschten Blaubeeren auf den Tabletts. Ich stehe an der Anrichte, mache Lukes Pausenbrote zurecht – auch das tut sonst Matt – und nippe an meiner zweiten Tasse Kaffee. Wieder eine schlaflose Nacht. Irgendwann klopft es an der Tür, kurz und energisch.

Ella schnappt nach Luft. »Daddy?«, quietscht sie entzückt.

»Dad klopft doch nicht«, weist Luke sie unwirsch zurecht, und ihr Lächeln verfliegt.

Ich mache die Tür auf, und meine Mom kommt hereingewuselt, umgeben von einer Parfumwolke, in beiden Händen zum Bersten gefüllte Einkaufstüten, vollgestopft mit Wer-weiß-was, vermutlich Geschenken für die Kinder. Ihr auf den Fersen erscheint mein Dad, der etwas zögerlich wirkt und wesentlich befangener als sonst.

Ich habe den Kindern nicht gesagt, dass sie kommen. Ich

wusste ja nicht genau, wann sie da sein würden. Aber jetzt stehen sie in der Küche, und die Kinder sind völlig aus dem Häuschen. Ganz besonders Ella. »Oma und Opa sind *hier*?«, quiekt sie entzückt, als sie die beiden sieht.

Meine Mom marschiert schnurstracks zum Tisch, lässt die Tüten fallen, nimmt erst Ella fest in den Arm und dann Luke und drückt jedem Zwilling einen Kuss auf die Wange. Man sieht die Lippenstiftspuren in den kleinen Gesichtern.

»Mommy, warum sind sie hier?«, fragt Ella verwundert.

»Sie helfen uns ein bisschen, solange Dad weg ist«, erkläre ich. Und schaue meiner Mom kurz vielsagend in die Augen, ehe ich mich wieder daranmache, Marmelade auf eine Scheibe Toastbrot zu streichen. Mein Dad drückt sich linkisch vor der Kaffeemaschine herum, als wüsste er nicht recht, wohin mit sich.

»Wie lange bleiben sie hier?«, fragt Ella neugierig. »Wie lange ist Daddy weg?«

Alles wird still. Meine Eltern erstarren. Ich spüre ihre Blicke. Spüre, wie sie mich anschauen. Wie alle mich anschauen. Und starre nur stumm auf das Sandwich vor mir, weil ich mich beim besten Willen nicht erinnern kann, ob Luke seine Brote lieber in Dreiecke oder in Vierecke geschnitten haben möchte. Mom eilt mir zu Hilfe. »Geschenke! Geschenke für alle!«

Und dann kramt sie in den Tüten, und die Kinder springen auf und stürzen sich begeistert auf die Schätze, die da zum Vorschein kommen. Ganz langsam atme ich aus, und als ich schließlich aufschaue, sehe ich, wie mein Dad mich mustert. Er lächelt schief, sichtlich unbehaglich, dann guckt er weg.

Nachdem die Kinder ihre Geschenke – Plüschtiere, Malstifte, Malbücher und große Dosen Fingerfarbe – bekommen und fertig gefrühstückt haben, packe ich Ellas Rucksack und helfe ihr, etwas für den Mitbringtag in der Kita auszusuchen – heute ist der Buchstabe *Z* an der Reihe, und wir entscheiden uns für ihren Prinzessinnen-Zauberstab, den mit dem Glitzer. Mit Küssen und Umarmungen verabschiede ich mich von Luke und den Zwillingen, und dann gieße ich mir Kaffee in meinen Thermosbecher.

Meinen Eltern sage ich, wann Lukes Bus kommt und wo genau er hält. »Seid ihr ganz sicher, dass es okay ist, wenn die Zwillinge hierbleiben?«, frage ich. Sie haben angeboten, sich auch um Ella zu kümmern, aber zwei Kinder den ganzen Tag zu beaufsichtigen ist einfacher als drei. Ich habe gesagt, sie sollten sich keine Gedanken machen und Ella könne ganz normal zur Kita gehen.

»Aber ja doch«, entgegnet meine Mutter.

Den Autoschlüssel schon in der Hand, bleibe ich noch einmal stehen und zögere. »Danke«, murmele ich, »dass ihr da seid.« Ich muss mich zusammenreißen, um nicht in Tränen auszubrechen, und hefte den Blick auf den Boden, weil ich Angst habe, wenn ich meine Mom anschaue, könnten alle Dämme brechen. Es ist eher ein Wispern, als ich hinzufüge: »Ohne euch würde ich das nicht schaffen.«

»Unsinn.« Meine Mom greift nach meiner Hand und drückt sie fest. »Natürlich würdest du das.«

Ella war nicht mal ein Jahr alt, als ich zum dritten Mal schwanger wurde. Eigentlich war es ein Unfall. Wir hatten noch gar nicht darüber gesprochen, wann – oder ob überhaupt – wir noch ein drittes Kind wollten. Und wir hatten es bestimmt nicht darauf angelegt. Aber ich hatte meine Schwangerschaftssachen in eine große Plastiktasche gepackt, genau wie die ganz kleinen Babysachen. Weggegeben hatte ich nichts davon, und Matt hatte auch nichts dergleichen gesagt. Wir hatten sie einfach im Keller verstaut, zusammen mit der Babybadewanne und der Babyschaukel und allem anderen. Weshalb ich annahm, wir seien uns einig, dass wir irgendwann noch eins wollten. Nur nicht so bald. Auf keinen Fall so bald.

An dem Tag habe ich früher Schluss gemacht und auf dem Heimweg ein Shirt für Ella gekauft. Es war gar nicht so leicht, eins in einer so kleinen Größe zu bekommen, aber schließlich hatte ich Glück. Auf dem kleinen rosaroten Shirt stand in lila Lettern BIG SISTER. Große Schwester. Luke steckte ich in sein BIG BROTHER-Shirt, das ihm noch vom letzten Mal passte. Als Matt anrief und sagte, er sei auf dem Weg nach Hause, fing mein Herz an zu flattern. Ich ging davon aus, dass er ganz aus dem Häuschen sein würde. Dass er, genau wie ich, ein bisschen erschrecken und sich ein bisschen überrumpelt fühlen, letztlich aber überglücklich sein würde.

Als ich den Schlüssel im Schloss hörte, holte ich die Kinder, und dann stellten wir uns so hin, dass er die beiden gleich beim Reinkommen sehen musste – Ella auf meinem Arm, Luke neben mir. Er kam zur Tür herein, begrüßte die beiden überschwänglich wie immer und beugte sich dann zu mir herunter, um mir einen Kuss zu geben. Dabei sah ich, wie sein Blick erst an Lukes Shirt hängenblieb und dann zu Ella wanderte. Und mit einem Mal erstarrten erst sein Gesicht und dann sein ganzer Körper. Ich wartete auf das strahlende Lächeln, die Freude, die man ihm bei den ersten beiden Malen so überdeutlich angesehen hatte, aber es kam nichts. »Du bist schwanger?« Mehr sagte er nicht. Es klang fast wie ein Vorwurf.

Du bist schwanger. Worte, schneidend wie Rasierklingen. Die beiden Male davor hatte er gesagt: *Wir sind schwanger*. Sosehr mich das damals auch gewurmt hatte. Ich hatte ihn deswegen sogar ein paarmal angeraunzt, dass schließlich *ich* diejenige sei, die unter Morgenübelkeit leide, unter Sodbrennen und Rückenschmerzen. Jetzt wünschte ich, er würde es wieder sagen. Dass das unser gemeinsames Ding ist.

»Ja«, sagte ich nur, schluckte und versuchte, es nicht so schwerzunehmen. *Er steht unter Schock. Er ist überfordert. Lass ihm einen Moment, lass ihn sich an den Gedanken gewöhnen. Dann kommt auch die Freude.*

»Du bist schwanger«, wiederholte er. Noch immer ohne Lächeln. Und dann ein emotionsloses »Wow«.

In der darauffolgenden Nacht setzten die Blutungen ein. Ich erinnere mich genau an das Blut im Höschen. Das Entsetzen, den Schock, die Angst, als ich es sah. Braunrot zuerst. Und dann, als die Krämpfe einsetzten, tiefrot. Wie ich den Arzt anrief, weil man das schließlich tut, oder? Die resignierte Stimme am anderen Ende der Leitung. *Da kann man nichts machen.* Und dann die Statistiken. Eine von vier Schwangerschaften. Als würde es dadurch weniger schlimm. Schmerzmittel wollte ich keine nehmen. Ich wollte den Schmerz spüren, wollte es miterleben. Das war ich ihr schuldig. Wenigstens das.

Ihr. Es war ein Mädchen. Das spürte ich. Ich konnte ihr kleines Gesicht sehen. Ein Leben, das nicht sein sollte.

Ich brachte es nicht über mich, Matt zu wecken und es ihm zu sagen. Nicht, nachdem er die Nachricht so aufgenommen hatte. Ich sah sein Gesicht wieder vor mir, hörte seine Worte – ihn würde es nicht so treffen wie mich. Das wusste ich genau. Ich musste das alleine durchstehen. Mein Baby verlieren, mein Baby betrauern. Die schmerzlichste, herzzerreißendste Erfahrung meines ganzen Lebens. Dabei wollte ich allein sein.

Es tut mir leid, wisperte ich, als die Krämpfe stärker wurden und die Schmerzen beinahe unerträglich. Die Tränen liefen mir in Strömen übers Gesicht, und ich wusste nicht einmal, warum. Matts Reaktion vielleicht. Hätte sie in ihrem kurzen Leben nicht eigentlich nichts als Liebe erfahren sollen? Geborgenheit? Glück? *Es tut mir so leid.*

Und als ich schon glaubte, der Schmerz könne unmöglich

schlimmer werden, wurde er noch stärker. Unfähig, mich zu rühren, kauerte ich zusammengekrümmt auf dem Badezimmerboden und biss die Zähne zusammen, um nicht zu schreien. Ich dachte, ich müsste sterben, so schlimm war es. Überall war Blut. Niemand hatte mir gesagt, dass es wie eine Geburt sein würde. Dass es *so* schlimm sein würde. Irgendwann hielt ich es nicht mehr aus. Gerade als ich den Mund aufmachen und schreien wollte, war Matt plötzlich bei mir. Kniete neben mir auf dem Boden, nahm mich in die Arme und hielt mich fest. Fast, als spürte er meine Schmerzen.

»Alles gut, alles gut«, murmelte er, und das war so falsch. Weil gar nichts gut war. Es war nicht gut. Er wiegte mich in seinen Armen, und plötzlich überkam es mich, und ich konnte mich nicht mehr beherrschen und schluchzte haltlos und zitterte am ganzen Leib – weil ich nicht wollte, dass er da war, weil ich mein Baby verloren hatte, weil das Leben nicht fair war.

»Warum hast du mich denn nicht geweckt?«, fragte er. Ich hatte den Kopf an seiner Brust vergraben. Hörte seinen Herzschlag und spürte das Vibrieren in seinem Brustkorb, als er sprach. Deutlicher beinahe, als ich die Worte hörte.

Ich löste mich von ihm, schaute ihn an und flüsterte: »Weil du es nicht wolltest.«

Mit weit aufgerissenen Augen wich er zurück. Ich sah den Schmerz in seinem Blick, und es überkam mich wie eine Flutwelle. Ich fühlte mich entsetzlich. Schuldig. Schließlich war das auch *sein* Baby. Natürlich hatte er sie gewollt. Hätte ich etwas Furchtbareres sagen können?

»Warum sagst du so was?«, flüsterte er.

Ich guckte auf den Boden, auf die Fugen zwischen den Fliesen, und ein bleiernes Schweigen legte sich auf uns.

»Ich hatte Angst«, gestand er schließlich. »Ich habe nicht richtig reagiert.« Ich sah ihn an, aber sein trauriger Blick war zu viel für mich. Also lehnte ich mich wieder gegen seine Brust, gegen das Hemd, das kalt war von meinen Tränen. Ich spürte, wie er zögernd die Arme um mich legte, und hatte mit einem Mal das Gefühl, dass vielleicht *doch* alles wieder gut werden könnte.

»Es tut mir leid«, murmelte er, und in diesem Augenblick wusste ich, dass ich mich geirrt hatte. Ich hätte nicht das Schlimmste annehmen dürfen. Ich hätte das nicht alleine durchmachen müssen. »Ich liebe dich, Viv.«

»Ich liebe dich auch.«

Spätnachmittags ruft Mom an, um Bescheid zu sagen, dass sie Ella von der Kita abgeholt hat. Dass mein Dad Luke von der Bushaltestelle nach Hause begleitet hat. Dass Lukes Rucksack irgendwie abhandengekommen ist, ansonsten aber alle gesund und munter zu Hause sind. Ich atme auf. *Vergiss den Rucksack*, sage ich, als sie ihn zum dritten Mal erwähnt. *Wir kaufen ihm einen neuen.* Der Rucksack ist mir egal. Wichtig ist nur, dass die Kinder in Sicherheit sind. Erst als sie anrief, ist mir aufgegangen, wie sehr ich darauf gewartet hatte, dass sie sich meldet und sagt, dass alles in Ordnung ist.

Den Rest des Tages arbeite ich fast wie im Fieberwahn. Tippe Namen in Suchleisten, durchsuche Akten, alles, um irgendwie den Agentenführer aufzutun, Fortschritte zu machen, die Situation wieder unter Kontrolle zu bringen. Aber umsonst. Wieder vergebens gesucht.

Wieder einen ganzen Tag vergeudet.

Nach exakt acht Stunden mache ich Schluss. Als ich zu Hause ankomme, beginnt es bereits zu dämmern. Ich rolle in die Einfahrt, bleibe bei laufendem Motor im Wagen sitzen und schaue rüber zum Haus. Drinnen brennen die Lichter, und die Gardinen sind so durchscheinend, dass man die Umrisse meiner Eltern und meiner Kinder erkennen kann.

Und dann bleibt mein Blick an etwas hängen. Einem Schatten. Einer schemenhaften Gestalt auf der Veranda. Da sitzt, versteckt im Dunkeln, jemand auf einem der Stühle.

Juri.

Auch ohne sein Gesicht zu sehen, weiß ich, dass er es ist. Es ist wie eine Vorahnung. Siebter Sinn.

Mir bleibt fast das Herz stehen. Was macht der hier? *Hier*, bei mir zu Hause? Nur ein paar Schritte von meinen Kindern entfernt. Was will er? Ohne nachzudenken, ziehe ich den Schlüssel aus dem Zündschloss und greife nach meiner Handtasche. Dabei lasse ich ihn nicht aus den Augen. Entschlossen steige ich aus dem Wagen und gehe zur Veranda hinüber.

Reglos sitzt er da und beobachtet mich. Im wahren Leben wirkt er viel größer. Fieser. Er trägt Jeans und ein schwarzes Hemd. Die beiden oberen Knöpfe stehen offen, um den Hals liegt eine Goldkette mit irgendeinem Anhänger. Schwarze Schnürstiefel, Springerstiefel, um genau zu sein. Ich bleibe vor ihm stehen und versuche, mit schierer Willenskraft die Haustür verschlossen und meine Kinder sicher im Haus zu halten.

»Was wollen Sie?«

»Kommen Sie, setzen Sie sich, Vivian.« Er hat einen Akzent. Allerdings nicht so ausgeprägt, wie ich es erwartet hätte. Er weist auf den Stuhl neben sich. *Meinen* Stuhl.

»Was wollen Sie?«

»Reden.« Er beobachtet mich, wartet darauf, dass ich mich setze. Aber das tue ich nicht. Schließlich steht er achselzuckend auf. Greift in die Hosentasche und zieht eine Packung Zigaretten heraus. Unter dem Hemd zeichnet sich etwas Festes ab.

Ein Holster vermutlich. Mir schlägt das Herz bis zum Hals.

Er klopft die Schachtel gegen die flache Hand, einmal, zweimal. Beäugt mich abschätzend. »Ich mache es kurz, weil ich weiß, dass Ihre Kinder auf Sie warten.«

Als er die Kinder erwähnt, überläuft es mich eiskalt, und mein Blick geht wieder zu seiner Hüfte.

Er öffnet die Schachtel, zieht eine Zigarette heraus, schließt sie wieder. Alles langsam und bedächtig. Er hat keine Eile. Gar keine. »Ich muss Sie bitten, sich jetzt um die Sache mit dem USB-Stick zu kümmern.«

Mir schießt durch den Kopf, dass ich nicht will, dass er sich hier eine Zigarette anzündet. Ich möchte nicht, dass es auf der Veranda nach Rauch riecht, hier in der Nähe der Kinder. Als sei *das* meine größte Sorge.

Er steckt sich die Zigarette zwischen die Lippen und sucht in der vorderen Hosentasche nach dem Feuerzeug. Dabei rutscht das Hemd hoch, gerade weit genug, dass das schwarze Plastik zum Vorschein kommt. Eindeutig ein Holster. »Tun Sie das, dann bekommen wir beide, was wir wollen.« Während er spricht, wackelt die Zigarette auf und ab.

»Beide?«

Er lässt das Feuerzeug klicken, einmal, zweimal, bis eine Flamme herauszüngelt. Hält sie an die Zigarette, die orangerot aufglüht. Schaut mich an und zuckt mit den Schultern. »Genau. Ich bekomme Zugriff auf das Programm. Sie bekommen Ihr altes Leben zurück. Mit Ihren Kindern.«

Mit Ihren Kindern. Nicht mit Mann und Kindern. »Und was ist mit Matt?« Die Frage ist raus, ehe ich mich bremsen oder noch mal darüber nachdenken kann.

»Matt?« Verwirrt sieht er mich an. Dann lacht er schallend und nimmt die Zigarette aus dem Mund. »Ach, Alexander.« Grinsend schüttelt er den Kopf. »Sie sind wirklich naiv, oder? Andererseits, darauf hat Alexander immer gezählt, nicht wahr?«

Mir wird übel. Er nimmt einen Zug, pustet den Rauch aus. »Hat er Sie nicht in die ganze Sache reingezogen? Sie verraten?«

»Er würde mich nie verraten.«

»Hat er längst.« Wieder lacht er auf. »Er sagt uns alles, was Sie ihm sagen. Seit *Jahren* schon.«

Ich schüttele den Kopf. *Unmöglich.*

»Ihre Kollegen? Wie heißen sie noch mal? Marta? Trey?«

Mir bleibt die Luft weg. Matt hat mehrfach versichert, er habe das nicht getan. Er hat es mir geschworen. Und ich hätte geschworen, dass er die Wahrheit sagt.

Das Lächeln verschwindet aus Juris Gesicht, und zurück bleiben eiskalte Züge. Er kneift die Augen zusammen und nimmt die Zigarette aus dem Mund. »Lassen wir den Smalltalk. Reden wir Klartext. Wollen Sie, dass es aufhört?«

Er wartet auf eine Antwort. »Ja«, sage ich.

»Sie wissen, dass Sie keine Wahl haben.«

»Ich habe eine Wahl.«

Er verzieht die Lippen zu einem schiefen Grinsen. »Gefängnis? Wollen Sie das wirklich?«

Mein Herz schlägt viel zu schnell.

»Wenn Sie sich weigern zu kooperieren, was sollte mich dann davon abhalten, die Suchergebnisse den zuständigen Behörden zuzuspielen?«

»Matt«, flüstere ich. Und weiß doch im selben Moment, dass Matt kein Grund ist.

Er lacht und nimmt noch einen tiefen Zug von der Zigarette. »Ihr Mann ist längst weg, Vivian«, sagt er, und mit den Worten quillt aus seinem Mund ein Schwall Rauch, der alles umhüllt.

»Das glaube ich nicht«, flüstere ich, obwohl ich gar nicht mehr weiß, was ich glauben soll.

Er starrt mich an mit einer Miene, die ich nicht deuten kann. Dann klopft er die Asche von seiner Zigarette. »Er wollte allerdings, dass wir uns um Sie kümmern.«

Ich erwidere seinen Blick. Halte den Atem an und warte ab, was noch kommt.

»Wir zahlen gut. Genug, dass es für Sie und Ihre Kinder reicht. Für eine lange Zeit.«

Ohne zu blinzeln, starre ich ihn an, sehe zu, wie er an der Zigarette zieht und den Rauch durch die Nase ausstößt, den Blick auf die Straße gerichtet. Schließlich lässt er die Kippe auf die Veranda fallen und drückt sie mit dem Stiefelabsatz aus. Schaut mich vielsagend an. »Sie sind alles, was Ihre Kinder noch haben. Vergessen Sie das nicht.«

Nach der Fehlgeburt stand es für mich außer Frage, dass ich noch ein Kind haben wollte. Zu schmerzlich war die Sehnsucht nach dem, das ich verloren hatte. Das kleine Mädchen, dessen Gesicht ich noch immer im Traum vor mir sah. Jedes Mal, wenn ich eine schwangere Frau sah, rechnete ich in Gedanken nach, wie weit ich jetzt wäre. Und es tat mir im Herzen weh. Ich wollte die mit der Gummibundhose sein, die mit den geschwollenen Knöcheln. Ich wollte das Gästezimmer in ein Kinderzimmer verwandeln, unglaublich winzige Babysachen auseinanderfalten.

Und vor allem wollte ich ein Baby. Ich wusste, *sie* würde ich nie haben. Die, die ich verloren hatte. Aber ich wollte eins. Ein Baby zum Knuddeln, zum Liebhaben, zum Beschützen. Ich wollte eine neue Chance.

Zwei Kinder in der Tagesbetreuung konnten wir uns leisten, aber nicht drei, wie Matt wiederholt betonte. Und ich war immer noch nicht über seine Reaktion auf die letzte Schwangerschaft hinweg. Obwohl ich mir also nichts sehnlicher wünschte, als schwanger zu werden, warteten wir ab, bis Luke in den Kindergarten kam, bevor wir es erneut versuchten.

Und als der kleine Streifen sich tatsächlich wieder blau färbte, bekam ich furchtbare Angst. Angst, auch dieses Kind zu verlieren. Angst, wie Matt diesmal reagieren würde. Also behielt ich es für mich. Einen Tag und dann noch einen. Wartete darauf, dass wieder Blutungen einsetzten. Als keine kamen, beschloss ich, es ihm zu sagen.

Ich machte kein großes Ding daraus. Die kleinen T-Shirts bargen nur schmerzliche Erinnerungen. So hielt ich ihm, als die Kinder schliefen und wir allein waren, zusammengekuschelt auf der Couch, den Teststreifen hin und wartete ab.

Er schaute erst den Test an und dann mich. »Wir sind schwanger«, flüsterte er, und ein breites Grinsen schlich sich auf sein Gesicht. Dann nahm er mich in die Arme und drückte mich so fest, dass ich schon fast Angst bekam um das Kleine in meinem Bauch.

Ein paar Wochen später hatten wir den ersten Termin bei der Gynäkologin. Ungeduldig hatte ich die Tage gezählt; ich konnte es gar nicht erwarten, zu hören, ob alles in Ordnung war. Jedes Mal, wenn ich zur Toilette ging, fürchtete ich, Blut zu sehen. Und als ich endlich auf dem Untersuchungsstuhl saß, neben mir das Ultraschallgerät, beschlich mich eine weitere Angst. Dass kein Herzschlag zu hören sein könnte. Dass womöglich irgendwas nicht stimmte.

Dr. Brown begann mit dem Ultraschall. Matt nahm meine Hand, und ich drückte fest zu, während ich mit wachsender Panik auf den Monitor starrte. Ungeduldig darauf wartete, das zuckerwattige graue Etwas zu sehen, während die Ärztin die Sonde bewegte und den richtigen Punkt, den richtigen Winkel suchte. Verzweifelt hoffte ich, endlich das leichte Flattern eines schlagenden Herzens zu sehen. Und dann war es plötzlich da. Ein kleiner weißer Knubbel. Ein pumpendes Herz.

Und daneben ein zweites.

Fassungslos schaute ich auf den Monitor, wohl wissend, was ich da sah. Schließlich riss ich den Blick widerstrebend los und sah rüber zu Matt. Auch er hatte es gesehen. Kreidebleich war er und lächelte mir zu. Aber das Lächeln wirkte gequält.

Matt mochte erschrocken sein, überrumpelt oder was auch immer – ich dagegen war überglücklich. Zwillinge! Nicht bloß ein Baby zum Knuddeln, sondern gleich zwei! Fast wie eine zweite Chance für das Kleine, das ich ein Jahr zuvor verloren hatte.

Während der Fahrt nach Hause hingen wir beide unseren Gedanken nach, bis Matt schließlich fragte: »Wie sollen wir das nur schaffen?«

Ich war mir nicht sicher, was er meinte: vier Kinder großzuziehen, oder die schlaflosen Nächte mit gleich zwei Säuglingen, oder das Finanzielle, oder was auch immer. Aber ich beantwortete die Frage, wie ich sie verstanden hatte. Wie ich sie mir auch schon gestellt hatte. »Ich bleibe zu Hause.«

Matt umklammerte das Lenkrad so fest, dass die Haut sich über den Knöcheln spannte.

»Wenigstens die erste Zeit …«

»Aber wird dir die Arbeit nicht fehlen?«

Ich schaute nach draußen. »Vielleicht.« Und dann bremste ich mich, ehe ich noch mehr dazu sagte. Ich wusste, dass die Arbeit mir fehlen würde. Mir würde das Gefühl fehlen, etwas zu bewegen. Zu sehen, ob die neue Methode, die ich entwickelt hatte, dazu taugte, Schläfer in den USA zu enttarnen. »Die Kinder würden mir mehr fehlen.«

»Aber irgendwann …«

»Irgendwann gehe ich natürlich zurück.« Hoffte ich zumindest. Wenn alle Kinder in der Schule waren. Wenn ich nicht mehr das Gefühl hatte, dass die Zeit mir zwischen den Fingern zerrann. Wenn ich mich wirklich auf den Job konzentrieren, ihm die Aufmerksamkeit widmen könnte, die er verdiente; wenn ich nicht das ungute Gefühl zu haben bräuchte, alles im Leben nur halbherzig anzugehen.

»Kannst du das denn dann noch?« Er warf mir einen fragenden Seitenblick zu.

Darauf sagte ich erst einmal nichts. Tatsächlich gab es keine Garantie dafür, dass ich in meinen alten Job würde zurückkehren können. Die Etatkürzungen, von denen immer gemunkelt worden war, wurden gerade umgesetzt, und sie hatten einen totalen Einstellungsstopp verhängt. Wenn ich jetzt ging, gab es womöglich kein Zurück.

»Die Krankenversicherung wird das größte Problem«, meinte er. »Mit deiner waren wir bisher sehr gut dran.« Er schüttelte den Kopf. »Die private Absicherung ist ein Albtraum. Die Prämien sind unerschwinglich.«

Ich starrte weiterhin aus dem Fenster. Er hatte recht. Sein Job bot zwar unbestreitbare Vorteile, aber eine gute Krankenversicherung gehörte nun wirklich nicht dazu. »Wir sind jung und gesund«, meinte ich. Ich wollte mich in diesem Moment nicht mit Eventualitäten herumschlagen.

»Ich meine bloß, bei Zwillingen kommt es ja häufiger mal zu Komplikationen …«

Ein Auto überholte uns, viel zu schnell. Ich gab keine Antwort.

»Und mit nur einem Gehalt zurechtzukommen wird auch eine Umstellung.«

Mir wurde ganz flau im Magen, und ich konnte kaum atmen. Kurz bekam ich Angst um die Babys. Ich durfte mich nicht so aufregen. Ich musste mich beruhigen. Ich holte tief Luft. Einmal, und dann noch mal.

»Die Babys werden nicht immer Babys bleiben, weißt du«, fuhr er fort.

»Ich weiß«, erwiderte ich, jetzt schon im Flüsterton. Alles um mich herum verschwamm. Was, wenn ich nicht nur vorübergehend einen Schritt von der Karriereleiter machte? Was, wenn ich nie wieder einen Fuß darauf setzen könnte? Meine Arbeit war Teil meiner Identität. War ich wirklich bereit, sie aufzugeben?

Ich wollte beides. Genug Zeit für die Kinder *und* einen Beruf, der mich ausfüllte. Aber das schien ein Ding der Unmöglichkeit.

Ein paar Augenblicke später suchte seine Hand meine. »Ich weiß bloß nicht, wie das gehen soll«, murmelte er. »Ich will doch nur, dass es uns gutgeht.«

Ich schaue Juri nach. Er geht zu einem Wagen auf der anderen Straßenseite, einem schwarzen viertürigen Wagen. D.C.-Nummernschilder in Rot, Weiß und Blau. Ich lese die Buchstaben-Zahlen-Kombination und wiederhole sie im Stillen ein-, zweimal. Sehe zu, wie er losfährt. Unsere Straße hinunter. Bis die Rücklichter verschwunden sind. Krame in meiner Handtasche nach einem Stift und einem Zettel und schreibe das Kennzeichen hastig und krakelig auf.

Und dann kann ich nicht mehr. Ich breche zusammen. Sinke kraftlos auf den Boden und schlinge die Arme um die Knie. Zittere am ganzen Körper. Ist das die Wirklichkeit? Oder bloß ein entsetzlicher Albtraum?

Ich stecke doch nur deshalb in diesem Schlamassel, weil ich Matt schützen wollte. Weil ich wollte, dass er da ist. Bei mir. Und den Kindern. Dass unser Leben so normal bleibt wie irgend möglich. Und jetzt ist er weg.

Er hat mich angelogen, was Marta und Trey angeht. Er hat Juri eben doch von ihnen erzählt. Natürlich hat er das. Wie konnte ich nur so naiv sein, so leichtgläubig? Aber warum hat er mir nicht einfach die Wahrheit gesagt? Ich habe sein Gesicht vor Augen, als er schwor, er hätte niemandem etwas erzählt. Nicht der leiseste Hauch von Hinterlist. Wie soll ich denn je herausfinden, was gelogen war und was nicht?

Und die Kinder. O Gott, die Kinder. *Sie sind alles, was Ihre Kinder noch haben.* Juri hat recht, oder? Was würde aus ihnen werden, wenn ich ins Gefängnis müsste?

Hinter mir geht quietschend die Tür auf. Die hätte längst mal geölt werden müssen. »Vivian?« Meine Mutter. Und dann Schritte, die näher kommen. Der Duft ihres Parfums, der mich umfängt, als sie sich neben mich kniet. »Ach, Liebes«, murmelt sie.

Sie nimmt mich in die Arme, wie sie es nicht mehr gemacht hat, seit ich ein kleines Mädchen war. Ich vergrabe das Gesicht in ihrer weichen Umarmung und fühle mich wieder wie ein Kind.

»Vivian, Liebes, was ist denn los? Ist es wegen Matt? Hast du was von ihm gehört?«

Ich habe das Gefühl zu ertrinken. Schüttele, das Gesicht noch immer in ihren Armen versteckt, den Kopf. Sie streicht mir übers Haar. Ich spüre die Liebe, die sie verströmt. Ihren innigen Wunsch, mir zu helfen, mir diesen Schmerz zu nehmen. Spüre, dass sie alles für mich tun würde.

Langsam löse ich mich aus ihrer Umarmung und sehe sie an. Hier im Dunkeln, wo ihr das Licht aus dem Haus ins Gesicht fällt und man ihre Sorgenfalten sieht, kommt sie mir mit einem Mal viel älter vor. Wie viele Jahre ihr und meinem Dad wohl noch bleiben, so gesund und rege wie jetzt? Nicht genug, um meine vier Kinder großzuziehen. Ganz sicher nicht.

Und zusehen zu müssen, wie ich ins Gefängnis gehe – ich mag mir gar nicht ausmalen, was das mit ihnen machen, wie ihnen das zusetzen würde.

»Er wird sich melden, Liebes. Ganz bestimmt.« Aber die Verunsicherung ist ihr anzusehen. Diesen Blick kenne ich nur zu gut. Diese nagenden Selbstzweifel. Die schmerzliche Einsicht, dass Matt womöglich nicht der war, für den sie ihn gehalten hat. Weil der Mann, für den sie ihn gehalten hat, nicht einfach sang- und klanglos verschwinden und seine Familie im Stich lassen würde. Aber das will ich nicht sehen. Ich will weder diese Unsicherheit sehen, noch die Lügen hören, die mich irgendwie trösten sollen.

Statt zu knien, setzt sie sich jetzt und rückt dicht an mich heran. Schweigend hocken wir da. Ihre Hand beschreibt auf meinem Rücken sanfte Kreise, so, wie ich es immer bei meinen Kindern mache. Ich höre die Zikaden zirpen. Eine Autotür geht auf und wieder zu.

»Was ist passiert?«, fragt sie leise und spricht damit endlich die Frage aus, die ihr sicher seit meinem Anruf auf der Zunge liegt. »Warum ist Matt nicht da?«

Ich gucke hinüber zum Haus der Kellers, zu den blauen Fensterläden und heruntergelassenen Jalousien, durch die hier und da Licht schimmert.

»Wenn du nicht darüber reden willst, ist das auch in Ordnung«, sagt sie.

Ich will ja darüber reden. Ich habe das dringende Bedürfnis, einfach mit allem herauszuplatzen. Ihr mein Herz auszuschütten, ihr mein finsteres Geheimnis anzuvertrauen. Aber es wäre nicht fair, diese Bürde meiner Mutter aufzuladen. Nein, das geht nicht. Diese Bürde muss ich allein tragen.

Aber irgendwas muss ich ihr sagen. »Es gab Dinge in seiner Vergangenheit…«, setze ich zögerlich an. »Dinge, die er mir nie erzählt hat.«

Aus den Augenwinkeln sehe ich sie nicken, als habe sie so etwas schon erwartet oder als überrasche es sie zumindest nicht. Ich stelle mir vor, wie sie und mein Dad nach meinem Anruf zusammengesessen und versucht haben, sich das alles zu erklären. Ich muss mich zusammenreißen, um nicht laut loszulachen. *Ach, Mom, es ist so ganz anders, als du denkst.*

»Bevor ihr euch kennengelernt habt?«, fragt sie.

Ich nicke.

Es dauert einen Moment, bis sie darauf etwas erwidert. Als müsse sie es sich erst zurechtlegen. »Wir haben alle Fehler gemacht«, meint sie schließlich.

»Sein Fehler war, mir nicht die Wahrheit zu sagen«, entgegne ich leise. Weil das stimmt. Es war nicht ein Moment der Schwäche, der zu dieser Katastrophe geführt hat. Es waren zehn Jahre Lügen.

Wieder sehe ich sie nicken. In endlosen Kreisen streicht sie mir über den Rücken. Eines der Fenster drüben bei den Kellers wird dunkel. »Manchmal«, setzt sie stockend an, »glauben wir, die Wahrheit zu verschweigen, würde die, die wir lieben, schützen.«

Ich starre auf das dunkle Fenster. Dieses kleine Rechteck, das jetzt schwarz ist. Genau das habe ich getan, oder? Versucht, meine Familie zu schützen. Ich sehe mich im Büro am Rechner sitzen, mit dem Mauszeiger über dem Löschen-Button.

»Ich kenne natürlich die Einzelheiten nicht«, fügt sie hinzu. »Aber der Matt, den ich kenne, ist ein guter Kerl.«

Ich nicke und versuche, die Tränen, die mir in den Augen stehen, herunterzuschlucken. Der Matt, den ich kenne, ist auch ein anständiger Mensch. Einer, der nicht einfach so verschwinden würde.

Aber was, wenn es den Matt, den wir beide kennen, nie wirklich gegeben hat?

Als die Kinder im Bett sind und Mom und Dad sich in das behelfsmäßig eingerichtete Gästezimmer zurückgezogen haben, sitze ich allein im Wohnzimmer. Die Stille um mich herum ist bedrückend.

Juri hat mich vor meiner eigenen Haustür abgefangen. Es ist überhaupt nicht vorbei. Sie werden mich nicht in Ruhe lassen. Anders als Marta. Und Trey.

Ich habe etwas Gesetzeswidriges getan. Und sie verfügen über einen Beweis dafür, der mich ins Gefängnis bringen könnte.

Sie haben mich in der Hand.

Juris Warnung hallt mir in den Ohren. *Sie sind alles, was Ihre Kinder noch haben.* Das stimmt. Matt ist verschwunden. Ich kann nicht darauf hoffen, dass er zurückkommt. Und in letzter Minute zu unserer Rettung herbeieilt wie ein Superheld aus einem Comic. Das muss ich schon selbst hinbekommen.

Ich muss kämpfen.

Ich darf nicht ins Gefängnis kommen.

Solange Juri den Beweis für mein Vergehen hat, ist es utopisch zu hoffen, ich würde dauerhaft auf freiem Fuß bleiben. *Solange Juri den Beweis hat.* Die Erkenntnis trifft mich wie ein Schlag. Was, wenn er den Beweis nicht mehr hätte?

Die CIA kann mir nichts nachweisen. Nur die Russen. Nur Juri.

Er muss eine Kopie haben von dem, was er mir in den Briefkasten geworfen hat. Von diesen Ausdrucken, die beweisen, dass ich das Foto von Matt gesehen habe. Damit erpresst er mich. Was, wenn ich die Kopie ausfindig machen und vernichten kann? Dann hätte er nichts mehr gegen mich in der Hand. Natürlich könnte er den zuständigen Ermittlungsbehörden immer noch alles erzählen, aber dann stünde sein Wort gegen meins.

Das ist es. Das ist die Lösung. So kann ich meinen Kopf aus der Schlinge ziehen. Bei meinen Kindern bleiben. Ich muss den Beweis beseitigen. Aber dafür muss ich ihn erst mal finden.

Ein Adrenalinschub pulst durch meinen Körper. Entschlossen stehe ich auf und gehe in den Flur. Krame in meiner Tasche, bis ich den Zettel mit Juris Autokennzeichen gefunden habe.

Dann gehe ich nach oben ins Zimmer der Zwillinge und hole eine Plastikkiste vom obersten Regalbrett. Anziehsachen, aus denen sie längst rausgewachsen sind. Wühle weiter, bis ich es gefunden habe. Das alte Wegwerfhandy. Damit gehe ich wieder nach unten, ins Wohnzimmer. Suche Omars Nummer. Nehme den Akku aus meinem Handy und rufe ihn mit dem Prepaid-Handy an.

»Hier ist Vivian«, melde ich mich, als er rangeht. »Du musst mir einen Gefallen tun.«

»Schieß los.«

»Du müsstest ein Nummernschild überprüfen.«

»Okay.« Jetzt zögert er doch. »Kannst du mir vielleicht auch sagen, warum?«

»Da stand heute ein Auto bei uns in der Straße.« Was ja so weit auch stimmt. »Es stand da ziemlich lang. Kam mir verdächtig vor. Ist vermutlich falscher Alarm, aber ich dachte, ich gehe der Sache lieber nach.« Die Lüge kommt mir erstaunlich leicht über die Lippen.

»Ja, klar. Kein Ding. Moment.«

Ich höre es im Hintergrund rascheln und stelle mir vor, wie er den Laptop aufklappt und auf eine FBI-Database geht. Irgendeine Seite, die ihm landesweit Zugriff auf Autoregistrierungen ermöglicht. Auf sämtliche amtlich verfügbaren Daten. Über das Kennzeichen müsste ich mit ein bisschen Glück Namen und Adresse des Halters in Erfahrung bringen können. Herausfinden, welchen Decknamen Juri in den USA benutzt. Und wenn ich schon nicht an seine Adresse komme, dann erhalte ich vielleicht wenigstens einen Anhaltspunkt, etwas, das ich weiterverfolgen kann.

»Fertig«, murmelt Omar. Ich lese ihm das Kennzeichen vor und höre, wie er es eingibt. Dann eine lange Pause, der weiteres Tastenklackern folgt. Schließlich liest er mir die Nummer noch mal vor, um sich zu vergewissern, dass er sie richtig übernommen hat. Fragt, ob ich mir ganz sicher bin. Ich schaue noch mal auf den Zettel. Die Nummer stimmt.

»Hmm«, brummt er. »Seltsam.«

Ich halte die Luft an. Bin gespannt, was er sagt.

»So was ist mir noch nie untergekommen.«

Mein Herz pocht so laut, dass ich es hören kann. »Was denn?«

»Dieses Kennzeichen ist nicht registriert.«

Am nächsten Morgen hole ich gerade eine Kaffeetasse aus dem Küchenschrank, als mein Blick auf den Thermosbecher fällt. Metallisch glänzend steht er da neben den anderen Tassen im Schrank. Ich erstarre.

Das Nummernschild war mein einziger Hinweis. Ich habe keine Ahnung, wo ich nach Juri suchen soll. Wie ich den Beweis, der mich hinter Gitter bringen könnte, vernichten soll.

Ganz langsam greife ich nach dem Becher. Nehme ihn aus dem Schrank. Stelle ihn auf die Ablage.

Ich könnte es machen. Ich könnte den Stick mit zur Arbeit nehmen und in den Rechner stöpseln. Genau wie letztes Mal. Dann wäre es endgültig vorbei. Das hat Matt gesagt. Und Juri auch.

Wir zahlen gut. Genug, dass es für Sie und Ihre Kinder reicht. Für eine lange Zeit. Juris Versprechen geht mir nicht aus dem Kopf. Das war einer der wichtigsten Gründe, warum ich Matt nicht gleich ausgeliefert habe – die Angst, wenn er weg wäre, nicht allein für die Kinder sorgen zu können. Jetzt ist er weg. Und Juri hat mir eine Tür geöffnet. Eine Möglichkeit geboten, die meine Probleme lösen würde.

Und dann muss ich wieder an das denken, was Matt damals im Auto gesagt hat: *Sollte mir was zustoßen, dann musst du tun, was immer nötig ist, um für die Kinder zu sorgen.*

Was immer nötig ist.

»Vivian?«

Ich drehe mich um, und da steht meine Mom. Ich habe sie

nicht mal kommen gehört. Mit besorgter Miene schaut sie mich an. »Ist alles in Ordnung?«

Mein Blick geht zu dem Becher. Ich sehe mein Spiegelbild darin. Ein verzerrtes, unkenntliches Bild meiner selbst. Das bin nicht ich, oder? Ich bin doch ganz anders. Ich bin aufrechter. Stärker.

Entschieden drehe ich mich zu meiner Mom um. »Alles in Ordnung.«

Mit einem Kaffee, auf dem kleine Pulverkrümel schwimmen, sitze ich am Schreibtisch. Starre mit leerem Blick auf meinen Monitor, auf dem ein Bericht geöffnet ist. Irgendwas Belangloses, damit alle denken, ich sei beschäftigt. Dabei bin ich in Gedanken ganz woanders. Verzweifelt versuche ich, mich zu konzentrieren.

Ich muss diese Beweise finden. Ich muss sie vernichten. Aber ich habe keine Ahnung, wie.

Omar hat noch ein paar andere Datenbanken abgeglichen, aber das Kennzeichen scheint tatsächlich nicht zu existieren. *Vivian, was ist los?*, hat er mich schließlich gefragt. *Ich muss die Nummer falsch notiert haben*, habe ich entgegnet. Aber ich wusste genau, dass ich mich nicht geirrt hatte. Und dass es keinen Eintrag zu diesem Kennzeichen gibt, macht mir umso mehr Angst.

Kurz überlege ich, die Kinder zu nehmen und schleunigst zu verschwinden, aber das ist zwecklos. Die Russen sind gut. Sie würden uns finden.

Nein. Ich muss hierbleiben und kämpfen.

Spätabends, als die Kinder und meine Eltern längst schlafen, sitze ich wieder allein im Wohnzimmer. Im Hintergrund läuft der Fernseher, damit ich ein bisschen Gesellschaft habe, damit mir die bedrückende Stille erspart bleibt, die sich sonst über das ganze Haus legt. Eine Dating-Show. Dutzende Frauen, die sich um einen Mann balgen. Allesamt rettungslos verliebt, obwohl sie den eitlen Gockel überhaupt nicht kennen.

Mein Telefon vibriert und tanzt auf dem Couchkissen neben mir. *Matt*, ist mein erster Gedanke, weil er der einzige Grund ist, warum mein Handy neuerdings immer an ist. Aber auf dem Display steht UNBEKANNT. *Nicht Matt*. Es vibriert weiter, beharrlich und quengelnd. Ich schalte den Fernseher stumm, greife nach dem Handy und halte es mir ans Ohr, vorsichtig, als könnte es womöglich explodieren. »Hallo?«

»Vivian«, tönt eine unverwechselbare Stimme mit russischem Akzent. Mein Magen krampft sich zu einem Knoten zusammen. »Ein weiterer Tag, und Sie haben Ihre Aufgabe *noch immer* nicht erledigt.« Sein Ton ist freundlich; es hört sich nach nettem, belanglosem Geplauder an. Was mich nur noch mehr verstört, denn *was* er sagt, klingt bedrohlich. Vorwurfsvoll und unheilkündend.

»Ich hatte heute keine Gelegenheit«, schwindele ich, weil ich gerade nichts anderes tun kann, als zu versuchen, ein bisschen Zeit zu schinden.

»Ach«, sagt er. Eine einzige schwere Silbe, die mir unmissverständlich klarmacht, dass er mir kein Wort glaubt. »Tja. Dann stelle ich Sie jetzt zu jemandem durch, der« ... er unterbricht sich, als suche er nach den richtigen Worten ... »Sie vielleicht eher davon überzeugen kann, dass es Zeit wird, eine Gelegenheit zu finden.«

Es klickt in der Leitung. Einmal, und dann noch mal. Ein seltsames Schnarren. Angespannt warte ich, und dann ... Dann höre ich ihn. Matt. »Viv, ich bin's.«

Meine Finger schließen sich fest um das Handy. »Matt? Wo bist du?«

Eine Pause. »In Moskau.«

Moskau. Unmöglich. Moskau würde bedeuten, dass er abgehauen ist. Dass er die Kinder einfach alleingelassen hat, unbeaufsichtigt. Bis zu diesem Augenblick war mir nicht klar, dass ich das nie wirklich geglaubt habe. Dass ich immer noch gehofft habe, er würde zu uns zurückkommen. Dass er nicht für immer fort ist.

»Hör zu, du musst das machen.«

Ich bin wie betäubt. Sprachlos. *Moskau.* Das fühlt sich alles gar nicht echt an.

»Denk an die Kinder.«

Denk an die Kinder. Wie kann er es wagen, mir das zu sagen? »Hast du das denn?«, frage ich, und meine Stimme wird schneidend. »Hast du an die Kinder gedacht?« Ich sehe Luke vor mir, wie er allein am Küchentisch saß, nachdem Matt verschwunden war. Die jüngeren drei, wie sie am Eingang der Kita gestanden und auf mich gewartet haben.

Keine Antwort. Ich glaube, ihn atmen zu hören. Oder ist das Juri? Ich weiß es nicht. Und in dem Schweigen sehe ich uns bei unserer Hochzeit auf der Tanzfläche. Denke an das, was er mir da ins Ohr geflüstert hat. Und dann schüttele ich den Kopf. Ich weiß nicht mehr, was ich glauben soll.

»Sie bezahlen dich dafür«, sagt er. »So gut, dass du deinen Job aufgeben kannst.«

»Was?«, keuche ich.

»Du hättest mehr Zeit für die Kinder. Das hast du doch immer gewollt.«

Aber doch nicht so. Auf keinen Fall. »Ich wollte *uns*«, höre ich mich wispern. »Dich und mich. Unsere Familie.«

Wieder wird es still in der Leitung. »Ich auch.« Seine Stimme klingt belegt. Ich kann mir genau vorstellen, wie er jetzt guckt. Wie er die Stirn kraus zieht.

Mir kommen die Tränen, und alles verschwimmt.

»Bitte, Vivian«, fleht er, und die Verzweiflung in seiner Stimme jagt mir einen Schauer nackter Angst über den Rücken. »Tu es! Für die Kinder.«

Auch als die Leitung längst tot ist, halte ich mir das Handy noch lange ans Ohr. Irgendwann lege ich es schließlich wieder auf das Couchkissen und starre es entgeistert an. Was er zuletzt gesagt hat, hallt mir in den Ohren. Wie er es gesagt hat. Die Angst in seiner Stimme. Irgendwas stimmt da nicht.

Ich sollte einfach tun, was sie sagen. Schließlich haben sie mir einiges versprochen. Es ist das Letzte, was ich für sie tun soll. Sie zahlen gut. Die Kinder und ich hätten ausgesorgt. Ich könnte für sie da sein. Ich müsste nur den Stick in den Computer stecken. Wie ich es schon einmal getan habe.

Aber das kann ich nicht. Ich kann es nicht verantworten, unseren Informanten zu schaden. Unserem Land. Und ich kann nicht darauf vertrauen, dass sie es ehrlich meinen. Dass sie nicht doch bei jeder sich bietenden Gelegenheit wieder auf mich zukommen.

Sie wollen mir das Gefühl vermitteln, mir bliebe keine Wahl. Ich sei ganz allein und nicht stark genug für alles.

Aber da irren sie sich. Ich habe die Wahl.

Und wenn es um meine Kinder geht, bin ich stärker, als sie glauben.

In der zwanzigsten Woche bekam ich einen Anruf. Auf dem Handy. Auf dem Weg von der Arbeit nach Hause. Eine Festnetznummer mit örtlicher Vorwahl. Vermutlich die Gynäkologin, dachte ich. Morgens war ich zum zweiten Mal beim Ultraschall gewesen – auf diese Untersuchung hatte ich seit Wochen hingefiebert.

Neben mir auf dem Beifahrersitz lag ein langer Streifen mit verschwommenen Schwarz-Weiß-Aufnahmen. Darauf zu erkennen zwei kleine Gesichter, Arme und Beine und winzig kleine Fingerchen und Zehen. Die Aufzeichnung hatte einen der beiden beim Lächeln erwischt und den anderen, wie er am Daumen lutschte. Ich konnte es kaum erwarten, Matt die Bilder zu zeigen.

Und daneben der Umschlag. Schlicht, weiß, vorne drauf nur ein rasch hingekritzeltes Wort. *Geschlechter*. Zugeklebt, weil ich mich nur zu gut kannte und nicht der Versuchung erliegen wollte, heimlich hineinzuspicken. Den würden wir gemeinsam aufmachen. Matt und ich und die Kinder.

»Hallo?«, meldete ich mich.

»Ms Miller?«, fragte eine Stimme, die ich nicht kannte. Das war nicht die Sprechstundenhilfe, die sonst bei diesen Routinegeschichten anrief, um zu sagen, dass alles ganz wunderbar aussieht. Meine Hände krallten sich ums Lenkrad. Mich beschlich das Gefühl, ich sollte vielleicht besser anhalten. Und ich würde das, was sie mir zu sagen hatte, lieber nicht hören wollen. Dabei hatte ich gerade erst angefangen zu glauben, dass alles gutgehen würde.

»Ja?«, brachte ich mühsam heraus.

»Hier spricht Dr. Johnson von der Kinderkardiologie.«

Kinderkardiologie. Mir war plötzlich, als lege sich eine tonnenschwere Last auf meine Schultern. Erdrückend schwer. Nach dem Ultraschall morgens hatten sie auch noch ein Echokardiogramm gemacht. *Nur keine Sorge*, hatte die Arzthelferin mir zugeraunt, als sie mich über den Gang ins Untersuchungszimmer führte. *Bei Zwillingen wollen sie sich das manchmal einfach genauer ansehen.*

Und ich hatte ihr geglaubt. Hatte geglaubt, dass ich mir keine Sorgen zu machen brauchte. Dass die Ärztin, die den Ultraschall gemacht hatte, einfach etwas distanziert war. Dass sie mir nichts sagen durfte, dass aber alles in bester Ordnung war.

»Einer der Föten zeigt keinerlei Anomalie.« Dr. Johnsons Stimme klang belegt.

Einer der Föten. Plötzlich war da ein dumpfes Pochen in meinen Schläfen. *Das hieß: der andere schon.* »Okay.« Meine Stimme war kaum hörbar.

»Ms Miller, ich würde Ihnen das gerne schonend beibringen, aber dafür fehlen mir die geeigneten Worte. Der andere Fötus hat einen kritischen angeborenen Herzfehler.«

Ich kann mich nicht daran erinnern, angehalten zu haben. Das Nächste, woran ich mich erinnere, ist, wie ich mit Warnblinker auf dem Standstreifen stand und die anderen Autos links vorbeirauschten. Es kam mir vor, als hätte mich jemand mit voller Wucht in den Bauch geboxt.

Derweil redete sie immer weiter, und kleine Fetzen drangen irgendwie durch den Nebel und erreichten schließlich mein Hirn. »*... Pulmonalklappe ... Zyanose, Atemprobleme ... sofortige Operation ... es gibt andere Möglichkeiten ... das ist Ihnen überlassen ... zwei männliche Föten ... selektiver Abbruch ...*«

Zwei männliche Föten. Das blieb bei mir hängen. Und wollte mir nicht mehr aus dem Kopf. Es waren zwei Jungs. Nun würden wir uns also nicht um den Umschlag drängen. Uns darum reißen, wer ihn aufmachen durfte, während Luke und Ella aufgeregt durcheinanderschrien. Das war jetzt alles egal. Was spielte bei solchen Nachrichten das Geschlecht der Babys für eine Rolle?

»*Ms Miller.* Sind Sie noch dran?«

»Mm-hmm.« Meine Gedanken überschlugen sich. Würde er ein Leben führen können wie andere Kinder auch? Würde er laufen, spielen, toben können? War er überhaupt lebensfähig?

»Ich weiß, es ist schwer, das gesagt zu bekommen. Ganz besonders am Telefon. Daher würde ich gerne sobald wie möglich einen Termin mit Ihnen vereinbaren. Damit wir uns über alle Möglichkeiten unterhalten können …«

Möglichkeiten. Mein Blick ging zu den Bildern auf dem Sitz neben mir. Das Lächeln im Gesicht des einen Babys. Der Daumen im Mund des anderen. Ich schloss die Augen und sah sie auf dem Ultraschall-Monitor herumzappeln. Hörte den einen Herzschlag, *dumm-dumm-dumm-dumm*, und den anderen, *dumm-dumm-dumm.* Und dann legte ich eine Hand auf meinen Bauch, auf die beiden da drinnen, die um das bisschen Platz rangelten.

Es gab keine *Möglichkeiten.* Das war mein Baby.

»Ms Miller?«

»Ich werde ihn behalten.«

Worauf sie schwieg. Nur kurz, aber doch lange genug, um ihr Missfallen zum Ausdruck zu bringen. »Nun ja, in diesem Fall sollten wir uns zusammensetzen und besprechen, was Sie erwartet …«

Ich hasste sie. Ich hasste diese Frau. Aus tiefstem Herzen. Und wusste mit absoluter Gewissheit, dass ich bei sämtlichen zukünftigen Arztterminen darauf achten würde, nichts mehr mit ihr zu tun zu haben. Es war mein Sohn. Ich würde ihm helfen, sein volles Potenzial zu entfalten. Ich würde auf ihn aufpassen, ihn beschützen und ihn stark machen. Was auch immer dazu nötig war, ich würde es tun.

Ihre Stimme schlängelte sich ungebeten in meine Gedanken. *»… etliche Operationen nötig … womöglich entwicklungsverzögert …«*

Auch das fühlte sich an wie ein Boxhieb. Operationen. Therapien. All das würde eine Menge Geld verschlingen. Dazu brauchte es ein sicheres Einkommen mit Aussicht auf regelmäßige Gehaltserhöhungen. Und eine gute Krankenversicherung. Wie ich sie in meinem Job hatte. Keine, die wir aus eigener Tasche finanzieren mussten. Das würden wir nicht bezahlen können, und die Leistungen wären nicht annähernd so gut.

Und so verpuffte der Plan, zu Hause zu bleiben bei den Babys.

Aber was auch immer nötig war, ich würde es tun. Er war mein Sohn.

Noch immer starre ich auf das Handy auf dem Kissen neben mir. Langsam nimmt in meinem Kopf ein Plan Gestalt an.

Es könnte funktionieren. Oder es könnte mir alles spektakulär um die Ohren fliegen. Aber im Moment habe ich keine andere Möglichkeit. Ich muss Juri finden. Und endlich habe ich eine neue Spur.

Ich nehme den Akku aus dem Handy. Suche das Wegwerfhandy. Wähle, halte es mir ans Ohr, höre, wie Omar drangeht.

»Ich muss mit dir reden«, sage ich leise. »Unter vier Augen.«

Zwei Herzschläge, bis ich ihn sagen höre: »Okay.«

»Wie wäre es beim Lincoln Memorial, am Reflecting Pool? Morgen früh um neun?«

»Das ginge.«

Ich zögere. »Nur du und ich, okay?«

Mein Blick geht zu dem Foto auf dem Kaminsims. Matt und ich bei unserer Hochzeit. Ich höre Omars Atem in meinem Ohr.

»Okay«, sagt er.

Ich bin vor ihm da und setze mich auf eine Bank ungefähr auf Höhe der Beckenmitte. Es ist ruhig im Park. Die Luft ist kühl, es verspricht aber ein warmer Tag zu werden. Um das Lincoln-Denkmal tummeln sich Touristen, lauter kleine Farbkleckse, aber dieser Teil des Parks ist bis auf gelegentlich vorbeihechelnde Jogger menschenleer.

Auf dem Wasser schwimmen drei Enten in einer geraden

Reihe und ziehen kleine Wellen hinter sich her. Wie schön es wäre, jetzt mit den Kindern hier zu sein, ihnen zuzuschauen, während sie Brotkrumen ins Wasser werfen und warten, dass die Enten heranschwimmen und sie gierig aufpicken.

Ich sehe Omar erst, als er sich neben mich setzt. Ans andere Ende der Bank und ohne mich anzusehen. Im ersten Augenblick komme ich mir vor wie in einem Agentenfilm. Als sei das alles gar nicht echt. Dann schaut er mich an. »Hi.«

»Hi.« Unsere Blicke treffen sich ganz kurz. Misstrauen liegt in der Luft. Aber anders als vor ein paar Monaten, als ich das erste Mal in Juris Computer herumgeschnüffelt habe. Ich wende den Blick ab und schaue wieder aufs Wasser. Eine der Enten ist zurückgeblieben und schwimmt in die entgegengesetzte Richtung davon.

»Was ist los, Vivian? Warum treffen wir uns hier?«

Ich drehe meinen Verlobungsring am Finger. Einmal. Zweimal. Dreimal. Ich will das nicht. »Ich brauche deine Hilfe.«

Er sagt nichts. Ich habe ihn verschreckt. Das wird nie funktionieren.

Ich schlucke schwer. »Du musst für mich einen Anruf zurückverfolgen. Mir alles über die Nummer sagen, was du herausfinden kannst.«

Er zögert kurz. »Okay.«

Ich räuspere mich. Das ist ein riskantes Spiel. Und ich weiß nicht, ob ich das Richtige tue. Aber ich weiß, dass es die einzige Idee ist, die ich habe. Die einzige Möglichkeit, Juri womöglich aufzuspüren. Und Omar ist der Einzige, an den ich mich wenden kann. »Ein Anruf auf meinem Handy. Gestern Abend. Unbekannte Nummer. Nach Russland weitergeleitet.«

Seine Lippen formen ein stummes O, dann macht er den Mund schnell wieder zu. »Ich kann mal mit meinem Boss reden …«

»Nein. Du darfst niemandem davon erzählen.«

Schlagartig verfinstert sich seine Miene, und er zieht eine Augenbraue hoch. Die Frage steht ihm förmlich ins Gesicht geschrieben.

Mir treten Schweißperlen auf die Stirn. »Weißt du noch, wie du gesagt hast, es gäbe einen Maulwurf in der Spionageabwehr? Na ja, in eurer Abteilung gibt es tatsächlich einen. Die CIA ist ihm auf der Spur.« Es kostet mich große Mühe, ihm in die Augen zu schauen. Omar weiß genauso gut wie ich, wie man Lügen erkennt. Ich darf mir keine Blöße geben.

Er guckt weg, windet sich unbehaglich.

»Du bist der Einzige, dem ich vertraue. Das muss unter uns bleiben.«

Starr guckt er aufs Wasser. Ich tue es ihm gleich. Die Enten schwimmen wieder in Formation, sie entfernen sich immer schneller von uns.

»Worum du mich da bittest – einen Anruf zurückzuverfolgen, ohne den Vorgang zu dokumentieren –, das verstößt gegen sämtliche Vorschriften.«

»Ich brauche Hilfe. Und ich weiß nicht, an wen ich mich sonst wenden soll.«

Er schüttelt den Kopf. »Dann musst du mir schon ein bisschen mehr erzählen.«

»Ich weiß.« Erst da wird mir bewusst, dass ich immer noch den Verlobungsring unablässig um den Finger drehe. Es fühlt sich grundfalsch an, was ich hier mache. Aber im Geiste höre ich Matt. Was er damals gesagt hat. *Was es auch ist. Denk nicht an mich, tu es einfach.*

»Es geht um die Schläferzelle. Ich glaube, ich bin kurz davor, sie zu knacken.«

»Was?« Omar schnappt nach Luft.

»Aber ... jemand ist in die Sache verwickelt.« Ich zögere. »Jemand, der mir sehr nahesteht.«

»Wer?« Sein Blick sucht meinen.

Aber ich schüttele nur den Kopf. »Ich muss mir erst sicher sein, ehe ich etwas dazu sage. Noch kann ich das nicht. Noch nicht.« *Erst, wenn ich sämtliche Beweise, die mich in Schwierigkeiten bringen könnten, vernichtet habe.*

Eine Joggerin kommt den Pfad entlang, mit knallrosa Shorts und Kopfhörern auf den Ohren. Wir schauen ihr zu, bis sie an uns vorbei ist. Warten, bis ihre Schritte langsam verhallen. Schließlich schaue ich Omar wieder an. »Ich erzähle dir alles. Versprochen. Aber zuerst muss ich der Sache auf den Grund gehen.«

Nervös fährt er sich durchs Haar, und als er den Arm hebt, sehe ich unter dem Hemd das Holster durchschimmern. Mein Blick will sich nicht davon lösen.

»Ich kann dich das nicht allein machen lassen«, wendet er ein.

Ich zwinge mich, ihm in die Augen zu sehen und meine unschuldigste Miene aufzusetzen. »Bitte!«, sage ich mit Verzweiflung in der Stimme.

»Ich sage niemandem was davon. Nur wir beide, Viv. Du und ich. Wir könnten …«

»Nein.« Ich unterbreche mich kurz. »Hör zu, wir sind Freunde. Darum bin ich zu dir gekommen. Du hast gesagt, sollte ich je Hilfe brauchen …«

Wieder fährt er sich durchs Haar. Schaut mich lange an. Durchdringend und besorgt zugleich. Er wird es tun, oder? Er muss einfach.

Er scheint zögerlich. *Zu* zögerlich. Als wollte er gleich nein sagen. Ich muss was tun. Muss was sagen. Etwas, das ihn umstimmt. Das ihn dazu bewegt, mir zuliebe die Regeln ein klein wenig zu verbiegen. Unser Gespräch fällt mir ein. Damals, vor Monaten, im Aufzug. *Es gibt einen Maulwurf in der Spionageabwehr.*

Wenn du in Schwierigkeiten steckst, du weißt ja, wo ich bin.

Mir schnürt sich die Kehle zu. »Du hattest recht mit dem Maulwurf. In der Spionageabwehr.« Ich muss ihn irgendwie ködern. Muss mir ein bisschen Zeit erkaufen. »Wenn du diese Nummer für mich zurückverfolgst, werde ich mehr wissen.«

»Die Nummer steht mit dem Maulwurf in Verbindung? *Und* der Schläferzelle?«

Ich nicke. Er sieht mir in die Augen, und ich sehe die Begehrlichkeit in seinem Blick. Den Hunger. Ich habe ihm eine Luftkarotte vor die Nase gehalten, und er schnappt gierig danach. Er will sie. Er will sie so sehr, dass er bereit wäre, alles dafür zu tun.

»Ich brauche nur ein bisschen Zeit«, sage ich.

Endlich atmet er wieder aus. »Mal sehen, was sich machen lässt.«

Er wird die Nummer recherchieren. Ich weiß es. Da besteht überhaupt kein Zweifel. Ich habe ihn geködert. Die Sanduhr umgedreht und mir ein winziges Zeitfenster eröffnet, um an Juri heranzukommen, bevor das FBI ihn schnappt. Jetzt muss ich nur vor ihnen an die Beweise kommen.

Vielleicht war es falsch, damit zu Omar zu gehen. Aber ich bin in einer ausweglosen Lage. Der Anruf ist der einzige echte Hinweis, den ich habe. Dem muss ich einfach nachgehen.

An meinem Schreibtisch sitze ich nur reglos da und starre auf das Telefon. Warte ungeduldig darauf, dass es endlich klingelt. Als ich mich dabei ertappe, zwinge ich mich, meine Aufmerksamkeit wieder auf die Akte mit den potenziellen Agentenführern zu richten. Stück für Stück wird sie dünner, wenn auch sehr langsam. Immer, wenn irgendwo ein Telefon klingelt, schrecke ich hoch. Aber es ist nie meins. Ich grübele, was Omar wohl gerade macht. Bete, dass er nicht zu seinen Vorgesetzten geht. Dass sie nicht meine Vorgesetzten anrufen. Weil mich irgendwer dann zum Reden bringen würde, und dann würden sie Juri aufspüren, und wo bliebe dann ich? Genau, hinter Gittern.

Wieder klingelt es, und diesmal ist es mein Telefon. Schon beim ersten Klingeln liegt meine Hand auf dem Hörer. »Hallo?«

»Ich habe, was du brauchst«, raunt Omar. »In einer Stunde im *O'Neills*?«

»Ich werde da sein.«

Pünktlich sechzig Minuten später betrete ich den Pub. Glöckchen bimmeln, als die Tür aufgeht, aber niemand schaut auf. Die Barkeeperin lehnt gelangweilt an der Theke und tippt mit den Daumen eine Nachricht in ihr Handy. Mitten im Raum hockt ein einzelner Mann ganz allein über ein Glas mit einer bernsteingoldenen Flüssigkeit gebeugt. Vorne am Fenster sitzt ein Pärchen in ein angeregtes Gespräch vertieft.

Ich gehe weiter und warte, dass meine Augen sich an das Zwielicht gewöhnen. Sehe mich um, lasse den Blick über neongrelle Bierwerbung und alte Nummernschilder und Souvenirs aus längst vergangenen Zeiten schweifen, bis ich ihn schließlich sehe. Ganz allein sitzt er hinten an einem Zweiertisch und beobachtet mich.

Ich gehe hin und setze mich zu ihm. Vor ihm steht ein Glas. Irgendwas Klares mit Kohlensäure. Tonic Water vielleicht oder ein Mineralwasser. Er trinkt kaum Alkohol. Erst recht nicht während der Arbeitszeit.

Unverwandt schaut er mich an. Ich kann seinen Blick nicht recht deuten, glaube aber, Misstrauen darin zu erkennen. Unwillkürlich falte ich die Hände im Schoß. Das ist doch keine Falle, oder? Ob er irgendwem beim FBI von unserer Unterhaltung erzählt hat?

»Was hast du rausbekommen?«, frage ich.

Wortlos sieht er mich noch einen Moment an. Dann greift

er nach der Tasche zu seinen Füßen, zieht ein einzelnes, mittig gefaltetes Blatt Papier heraus und legt es vor sich auf den Tisch. Darauf eine Telefonnummer, mit Kugelschreiber von Hand notiert. Eine örtliche Vorwahl.

»Wegwerfhandy«, sagt er. Die Nachricht überrascht mich nicht, ist aber dennoch enttäuschend. »Keine weiteren Anrufe.«

Ich nicke. Bitte, lass ihn was gefunden haben. Irgendetwas, das mir weiterhilft.

»Hier in der Stadt gekauft, vor etwa einer Woche. Cellphones Plus in Northwest. Keine Kameraüberwachung im Laden, die Unterlagen sind bestenfalls lückenhaft. Bisher konnten wir noch kein Wegwerfhandy aus dem Laden zurückverfolgen.«

Ich sacke zusammen wie ein Ballon, dem die Luft ausgeht. Mir schwimmen die Felle davon. Wie soll ich Juri jetzt aufspüren?

Omar mustert mich mit undurchdringlicher Miene. Dann schiebt er mir das gefaltete Blatt über den Tisch. Ich nehme es und klappe es auf. Drinnen ein Stadtplan mit einem roten Kreis in der Mitte. Ich gucke ihn an.

»Von da ist der Anruf getätigt worden. Über diesen Mobilfunkmasten hat das Handy sich eingeloggt.«

Ich sehe mir den Stadtplan etwas genauer an. Northwest D.C. Ein Radius von ungefähr zwölf Häuserblocks. Juri muss also ganz in der Nähe gewesen sein. Ich schaue Omar an. »Danke.«

Seufzend erwidert er meinen Blick. »Was willst du denn jetzt machen? Kann ich dir nicht irgendwie helfen?«

»Du hast gesagt, du lässt mir Zeit«, entgegne ich. »Bitte, lass mir nur ein bisschen Zeit.«

Worauf er kaum merklich nickt. Ein resigniertes Nicken, bei dem er mich nicht aus den Augen lässt. »Sei vorsichtig, Vivian.«

»Bin ich«, sage ich und falte das Blatt wieder zusammen, einmal, zweimal. Dann stecke ich es in meine Arbeitstasche zu meinen Füßen, schiebe den Stuhl zurück und stehe auf. »Noch mal danke. Wirklich.«

Er bleibt sitzen und sieht mich an. Ich hänge mir die Tasche über die Schulter, wende mich ab und will gerade gehen, als er mich zurückhält.

»Nur noch eins«, sagt er. »Dieser Anruf…« Ich drehe mich noch einmal um. Er schüttelt kurz den Kopf. »Der wurde nicht nach Russland weitergeleitet.«

Benommen fahre ich nach Hause. Ich funktioniere tadellos – fahre die richtige Strecke, halte an roten Ampeln, setze den Blinker –, aber ich tue es mechanisch, wie auf Autopilot. Um mich herum ist alles schemenhaft und verschwommen.

Nicht weitergeleitet. Das heißt, Matt ist gar nicht in Moskau. Er ist in Northwest D.C., irgendwo innerhalb des roten Kreises. Bei Juri. Warum?

Und warum hat er mich angelogen? Irgendwas stimmt doch da nicht. Angst nagt an meinem Verstand und sucht nach einem Riss, einer Schwachstelle, um hineinzugelangen.

Als ich zu Hause ankomme, steht meine Mom am Herd. An Matts Platz. Sie trägt die Schürze, die ich seit Jahren besitze und die sonst unbeachtet in der Schublade liegt. Der Duft, der durchs Haus zieht, erinnert mich an meine Kindheit. Hackbraten, genau, wie sie ihn damals gemacht hat – ohne Fertig-Gewürzmischung, dafür mit ganz viel Butter. Anders als der, den ich immer kaufe. Der vorgegart ist und den man nur in die Mikrowelle zu stellen braucht. Der vertraute Geruch hat etwas unfassbar Tröstliches.

Ich sage ihr und den Kindern hallo. Setze ein Lächeln auf, nicke an den richtigen Stellen, stelle die richtigen Fragen. *Wie war es in der Schule? Wie geht es den Zwillingen heute?* Ich bin da, aber nicht anwesend. Ich kann an nichts anderes denken als an die rot eingekreisten Straßen. Matt muss da irgendwo sein.

Beim Abendessen sitzt Dad auf Matts Stuhl. Es ist seltsam, ihn da zu sehen. Als gehöre er da nicht hin. Mom quetscht sich auf der anderen Seite neben Ella. Zu viele Menschen um den Tisch, aber irgendwie geht es.

Ständig schießen mir Schreckensszenarien durch den Kopf. Matt, gefesselt, eine Pistole an der Schläfe. Wie er gezwungen wird, mit mir zu telefonieren und zu behaupten, er sei in Moskau. Das wäre eine plausible Erklärung, oder? Für mich die einzig logische – der einzig mögliche Grund, aus dem er mich so anlügen würde. Mein Blick geht zum Hackbraten. Mir ist der Appetit vergangen. Aber warum bin ich dann nicht vollkommen panisch? Müsste ich nicht in kopflose Panik verfallen?

Mom fragt die Kinder, wie ihr Tag war, versucht, ein Gespräch anzufangen, die erdrückende Stille mit Worten zu füllen, mit einem Hauch Normalität. Dad schneidet den Hackbraten für die Zwillinge in Häppchen, und die beiden schieben sie sich mit beiden Fäusten in den Mund, schneller, als er sie schneiden kann.

Ella antwortet brav auf Moms Fragen. Sie plappert munter drauflos, aber Luke ist still, schaut stumm auf seinen Teller, schiebt das Essen mit der Gabel herum. Kein Interesse, nicht an der Unterhaltung, nicht am Essen. Ich wünschte, ich könnte ihm diesen Schmerz nehmen. Könnte seinen Vater zurückholen. Alles wiedergutmachen. Ihm sein Lächeln zurückgeben.

Ella erzählt eine Geschichte vom Spielplatz, davon, wie sie Fangen gespielt hat. Ich schaue sie an, sage die richtigen Dinge zur richtigen Zeit, kleine Halbsätze, um ihr das Gefühl zu vermitteln, dass ich ihr zuhöre. Damit sie weiterredet. Aber mein Blick geht immer wieder zu Luke. Irgendwann schaue ich auf und sehe, wie meine Mom mich mit besorgter Miene mustert. Wer ihr mehr Sorgen macht, Luke oder ich, weiß ich nicht. Ich erwidere ihren Blick, nur ganz kurz. Und weiß, sie würde mir meinen Schmerz genauso gerne nehmen, wie ich Luke von seinem befreien möchte.

Später am Abend, die anderen drei schlafen längst, bringe ich Luke ins Bett. Decke ihn zu und setze mich auf die Bettkante. Sehe den alten Teddy in seinem Arm. Er ist abgewetzt, und da, wo das Ohr an den Kopf genäht ist, lugt die Füllung aus einem Loch. Früher hat er den Bären überallhin mitgeschleppt, durchs ganze Haus, zum Mittagsschlaf in der Kita, abends in sein Bett. Aber jetzt sehe ich ihn seit Jahren zum ersten Mal wieder.

»Erzähl mir, was dich bedrückt, mein Schatz«, sage ich, bemüht, freundlich und verständnisvoll zu klingen.

Er umklammert den Bären noch fester. Seine Augen sind weit offen. Sie schimmern im Dunkeln, groß und braun wie Matts.

»Ich weiß, es ist nicht leicht, jetzt, wo Dad weg ist«, sage ich. Und dann weiß ich nicht weiter. Wie soll ich ihn trösten, wenn ich nicht weiß, was ich sagen soll? Ich kann ihm nicht versprechen, dass sein Dad wiederkommt. Ich kann ihm nicht mal versprechen, dass er anruft. Und die Wahrheit kann ich ihm auch nicht sagen.

»Es hat nichts mit dir zu tun oder mit deinen Geschwistern«, sage ich und würde es am liebsten gleich wieder zurücknehmen. Warum rede ich so einen Blödsinn? Andererseits, soll man das Kindern nicht sagen, wenn ein Elternteil geht? Ihnen versichern, dass es nicht ihre Schuld ist?

Er kneift die Augen zu, und eine einzelne Träne kullert heraus. Sein Kinn zittert. Und doch versucht er krampfhaft, sich nichts anmerken zu lassen. Stark und tapfer zu sein. Ich streichele ihm die Wange und wünsche mir verzweifelt, ich könnte seinen Schmerz auf mich nehmen.

»Ist es das?«, frage ich. »Hast du Angst, dass Daddy deinetwegen weg ist? Weil du nämlich überhaupt nichts …«

Entschieden schüttelt er den Kopf. Schnieft.

»Was ist es dann, Schatz? Bist du einfach nur traurig?«

Er macht den Mund auf, ein kleines Stück nur, und wieder zittert sein Kinn. »Ich will, dass er zurückkommt«, flüstert er. Und jetzt fließen die Tränen.

»Ich weiß, Schatz, ich weiß.« Mir bricht es das Herz, ihn so zu sehen.

»Er hat gesagt, dass er mich beschützt.« Er spricht so leise, dass ich gar nicht weiß, ob ich ihn richtig verstanden habe.

»Dich beschützt?«

»Vor dem Mann.«

Ich höre, was er sagt, und erstarre vor Schreck. Es überläuft mich eiskalt, und plötzlich bekomme ich schreckliche Angst. »Vor was für einem Mann?«

»Dem, der vor der Schule auf mich gewartet hat.«

»Da hat ein Mann auf dich gewartet?« Es pocht in meinen Ohren, das Blut rauscht in meinen Adern. »Hat er dich angesprochen?«

Er nickt.

»Und, was hat er gesagt?«

Er blinzelt ein paarmal, und sein Blick geht in die Ferne, als erinnere er sich an etwas. Etwas Unschönes. Dann schüttelt er den Kopf.

»Was hat der Mann gesagt, Schatz?«

»Er wusste, wie ich heiße. Er hat gesagt: ›Bestell deiner Mom schöne Grüße.‹« Wieder schnieft er. »Das war ganz komisch. Und er hat sich so komisch angehört.«

Er hatte mit Sicherheit einen russischen Akzent. »Warum hast du mir das denn nicht erzählt, Süßer?«

Er wirkt besorgt, verängstigt, als hätte er etwas falsch gemacht. »Ich habe es Dad erzählt.«

Ich schwöre, mir bleibt das Herz stehen, nur für einen Augenblick. »Und wann war das? Wann hast du es Dad erzählt?«

Er muss kurz überlegen. »Einen Tag bevor er weggegangen ist.«

Fünf Monate hat es nach der Geburt der Zwillinge gedauert, bis Matt und ich zum ersten Mal gemeinsam das Haus verlassen konnten. Meine Eltern waren übers Wochenende aus Charlottesville hergekommen. Endlich klappte es mit dem Einschlafen. Wir hatten ein festes Ritual eingeführt. Die Zwillinge schliefen jetzt den größten Teil der Nacht in ihren Bettchen und wachten selten vor Mitternacht auf. Es schien also möglich, dass meine Eltern für einen Abend die Stellung halten konnten.

Matt tat sehr geheimniskrämerisch und sagte, er habe etwas geplant. Und weil ich Überraschungen liebe, überließ ich ihm die Entscheidung nur allzu gern. Ich nahm an, er werde vielleicht einen Tisch bei dem neuen Italiener reservieren, den ich so gerne mal ausprobieren wollte und der viel zu ruhig und gediegen war, um mit den Kindern hinzugehen.

Er wollte mir vorher partout nicht verraten, wo wir hingehen. Mir war das nur recht. Ich fand es witzig und aufregend, dass er mich so auf die Folter spannte. Allerdings nur, bis wir an unserem Ziel ankamen. Und ich schockiert begriff, warum er so ein Geheimnis darum gemacht hatte. Er wusste genau, hätte er mir das vorher gesagt, ich hätte mich standhaft geweigert mitzukommen.

»Ein Schießstand?«, fragte ich ungläubig und starrte auf das Schild an dem großen, hässlichen, lagerhausartigen Gebäude. Auf dem staubigen Parkplatz davor reihten sich die Pick-ups aneinander. Unser Corolla rumpelte lange über den Schotter, bis wir einen freien Platz gefunden hatten. Er gab mir keine Antwort. »*Das* soll deine Überraschung sein?«

Ich hasste Schusswaffen, und Matt *wusste*, dass ich Schusswaffen hasste. Obwohl sie immer schon zu meinem Leben gehörten. Mein Dad war Polizist und ist jeden Tag mit einer Pistole zur Arbeit gegangen – und ich hatte als Kind jeden Tag Angst, er könnte eine Kugel abbekommen und nicht mehr nach Hause kommen. Auch als er in Rente ging, trug er die Waffe noch. Ein großer Streitpunkt zwischen uns. Ich wollte keine Waffe im Haus. Er wollte ohne Waffe nicht aus dem Haus. Also hatten wir uns schließlich auf einen Kompromiss verständigt. Kam er zu Besuch, durfte er seine Waffe mitbringen. Aber nur unter der Bedingung, dass sie immer und jederzeit gesichert und in einem verschlossenen Reisesafe aufbewahrt wurde.

»Du brauchst Übung«, hatte Matt gesagt.

»Nein, brauche ich nicht.« Vor langer Zeit war ich mal eine ziemlich gute Schützin. In den ersten Jahren bei der CIA, als ich mich in jedem Bereich hervortun, auf jede mögliche Aufgabe vorbereitet sein wollte. Aber dann hatte ich das Training schleifen lassen und meine Lizenz nicht mehr erneuert. Ich war vollkommen zufrieden mit meinem Schreibtischjob, der es mir erlaubte, nahe bei meiner Familie zu sein. Seit Jahren hatte ich keine Schusswaffe mehr in der Hand gehabt.

Er stellte den Wagen ab, und dann drehte er sich zu mir um. »Doch.«

Langsam wurde ich sauer. Es gab wirklich nichts, was ich weniger gerne gemacht hätte als Schießübungen. So wollte ich meinen heiß ersehnten freien Abend nicht verbringen. Und er hätte das wissen müssen. »Ich mache nicht mit. Nein, ich will das nicht.«

»Es ist mir aber wichtig.« Fast flehentlich sah er mich an.

Aus dem Gebäude waren Schüsse zu hören, und ich bekam eine Gänsehaut bei dem Geräusch. »Und warum?«

»Wegen deines Jobs.«

»Meines *Jobs*?« Jetzt verstand ich gar nichts mehr. »Ich bin Analystin. Ich bin Schreibtischtäterin.«

»Du solltest vorbereitet sein.«

Langsam riss mir der Geduldsfaden. »Und worauf bitte?«

»Auf die Russen!«

Dieser Ausbruch ließ mich verstummen. Ich wusste nicht, was ich darauf antworten sollte.

»Ich meine nur, schließlich arbeitest du gegen die Russen, stimmt's?« Sein Ton wurde wieder weicher. »Was, wenn sie dich irgendwann ins Visier nehmen?«

Ich sah die Sorge in seinem Gesicht. Bis dahin war ich nie auf den Gedanken gekommen, dass meine Arbeit ihn beunruhigen könnte. Dass er sich ernsthaft um meine Sicherheit sorgen könnte. »Das ist ziemlich unwahrscheinlich. So arbeiten die nicht ...«

»Oder die Kinder«, unterbrach er mich. »Was, wenn sie die Kinder ins Visier nehmen?«

Ich wollte ihm entschieden widersprechen. Ihm erklären, dass er ein vollkommen falsches Bild davon hatte, wie die Russen arbeiteten. Dass die keine kleine Analystin »ins Visier nehmen« würden. Jedenfalls nicht so. Und die Kinder erst recht nicht. Glaubte er allen Ernstes, ich würde es riskieren, durch meinen Job die Kinder in Gefahr zu bringen? Aber irgendetwas in seinem Blick bremste mich und nahm mir den Wind aus den Segeln.

»Bitte, Viv?«, sagte er und schaute mich flehentlich an.

Es war ihm wichtig. Es lag ihm am Herzen. Er brauchte es. »Okay«, gab ich schließlich nach. »Okay. Dann machen wir das jetzt.«

Wenn ich von Matt eines sicher weiß, dann, dass er unsere Kinder liebt.

Und im Grunde meines Herzens bin ich mir genauso sicher, dass er auch mich liebt. Wobei mir da manchmal Zweifel kommen. Schließlich war ich seine Zielperson. Aber die Kinder? Dass er sie liebt, steht für mich vollkommen außer Frage. Wie er sie anschaut, wie er mit ihnen umgeht – das ist echt. Das kann man nicht spielen. Darum fällt es mir ja so schwer zu glauben, dass er einfach abgehauen sein soll. Dass er freiwillig Luke an der Bushaltestelle und die anderen Kinder in der Kita stehen gelassen haben soll.

Darum kann ich das jetzt erst recht nicht mehr glauben. Denn hätte er gehört, dass Luke in die Sache reingezogen worden ist, hätte er uns nie im Leben alleingelassen.

Wer auch immer unseren Sohn bedroht, Matt hätte ihn ausfindig gemacht.

Spätabends, als es still ist im Haus, tappe ich die Treppe hinunter und spicke in die Wohnzimmernische mit der ausziehbaren Bettcouch, auf der meine Eltern schlafen. Mein Dad schnarcht leise, die Brust meiner Mutter hebt und senkt sich ruhig und gleichmäßig. Ich schleiche mich zur Bettseite meines Vaters. Am Ende des Couchtischs liegt ein Schlüsselbund. Den nehme ich lautlos an mich.

Dad schnarcht unbeeindruckt weiter. Ein Blick zu meiner Mutter, die noch immer ganz regelmäßig ein- und ausatmet, dann gehe ich leise zu ihrem Gepäck drüben an der Wand und klappe den größten Koffer auf. Lege ein paar gefaltete Kleidungsstücke beiseite und krame herum, bis ich ihn gefunden habe. Den Reisesafe für Dads Waffe, ganz unten im Koffer.

Behutsam nehme ich ihn heraus. Suche am Bund den kleinsten Schlüssel heraus, stecke ihn vorsichtig ins Schloss, drehe ihn um. Mit einem Klacken springt das Schloss auf. Stocksteif vor Schreck schaue ich rüber zu meinen Eltern, aber die schlummern friedlich weiter. Ich öffne den Safe und greife mir die Pistole, die leicht ist und doch schwer wiegt in meinen Händen. Nehme die Magazine heraus und die Schachteln mit der Munition. Lege alles auf den Teppich. Klappe den Safe zu und schließe ihn wieder ab. Dann verstaue ich ihn wieder ganz unten im Koffer und verteile die Kleidungsstücke darauf. Dad und ich haben abgemacht, dass er seine Waffe hier bei uns nicht anrührt, also wird er sie auch nicht vermissen. Er wird nicht mal merken, dass sie weg ist.

Ich lege die Schlüssel wieder auf den Couchtisch. Vorsichtig, damit sie nicht klimpern. Stopfe die Magazine und die Schachteln mit der Munition in die Taschen meines Bademantels und schlüpfe, die Pistole fest in der Hand, so leise ich kann, aus dem Zimmer.

In dieser Nacht liege ich lange wach, die Pistole neben mir auf dem Nachttisch. Blicklos starre ich in die Dunkelheit. Das alles erscheint mir vollkommen surreal. Jetzt werden die Kinder auch noch mit hineingezogen. Das mag keine explizite Drohung gewesen sein, aber die unterschwellige Botschaft war eindeutig. Wenn nötig, werden sie meine Kinder als Druckmittel gegen mich einsetzen. Und das ändert alles.

Immer wieder muss ich an den Abend auf dem Schießstand denken. Matt wollte unbedingt, dass ich Übung an der Waffe bekomme. Hat mich sogar ausdrücklich vor den Russen gewarnt. Als hätte er geahnt, dass es eines Tages so weit kommen könnte. Dass ich auf alles vorbereitet sein muss.

Ich drehe mich auf die Seite, weg von der Pistole. Dorthin, wo Matt eigentlich liegen sollte. Das Bett kommt mir heute Abend besonders leer vor. Leer und kalt.

Irgendwann stehe ich schließlich auf. Mein Gedankenkarussell dreht sich unablässig, und an Schlaf ist nicht zu denken. Ziellos laufe ich durch das schlafende Haus. Werfe einen Blick in die Zimmer der Kinder. Kontrolliere, ob alle Türen abgesperrt und die Fenster fest verschlossen sind. Schon zum dritten Mal in dieser Nacht. Irgendwann tappe ich in die Diele und ziehe das gefaltete Blatt Papier aus meiner Arbeitstasche. Nehme es mit ins Wohnzimmer, in dem sich ein großer Teil unseres Lebens abgespielt hat. Mutlos sinke ich auf die Couch, falte das Blatt auseinander und starre auf den Stadtplan, den rot eingekringelten Bereich.

Irgendwo da muss Juri sein. Der Mann, der meinen Sohn angesprochen, ihm Angst eingejagt hat. Und Matt muss auch da sein. Irgendwas muss passiert sein. Ihm muss etwas zugestoßen sein.

Ich starre auf die Straßenzüge. Das geometrische Muster, das sie bilden. Die Straße, in der mein altes Apartment liegt, die Stelle, an der wir uns damals kennengelernt haben. Gerade innerhalb der roten Markierung. Wie konnte es nur so weit kommen? Wer hätte vor zehn Jahren gedacht, dass wir eines Tages an diesen Punkt kommen würden: von den Russen erpresst und im Begriff, alles zu verlieren?

Ich gehe in die Küche und lege den Stadtplan auf die Ablage. Schalte die Kaffeemaschine ein, höre zu, wie das Wasser brodelt und sich langsam erhitzt, wie der frisch aufgebrühte Kaffee aus dem Filter tröpfelt. Mache den Schrank auf, greife nach einer Tasse und sehe den Thermosbecher stehen. Zögere kurz und schließe die Tür wieder.

Einen frisch eingeschenkten Becher Kaffee in der Hand, beuge ich mich wieder über die Ablage und schaue mir die Karte noch mal etwas genauer an. Lange ist es her, aber ich bin viel in dieser Gegend unterwegs gewesen. Matt und ich, wir beide zusammen. Er muss da irgendwo sein. Ich habe nur keine Ahnung, wo.

Und keinen Schimmer, was ich jetzt machen soll.

Langsam trinke ich den Kaffee aus und stelle den leeren Becher in die Spüle. Nehme den Baby-Monitor mit nach oben und stelle ihn im Bad auf die Ablage. Dann gehe ich unter die Dusche, schließe die Augen und lasse das heiße Wasser auf mich einprasseln und ringsherum Dampf aufsteigen, bis die Luft so feucht und heiß ist, dass ich kaum noch etwas sehen, kaum atmen kann.

»Niemand außer unseren Notfallkontakten darf unsere Kinder abholen«, schärfe ich der Direktorin der Kita am nächsten Morgen ein. Dabei halte ich Ellas kleine Hand noch fest umklammert. So fest, dass sie sich, als wir vom Parkplatz hierhergehetzt sind, schon beschwert hat, ich täte ihr weh. An der anderen Hand habe ich Luke. *Ich kann doch im Auto warten*, hat er gegrummelt, aber davon wollte ich nichts wissen. Nicht heute Morgen. »Und das sind nur meine Eltern und meine Nachbarin Jane.«

Ihr Blick wandert von den dunklen Ringen unter meinen Augen hinunter zu meiner linken Hand. »Wenn das eine Sorgerechtsangelegenheit ist, brauchen wir einen gerichtlichen …«

»Mein Mann, unsere Notfallkontakte und ich«, sage ich bestimmt und umklammere die Hände meiner Kinder noch fester. »Sollte jemand sie abholen wollen, lassen Sie sich einen Ausweis zeigen. Und rufen Sie mich unverzüglich an.« Ich schreibe ihr die Nummer des Wegwerfhandys auf und bedenke sie mit einem frostigen Blick. *»Sonst niemand.«*

Danach fahre ich Luke zu seiner Schule. Er schmollt, weil er lieber den Bus genommen hätte. Misstrauisch spähe ich am Zaun entlang, die baumbestandene Straße hinunter, und haste dann, den Arm um seine Schultern gelegt, mit ihm ins Schulgebäude. Vor seinem Klassenzimmer beuge ich mich zu ihm hinunter, bis ich mit ihm auf Augenhöhe bin. »Wenn du ihn noch mal hier siehst, rufst du mich sofort an«, sage ich sehr bestimmt und drücke ihm einen Zettel mit der Nummer des Wegwerfhandys in die Hand. Einen Moment lang guckt er mich ängstlich an – und wirkt um Jahre jünger. Ist wieder mein Baby. Und ich kann ihn nicht beschützen. Hoffnungslosigkeit erfasst mich, als ich zusehe, wie er die Tür zu seinem Klassenzimmer aufmacht.

Sobald sich die Tür hinter ihm geschlossen hat, marschiere ich schnurstracks zum Büro des Schuldirektors. Dem erzähle ich, dass Luke auf dem Schulgelände von einem Fremden angesprochen worden ist. Und lege so viel Wut und Empörung in meine Worte, wie ich nur aufbringen kann. Er kennt das sicher von anderen Eltern. Die Augen weit aufgerissen und weiß wie die Wand, hört er sich meine Tirade an und verspricht mir eilfertig verbesserte Sicherheitsmaßnahmen für die Schule im Allgemeinen und Luke im Besonderen.

Danach steuere ich den Wagen in den morgendlichen Berufsverkehr, um meine wie immer stumpfsinnige Fahrt ins Büro zu absolvieren. Und zugleich hasse ich mich, weil ich finde, dass ich eigentlich bei den Kindern sein sollte. Andererseits kann ich mich nicht auf ewig mit ihnen zu Hause einigeln. Und ich kann nicht in der Schule, in der Kita und im Büro gleichzeitig sein.

Zentimeterweise schleicht der Wagen voran und nähert sich in Zeitlupe einem Ausfahrtsschild. Hier bin ich früher immer abgebogen, als ich noch in meinem ersten Apartment gewohnt habe. Von hier kommt man in den Nordwesten der Stadt. Benommen starre ich auf das Schild, auf die freie Abbiegespur. Und als ich schließlich mit dem Hinweisschild auf einer Höhe bin, reiße ich das Lenkrad herum und gebe Gas. Irgendwo da muss Juri sein. Und Matt auch.

Von der Ausfahrt kommt man auf eine Straße, die ich nur zu gut kenne. Ich schlängele mich durch das sich anschließende Viertel, immer den roten Kreis im Kopf, und kurve weiter, bis ich innerhalb der Markierung bin. Aufmerksam schaue ich, ob ich Matts Auto irgendwo sehe. Oder das von Juri. Bei jeder schwarzen Limousine merke ich auf und gleiche rasch die Kennzeichen ab. Aber keines passt.

Irgendwann lasse ich den Wagen in einer ruhigen Seitenstraße stehen und gehe zu Fuß weiter. Den Trageriemen der Tasche über der Schulter, die Pistole gut verstaut ganz unten in einem Make-up-Täschchen. Schon wird es langsam warm. Angenehm. An so einem Morgen wären wir, als wir noch hier gewohnt haben, rausgegangen, um irgendwo Kaffee zu trinken oder zu frühstücken. Vielleicht in dem kleinen Diner an der Ecke, den wir beide so mochten.

Dutzende Erinnerungen kommen mir in den Sinn, an meine erste Zeit mit Matt. Diese glückseligen, traumleichten, unbeschwerten Tage. Ich gelange zu dem Haus, in dem ich früher gewohnt habe, bleibe stehen, genau dort, wo ich mit Matt zusammengestoßen bin damals, vor so vielen Jahren. Sofort habe ich die Szene wieder vor Augen. Ich mit dem Umzugskarton. Wie wir beide zusammenrappeln. Fast kann ich noch die Kaffeeflecken auf dem Bürgersteig sehen, und wie er mich angelächelt hat. Würde ich die Vergangenheit ändern, wenn ich es könnte? Würde ich verhindern wollen, dass wir uns überhaupt kennenlernen? Bei dem Gedanken zieht sich mir das Herz zusammen. Energisch schüttele ich den Kopf und gehe weiter.

Nach einer Weile komme ich an die Ecke, an der ich ihn zum zweiten Mal gesehen habe. Der Buchladen ist längst fort, von einer schicken Boutique verdrängt. Trotzdem kann ich den Blick nicht von dem Geschäft losreißen, sehe wieder vor mir, wie Matt mit einem Buch in der Hand dagestanden hat. Spüre, wie es mich getroffen hat wie ein Blitzschlag. Wie aufgeregt und erleichtert ich plötzlich war. Jetzt ist da nur noch Traurigkeit und Leere

Da, das Café. An einem der Tische ganz hinten in der Ecke haben wir gesessen und gequatscht, bis der Kaffee kalt war. Und dort, das italienische Restaurant, das jetzt ein Döner-Laden ist. Da waren wir das erste Mal zusammen essen. Es ist, als liefe ich rückwärts durch mein Leben. Ein eigenartiges Gefühl. Denn das sind die Momente, die mich ausmachen, derentwegen ich heute hier stehe. Und rückblickend betrachtet war keiner davon wirklich wahrhaftig.

Und dann erkenne ich die Bank. Dort an der Ecke, das Gebäude mit dem Kuppeldach. Mir wird das Herz schwer, als ich sehe, wie die Kuppel in der Sonne glänzt. Nie habe ich sie eines zweiten Blickes gewürdigt. Nie wäre ich auf die Idee gekommen, dass Matt regelmäßig hierherkam, um sich mit dem Menschen zu treffen, nach dem ich tagein, tagaus fieberhaft suchte, während ich die Kinder dafür notgedrungen in die Betreuung gab.

Zögerlich gehe ich rüber in den kleinen begrünten Innenhof. Eine baumbestandene Rasenfläche mit gepflegten Blumenbeeten und zwei Sitzbänken aus Schmiedeeisen und dunklem Holz. Mein Blick bleibt an der rechten hängen, von der aus man zum Eingang schaut. Ich versuche, mir vorzustellen, wie Matt dort sitzt. Oder Juri.

Schließlich gehe ich hin. Setze mich auf die Bank. Schaue mich um. Sehe, was Matt gesehen hat, wenn er hier saß. Und Juri genauso. Der kleine Hof ist menschenleer und ruhig. Plötzlich fällt mir ein, dass Juri hier den USB-Stick für Matt deponiert hat. Unauffällig taste ich die Unterseite der Bank ab, aber da ist nichts.

Rasch rutsche ich rüber zum anderen Ende der Bank und taste auch hier nach etwas Verstecktem. Auch hier nichts. Langsam ziehe ich die Hand zurück und lege sie zu der anderen in den Schoß. Blinzele ins Nichts und fühle mich wie betäubt. Aber ich hatte doch nicht ernsthaft erwartet, hier etwas zu finden, oder? Solange sie sich im selben Haus aufhalten, brauchen Matt und Juri keinen toten Briefkasten.

Ich weiß einfach nicht, was ich noch tun soll. Habe nicht die leiseste Ahnung, wo ich Juri suchen soll. Wo ich Matt suchen soll. Wie ich das alles wieder hinbiegen soll.

Um fünf, mitten im größten Trubel, biege ich in den Parkplatz der Kita ein. Um diese Zeit holen alle ihre Kinder ab. Der Parkplatz ist überfüllt, Autos bis in die dritte Reihe, wo sonst keiner steht. Ich sehe einen Minivan einen Platz in der zweiten Reihe freimachen, warte, während er langsam, fast ängstlich herausrangiert und schließlich wegfährt, parke rasch ein und stelle den Motor ab.

Und gerade, als ich aussteigen will, sehe ich ihn. Am anderen Ende des Parkplatzes, ganz hinten in der letzten Reihe. Sein Auto steht rückwärts in der Parklücke, und er lehnt, die Arme vor der Brust verschränkt, an der Motorhaube und guckt mich geradewegs an. Juri.

Wie angewurzelt bleibe ich stehen. Panische Angst kriecht mir ins Herz. Er, hier. Was soll ich denn jetzt machen? Ihn einfach stehen lassen? Ihn mit Ella an der Hand zur Rede stellen?

Ich zwinge mich loszugehen, auf ihn zu. Wortlos starren wir einander an. Er trägt Jeans und wieder ein Hemd mit Button-Down-Kragen. Die beiden obersten Knöpfe stehen offen, kein Unterhemd. Das Goldkettchen schimmert in der Sonne. Seine Miene ist hart, das aufgesetzte Lächeln schenkt er sich inzwischen.

»Lassen Sie meine Kinder da raus«, raunze ich ihn an, herrischer, als mir zumute ist.

»Hätten Sie einfach getan, worum ich Sie gebeten habe, wäre ich jetzt nicht hier. Dann wäre alles längst vorbei.«

Wütend starre ich ihn an. »Lassen Sie sie da raus.«

»Das ist das letzte Mal, dass ich vorbeikomme, Vivian. Die letzte Warnung.« Er fixiert mich, und es ist, als wolle sein Blick mich durchbohren.

Ich höre Schritte näher kommen und drehe mich um. Hinter mir eine Mutter, die ich nicht kenne, ein Kleinkind auf dem Arm, ein Vorschulkind fest an der Hand. Sie redet mit dem älteren Kind und achtet überhaupt nicht auf uns. Gemeinsam gehen sie zu einem SUV nur ein paar Parkplätze von Juris Wagen entfernt. Schweigend sehen wir zu, wie sie die Kinder ins Auto verfrachtet und anschnallt und dann selbst einsteigt.

Als die Tür hinter ihr zufällt, wendet Juri sich wieder an mich. »In den Knast zu wandern, scheint Ihnen ja keine Angst zu machen.« Ganz leicht verzieht er das Gesicht zu einem Grinsen und streicht über das Holster unter seinem Hemd. »Ein Glück, dass ich noch vier andere Druckmittelchen habe.«

Mich überläuft es eiskalt. *Vier.* Meine Kinder. Er droht meinen Kindern.

Der Motor des SUV startet, und ich schrecke auf. Trete noch einen Schritt näher. »Wagen Sie es *ja* nicht.«

Das Grinsen wird breiter. »Sonst was? Sehen Sie, Sie haben hier gar nichts zu melden. Ich sage Ihnen, was gemacht wird.« Dabei klopft er sich mit dem Daumen gegen die Brust, dass der goldene Anhänger nur so hin und her baumelt. »Ich.«

Die Polizei. Ich muss mich an die Behörden wenden. An Omar. Zum Teufel mit der Erpressung, zum Teufel mit Nicht-im-Gefängnis-Landen. Es ist mir egal, was aus mir wird. Ich verbringe nur zu gerne den Rest meines Lebens hinter Gittern, solange nur meine Kinder in Sicherheit sind.

»Ich weiß, was Sie jetzt denken«, spottet er, und ich schaue ihn blinzelnd an – herausgerissen aus meinen Überlegungen, was ich tun sollte, zurück in der Realität hier vor mir. »Und die Antwort lautet nein.«

Ich schaue ihn an. Seine Augen, sein Gesicht. Weiß er es wirklich? Weiß er wirklich, was ich gedacht habe?

»Wenn Sie zur Polizei gehen«, sagt er, und ich muss einsehen, ja, er weiß tatsächlich, was ich gedacht habe, »sehen Sie Luke nie wieder.«

Reglos, wie festgefroren, stehe ich da, als er sich umdreht

und in den Wagen steigt, nach dem ich vorhin halb D.C. abgesucht habe. Muss hilflos zusehen, wie er den Motor anlässt und den Wagen aus der Parklücke steuert. Um mich herum wimmelt es vor Menschen. Eltern, die allein in das Gebäude gehen und mit ihren Kindern im Schlepptau wieder herauskommen. Die kleinsten auf dem Arm oder in Babyschalen, die Älteren mit ihrem kleinen Rucksack auf dem Rücken fröhlich hopsend an der Hand. Und ich stehe da und starre dem Wagen nach, der langsam vom Parkplatz rollt und schließlich verschwindet.

Erst dann atme ich wieder aus. Ein keuchender, halb erstickter Atemzug. Und dann werden mir die Knie weich, und meine Beine geben nach, als könnten sie urplötzlich mein Gewicht nicht mehr tragen. Schwankend halte ich mich am nächstbesten Wagen fest, um nicht umzukippen. Luke. Mein Luke. Das kann doch alles nicht wahr sein? Grundgütiger.

Ich tue es. Ich tue, was er von mir verlangt. Ich stelle mir den USB-Stick vor. Wie ich ihn in den Computer stecke und den Russen Zugriff auf unser System gewähre. Stelle mir vor, dafür verantwortlich zu sein, dass Menschen ihr Leben verlieren. Gesichtslose Individuen, deren Informationen in den Berichten auftauchen, die ich lese und auf die ich mich verlasse. Alles besser als Luke. Ich stelle mir sein Gesicht vor, sein Lächeln, sein Lachen, seine kindliche Unschuld. Alles besser als mein Baby. Wenigstens ihm werden sie nichts tun.

Zumindest fürs Erste.

Und wieder bleibt mir die Luft weg.

Denn früher oder später würde es doch um eins meiner Kinder gehen. Es wäre nicht vorbei. Niemals. Er wüsste ganz genau, er bräuchte bloß damit zu drohen, meinen Kindern etwas anzutun, und schon würde ich springen. Würde tun, was immer er von mir verlangt. Es wäre nur eine Frage der Zeit, bis er die Kinder wieder bedroht.

Ich zwinge meine Füße loszugehen. Wie, weiß ich selbst nicht. Sie fühlen sich an wie aus Blei. Mein Inneres zieht sich zusammen. Alles erscheint mir surreal und hyperreal zugleich. Ich sehe die Eingangstür der Schule, aber dahin führt mein Weg mich nicht. Er führt mich zurück zu meinem Auto.

Ich steige ein und schnalle mich mit zitternden Fingern an. Und dann fahre ich los, schneller und hektischer, als gut ist. Ich schlage die Richtung ein, in die er gefahren ist. Eine Hand am Steuer, fische ich mit der anderen das Wegwerfhandy aus meiner Handtasche. Ungeschickt tippe ich die Nummer ein, die ich selbst im Schlaf noch auswendig könnte, und halte mir das Handy ans Ohr.

»Mom?«, sage ich, als sie rangeht. Im Hintergrund höre ich Luke mit meinem Dad reden, und mir fällt ein Stein vom Herzen. Er ist also gesund und munter und bei ihnen zu Hause. »Könntest du Ella von der Kita abholen?«

Wir standen am letzten Schießstand in der langen Reihe. Ich sah zu, wie Matt mit geübten Handgriffen eine der geliehenen Pistolen lud. Um mich herum hallten Schüsse, viel zu laut, selbst mit dem Gehörschutz auf den Ohren.

»Wann hast du das das letzte Mal gemacht?«, fragte ich und musste geradezu schreien, um mich verständlich zu machen. Er hatte früher schon geschossen, das wusste ich, auch wenn ich mich nicht mehr erinnern konnte, wann ich davon gehört hatte oder in welchem Zusammenhang. Genauso, wie ich wusste, dass er geangelt und Golf gespielt hatte.

»Vor Ewigkeiten«, antwortete er und lächelte mich kurz an. »Aber das ist wie Fahrradfahren.«

Ich lud die andere Pistole, während er die Zielscheibe in Position brachte. Die Silhouette eines Menschen, mit kleinen markierten Bereichen, auf die man zielen sollte. Brust. Kopf. Er klemmte sie an den Seilzug und ließ sie zum Ende der Bahn laufen. »Bist du so weit?«, fragte er.

Ich nickte und machte mich bereit. Zielte, wie ich es einmal gelernt hatte, ein Auge zugekniffen. Entsicherte die Waffe, legte den Finger auf den Abzug. Drückte langsam ab, die Stimme meines alten Ausbilders noch im Ohr. *Lass dich überraschen.*

Plopp. Die Pistole flog zurück, und meine Hand, mein ganzer Arm, wurde mit Wucht nach hinten gerissen. Tatsächlich, wie Fahrradfahren. Plötzlich war alles wieder da, schneller und klarer, als ich es je für möglich gehalten hätte.

Matt musste lachen.

»Was ist denn so komisch?«, fragte ich. Sofort hatte ich das Gefühl, mich verteidigen zu müssen. Ich hatte seit Jahren nicht trainiert, da konnte er doch ein Auge zudrücken und mir wenigstens ein paar Schüsse zum Aufwärmen lassen.

Grinsend wies er auf die Zielscheibe. »Guck mal.«

Ich folgte seinem Finger. Da, mitten in der Brust der Zielfigur, klaffte ein kleines kreisrundes Loch. »War ich das?«

Er grinste wie ein Honigkuchenpferd. »Zeig mir das noch mal. Schieß genau durch das Loch.«

Ich holte tief Luft, hob die Waffe und zielte. Finger an den Abzug, langsam abdrücken. *Plopp*. Diesmal schaute ich hin, sah das zweite Loch dicht neben dem ersten, hörte Matt wieder lachen.

»Und du hast ganz bestimmt nicht heimlich geübt?«, meinte er grinsend.

Jetzt musste ich selbst lachen. »Das sollte dir eine Lehre sein. Leg dich besser nicht mit mir an.«

Das Grinsen verschwand aus seinem Gesicht, und er sah mich einen Moment zu lange durchdringend an. »Könntest du das auch, wenn du mal wirklich bedroht würdest?«

Ich schaute rüber zur Zielscheibe und versuchte, mir vorzustellen, das sei ein echter Mensch. »Nein«, erwiderte ich ehrlich. »Ich glaube nicht.«

»Wenn du bedroht würdest, könntest du nicht abdrücken?«

Ich schüttelte den Kopf. Ich konnte mir beim besten Willen nicht vorstellen, in eine Situation zu geraten, in der ich mich mit einer Waffe in der Hand verteidigen müsste. Würde ich bedroht, würde ich keine Waffe in der Nähe haben wollen. Am Ende würde ich noch selbst zur Zielscheibe.

Er ließ mich nicht aus den Augen. Sein Blick war suchend, eindringlich. Mir wurde unbehaglich zumute. Also drehte ich mich wieder um und legte an. Finger auf dem Abzug. Ich wollte gerade abdrücken, als ich seine Stimme hörte. »Und wenn jemand die Kinder bedroht?«

Unversehens verwandelte sich die Zielscheibe vor meinen Augen in eine Person, einen echten Menschen. Eine Gefahr für meine Kinder. Jemand, der ihnen Böses wollte. Ich zog ab, hörte es ploppen. Nun war das Loch, auf das ich gezielt hatte, das erste, mitten in der Brust, etwas weiter. Nur ein winziges bisschen. Ich hatte mitten ins Schwarze getroffen. Mit einer Miene, die nun genauso ernst war wie seine, sah ich Matt an. »Ich würde ihn umbringen.«

Nur ein paar Blocks, und ich habe ihn eingeholt. Ich sehe die Rücklichter der schwarzen Limousine nur wenige Wagen vor mir. Seine Bremslichter, die aufleuchten, als er an einer roten Ampel hält. Instinktiv rutsche ich ein bisschen tiefer in den Sitz und beobachte die grellroten Punkte.

Ein Glück, dass ich den Corolla fahre. Unauffälliger geht es nicht. Trotzdem, womöglich hält er nach mir Ausschau. Vergewissert sich im Rückspiegel, dass ihm niemand folgt. Vielleicht aus reiner Gewohnheit.

Vor einer halben Ewigkeit habe ich gelernt, wie man so was

macht. In einem der vielen Lehrgänge, an denen ich teilgenommen habe. Und von denen ich nie gedacht hätte, dass ich die dort erworbenen Kenntnisse und Fertigkeiten jemals zur praktischen Anwendung würde bringen müssen. Ich habe einfach mitgemacht, für alle Fälle. Gekonnt lasse ich mich zurückfallen. Sorge dafür, dass immer mehrere Autos zwischen uns sind und er mich nicht sieht. Behalte die Spuren rechts und links im Auge. Beobachte, ob er die Spur wechselt, abbiegt, was auch immer tut.

Irgendwann zieht die Limousine tatsächlich auf die rechte Spur. Ich bleibe in meiner Fahrbahn, lasse mich zurückfallen, warte ab. Das ist die Probe aufs Exempel. Achtet er darauf, nicht verfolgt zu werden? Oder geht er selbstverständlich davon aus, dass ich keiner Menschenseele etwas gesagt habe? Dass ich wie ein Häufchen Elend auf dem Parkplatz kauere? Oder mich, verängstigt und hilflos, nach Hause geschlichen habe?

Kurze Zeit später biegt er ab, und erst da merke ich, dass ich die ganze Zeit die Luft angehalten habe. Das Auto hinter ihm biegt ebenfalls ab und dann noch eins. Ich könnte ihm folgen. Bei den vielen Wagen, die in dieselbe Richtung fahren, würde das nicht auffallen. Die Abbiegung kommt näher, und dann sehe ich das Schild. Das blaue *M* mit einem Pfeil nach rechts. Hier geht's zur Metro.

Im Näherkommen schaue ich nach rechts. Gleich nach der Abbiegung kommt die Einfahrt zu einem Parkhaus. Die Limousine steht vor der geschlossenen Schranke und wartet auf den Parkschein. Mir bleibt nur ein Sekundenbruchteil, um mich zu entscheiden. Ins Parkhaus kann ich ihm nicht folgen. Zu beengt. Außerdem kann ich ihn zu Fuß nicht allein verfolgen, das würde er zu schnell merken.

Ich trete aufs Gaspedal und passiere die Abzweigung. Im Vorbeifahren sehe ich, wie die Schranke hochgeht und er den Wagen ins Parkhaus steuert. Ich bremse hart. Bremse, um mich selbst zu bremsen. Irgendwie komme ich mir verloren vor, jetzt, da er nicht mehr vor mir ist.

Aber ich darf nicht verloren gehen. Ich darf nicht hilflos sein. Ich muss kämpfen.

Ich krame in der Handtasche nach dem Zettel von Omar. Ziehe ihn heraus, falte ihn auseinander und gucke hektisch zwischen dem Blatt und der Straße hin und her. Suche auf dem Stadtplan nach einem blauen *M*, der Metro-Station. Da ist sie, mitten im markierten Gebiet.

Entschlossen gebe ich wieder Gas.

Es ist nicht mehr als ein Schuss ins Blaue. Das weiß ich selbst. Das Ganze kann ein Ablenkungsmanöver gewesen sein, um eventuelle Verfolger abzuschütteln oder sicherzustellen, dass ihm niemand folgt – in ein Parkhaus zu fahren und gleich wieder raus. Und dann den eigentlichen Weg fortzusetzen. Und wenn er tatsächlich in die Bahn gestiegen sein sollte, könnte er praktisch überall in der Stadt sein. *Überall.*

Trotzdem suche ich mir einen Parkplatz am Straßenrand, von dem aus ich den Metro-Ausgang im Auge behalten kann. Und dann sitze ich da. Und warte. Und gucke. Im Auto ist es still, und ich muss an meine Kinder denken. Alles, was ich je wollte, war, ihnen eine gute Mutter zu sein. Und jetzt steht plötzlich *alles* auf dem Spiel.

»Bitte, lieber Gott«, wispere ich. »Pass auf sie auf.« Ich habe seit Jahren nicht mehr gebetet, und irgendwie kommt es mir verlogen vor, ausgerechnet jetzt damit anzufangen. Aber wenn auch nur die geringste Möglichkeit besteht, dass es hilft, dann ist es einen Versuch wert. Denn mit jeder Sekunde, die vergeht, ohne dass Juri aus dieser Metro-Station kommt, wird es unwahrscheinlicher, dass mein Plan aufgeht. Und wenn der nicht funktioniert, weiß ich nicht, was ich noch machen soll.

Ich hefte den Blick ans Autodach, als könne das meine Chancen, von Gott erhört zu werden, verbessern. »Es ist mir egal, was aus mir wird«, murmele ich. »Aber bitte mach, dass ihnen nichts passiert.«

Und die ganze Zeit ist mir deutlich bewusst, dass die Pistole meines Vaters neben mir liegt, ganz unten in meiner Handtasche.

Fast hätte ich ihn übersehen. Eine Baseballkappe auf dem Kopf, eine ausgeblichene rote von den Nationals, kommt er aus der Metro-Station. Außerdem hat er eine Jacke übergezogen – eine schwarze Windjacke. Er kommt auf mich zu, auf meiner Straßenseite, und vor Schreck atme ich flach und erstarre. Aber er hat den Kopf gesenkt, und ich sehe nur die Kappe. Hinter meiner Sonnenbrille versteckt beobachte ich ihn. Stocksteif sitze ich da und schicke ein stummes Stoßgebet gen Himmel, er möge jetzt nicht aufschauen. Ich halte die Luft an, als er an mir vorbeigeht, dann atme ich geräuschvoll aus und beobachte im Rückspiegel, wie er, immer noch mit gesenktem Kopf, davonstapft.

Ich sehe zu, wie er kleiner und immer kleiner wird, und dann werde ich plötzlich panisch. Ich muss ihm folgen. Ich muss wissen, wo er hingeht. Aber wenn ich jetzt aus der Parklücke rangiere, verliere ich ihn aus den Augen. Ich muss erst wenden und ihm dann hinterherfahren. In der Zeit könnte er längst verschwunden sein. Oder er entdeckt mich, und dann war alles umsonst.

Mit zitternden Händen drehe ich den Schlüssel im Zündschloss, den Blick fest auf den Rückspiegel gerichtet, auf seinen Hinterkopf, der langsam in der Ferne verschwindet. Nur ganz kurz reiße ich den Blick los, um mich zu vergewissern, dass die Straße frei ist, und aus der Parklücke zu ziehen. Eine Sekunde später halte ich schon wieder nach ihm Ausschau, und gerade als ich losfahren will, stocke ich. Er ist abgebogen. Geht eine Treppe hinauf. Bleibt vor der Tür eines der Stadthäuser stehen. Schließt sie auf.

Ein Adrenalinstoß rauscht durch meinen Körper, und mir fällt ein Stein vom Herzen. Ich beobachte ihn, bis er im Haus verschwunden ist. Merke mir die Tür, blau, geschwungener Türsturz. Weißer Briefkasten. Drei Häuser bis zum Feuerhydranten.

Ich hole das Wegwerfhandy aus der Tasche, drücke auf Wahlwiederholung und halte mir das Telefon ans Ohr. Lasse die blaue Tür nicht aus den Augen.

»Hallo?«, meldet sich meine Mom.

»Hi. Ich bin's. Alles okay mit den Kindern?«

»Alles bestens, Schatz. Alle zu Hause, gesund und munter und mopsfidel.«

»Danke, dass ihr Ella abgeholt habt.«

»Aber das ist doch selbstverständlich.« Unbehagliches Schweigen. Im Hintergrund höre ich Geschirr klappern. Ellas hohes Stimmchen.

»Ich komme heute Abend später«, sage ich.

»Kein Problem«, erwidert sie. »Lass dir ruhig Zeit. Dein Dad und ich bringen die Mäuse ins Bett.«

Ich nicke und muss blinzeln, um nicht die Beherrschung zu verlieren. Ich muss mich zusammenreißen, nur noch ein bisschen. Mein Blick geht zu der Tasche, in der die Pistole versteckt ist. »Sag ihnen, ich habe sie lieb, ja?«

Dann stelle ich den Rückspiegel ein, rutsche tief in den Sitz, nehme die blaue Tür ins Visier und warte.

Es ist kurz vor zehn Uhr morgens, als die blaue Tür endlich wieder aufgeht. Ich habe schon mit meinen Eltern gesprochen. Mich dafür entschuldigt, dass ich die ganze Nacht nicht nach Hause gekommen bin. Mich vergewissert, dass es den Kindern gut geht. Nun setze ich mich etwas gerader hin und beobachte, wie Juri das Haus verlässt. Er trägt eine andere Mütze, eine schwarze diesmal, dazu Jogginghose und dunkles T-Shirt. Er schließt die Tür ab, und dann kommt er mit gesenktem Kopf die Treppe herunter. Drückt auf einen der Schlüssel in seiner Hand, und ein Auto auf der anderen Straßenseite piepst und blinkt. Wieder eine Limousine, diesmal allerdings weiß. Er steigt ein und fährt los.

Sofort muss ich an die Kinder denken. Aber er wird mir Zeit lassen nach unserem Gespräch, Zeit, um zu tun, was er verlangt. Fürs Erste sollte den Kindern nichts geschehen.

Ich hole die Pistole aus der Tasche und stecke sie in den Hosenbund. Kühl und hart fühlt sie sich an. Dann greife ich nach der Kreditkarte, die ich gestern Abend noch aufs Armaturenbrett gelegt habe, und der Haarnadel gleich daneben – die habe ich aus den Tiefen meiner Handtasche hervorgekramt, wohin sie sich nach einer von Ellas Ballettstunden verirrt haben muss. Ich habe sie schon zurechtgebogen, so, wie Marta es mir beigebracht hat. Beides halte ich fest umschlossen in der Hand, als ich aus dem Auto schlüpfe und, genau wie Juri, mit gesenktem Kopf eilig zu dem Haus hinübermarschiere.

Vor der blauen Tür bleibe ich stehen und lausche. Von drinnen ist nichts zu hören. Energisch klopfe ich gegen die Tür. Einmal, zweimal. Halte die Luft an und horche. Nichts. Wieder habe ich dieses Bild vor Augen. Matt, an einen Stuhl gefesselt, mit einem Streifen Klebeband über dem Mund.

Ich schiebe die Haarnadel ins Türschloss und stochere und drehe, bis ich auf Widerstand stoße. Mit der anderen Hand führe ich die Karte in den Spalt zwischen Tür und Rahmen und drücke sie nach unten. Meine Hände zittern so sehr, dass ich die Karte beinahe fallenlasse. Ich wage es nicht, mich umzuschauen, und bete einfach, dass niemand mich beobachtet und kein zufälliger Passant mitbekommt, was ich hier tue.

Das Schloss springt tatsächlich auf. Schwindelig vor Erleichterung drehe ich den Türknauf und öffne die Tür einen Spaltbreit, mit eingezogenem Kopf und in ängstlicher Erwartung dessen, was als Nächstes passiert. Aber es passiert nichts. Ich öffne die Tür noch ein bisschen weiter und spähe vorsichtig hinein. Ein Wohnraum, spärlich möbliert, nur eine Couch und ein großer Fernseher. Dahinter geht es in die Küche. Eine mit Teppich ausgelegte Treppe führt nach oben, eine andere nach unten.

Ich schlüpfe hinein und schließe die Tür hinter mir. Kein Matt. Ob er in einem der anderen Zimmer ist? Und wenn nicht, ob ich wenigstens das Beweismaterial finde? Die Datei, mit der Juri mich erpresst?

Auf einmal kommen mir Zweifel. Was, wenn Matt nicht hier ist und ich auch das Material nicht finde? Oder, schlimmer noch, wenn Juri zurückkommt? Was, wenn er mich hier überrascht?

Aber ich muss es versuchen. Ich zwinge mich, einen Schritt weiter zu gehen und dann noch einen.

Und dann höre ich etwas.

Oben.

Schritte.

Oh. Mein. Gott.

Wie angewurzelt bleibe ich stehen. Ziehe die Pistole aus dem Hosenbund. Führe sie nach vorne. Ziele auf die Treppe. Das passiert jetzt nicht wirklich, oder?

Tut es aber. Schritte, die die Treppe herunterkommen. Vor Angst bin ich wie gelähmt. Füße auf den Stufen – nackte Männerfüße. Ich sehe sie durchs Visier der Waffe. Jetzt kommen auch die Beine ins Bild. Muskulös. Sportshorts, zu groß, schlackern um die Oberschenkel. Weißes Unterhemd. Ich halte die Pistole im Anschlag und warte, dass seine Brust in Sicht kommt. Darauf ziele ich dann.

»Das ging schnell«, tönt eine Stimme.

Matts Stimme.

Was mir just in dem Moment klar wird. Da ist er schon beinahe unten angekommen. Matt. Ich senke die Waffe, schaue ihn an, sehe ihm in die Augen. Unmöglich. Aber es ist so. Das ist Matt.

Er sieht mich und bleibt wie angewurzelt stehen. Und dann wird er weiß wie die Wand, als habe er ein Gespenst gesehen. Seine Haare sind feucht; vielleicht kommt er gerade aus der Dusche. Er sieht aus …als gehöre er hierher. Ich lasse die Waffe auf ihn gerichtet. In mir braut sich ein wahrer Gefühlssturm zusammen.

»O Gott, Viv! Was machst du denn hier?«, ruft er. Und dann springt er die letzten Stufen herunter und kommt mit offenem, sichtlich erleichtertem Gesicht auf mich zu. Ich wünschte, er würde langsamer gehen, mir Zeit lassen, das alles zu begreifen. Denn irgendwas stimmt hier nicht. Hier stimmt gar nichts. Ich hatte mir vorgestellt, er würde gefesselt und geknebelt festgehalten. Als Gefangener. Stattdessen spaziert er allein, frei und frisch geduscht durch Juris Stadthaus.

Jetzt ist er fast bei mir. Ignoriert die auf ihn gerichtete Waffe. Lächelt mich an, als könnte er gar nicht glücklicher sein, mich zu sehen. Und ich lasse die Pistole sinken. Weil es mein Mann ist, der da vor mir steht. Auf den ich gerade *ziele*. Aber es fällt mir schwer. Es ist fast, als wollte mein Arm rebellieren. Oder mein Hirn. Oder sonst was. Überschwänglich nimmt er mich in die Arme, doch ich bleibe stocksteif stehen.

»Wie hast du mich gefunden?«, fragt er ungläubig.

Die Arme noch immer fest an den Körper gepresst, stehe ich da. Kann seine Umarmung nicht erwidern. Ich verstehe das alles nicht. Ich verstehe gar nichts mehr. Er löst sich von mir, hält mich von sich weg, schaut mich durchdringend an, sucht meinen Blick. »Viv, es tut mir so leid. Er hat Luke vor der Schule abgefangen. Er hat ihn angesprochen. Ich konnte nicht länger warten. Ich musste gehen ...«

Wortlos starre ich ihn an. Wie er dasteht mit diesem offenen, ehrlichen Gesicht. Meine Verwirrung beginnt dahinzuschmelzen, ein winziges bisschen, an den Rändern. Das hatte ich mir doch gedacht, oder? Dass er gegangen ist, um Luke zu schützen. Um Juri zu sagen, er soll sich von unseren Kindern fernhalten. Warum also schreit eine Stimme in meinem Hirn unablässig, dass hier etwas zum Himmel stinkt?

Weil er allein ist. Er ist kein Gefangener, ist nicht irgendwo im Haus an einen Stuhl gefesselt. Das Bild, das mich bis in meine Träume verfolgt hat, entsprach nicht der Wahrheit. Ich mustere ihn von Kopf bis Fuß, die nassen Haare, die Klamotten. Und mir wird schlecht. *Warum bist du noch hier? Warum bist du nicht gegangen?*

»Er hat gesagt, wenn ich gehe, bringt er Luke um.«

Bei den Worten läuft es mir eiskalt den Rücken herunter.

»Vielleicht hätte ich es versuchen sollen…ich weiß nicht, ob ich es mit ihm hätte aufnehmen können…« Er wirkt beschämt, und mir zieht es die Brust zusammen. »Ich habe dich nicht im Stich gelassen, Viv. Ich schwöre es.« Er sieht aus, als könnte er jeden Augenblick in Tränen ausbrechen.

»Ich weiß«, murmele ich. Um ihn zu beruhigen und um mich selbst zu überzeugen.

»Das würde ich nie tun.«

»Ich weiß. Ich weiß.« Aber weiß ich es wirklich?

Er sucht meinen Blick, und dann huscht ein Schatten über sein Gesicht. Ein Anflug von Panik wohl. »Juri kommt sicher bald zurück. Er wollte nur schnell Kaffee holen. Du musst verschwinden, Viv.«

»Was?«

Aufgeregt redet er auf mich ein. »Du musst verschwinden. Du musst hier weg.«

Meine Gefühle fahren Achterbahn. Alles geht durcheinander. Panik, Verwirrung, Verzweiflung. »Ich brauche die Datei. Die, mit der er mich erpresst.«

Er schaut mich lange an, und ich kann seinen Blick nicht deuten. »Das ist gefährlich. Die Kinder…«

»Wo ist sie?« Ich fixiere ihn. *Du hattest genug Zeit, dich gründlich umzusehen.*

Er durchbohrt mich mit seinem Blick. Dann plötzlich wird seine Miene weicher. »Oben.«

Er hat also danach gesucht. Und sie gefunden. Mir fällt ein Stein vom Herzen. »Kannst du…«

Mitten im Satz breche ich ab und drehe mich zur Tür. Man hört, wie ein Schlüssel ins Schloss gesteckt wird. Ein leises Schaben und dann ein Klacken. Ich hebe die Waffe, lege wieder an, ziele auf die Tür, die sich jeden Augenblick öffnen muss. Er ist wieder da. Juri ist zurück.

Die Waffe im Anschlag beobachte ich die Tür. Sie geht auf, und ich sehe zu, wie er, den Kopf gesenkt und in der Hand einen Papp-Getränkehalter mit zwei Bechern Kaffee, hereinkommt. Noch hat er mich nicht bemerkt. Ich behalte ihn im Visier. Er macht einen weiteren Schritt ins Haus und will die Tür schließen.

Und dann sieht er mich.

»Keine Bewegung«, knurre ich.

Er bleibt stehen.

»Tür zu.« Ich ziele mitten auf seine Brust. Wenn er auch nur den kleinsten Muckser macht, schieße ich. Ich schwöre bei Gott, dass ich schieße. Das ist der Typ, der meinem Sohn Angst gemacht hat.

Langsam, ganz vorsichtig, schließt er die Tür.

»Hände über den Kopf«, kommandiere ich. Und staune selbst, wie ruhig ich klinge. Wie beherrscht. Wie selbstbewusst. Obwohl mir ganz und gar nicht so zumute ist. Eigentlich habe ich Todesangst.

Er tut mehr oder minder, was ich ihm sage. Er hebt die Hände, in der einen den Getränkehalter, die andere mit der offenen Handfläche zu mir.

»Eine falsche Bewegung, und ich schieße.« Mein Ton lässt keinen Zweifel daran, dass es mir ernst ist. Mir wird leicht schwindelig, und ich habe das Gefühl, mich selbst in einer Filmszene zu sehen.

Ausdruckslos starrt er erst mich an und dann Matt. Verzieht keine Miene.

Ich muss den Eindruck erwecken, ich wüsste, was ich tue. Ich muss die Kontrolle behalten. Muss mein Hirn zum Nachdenken zwingen.

»Fessele ihn«, sage ich zu Matt. Jetzt sieht mich Juri wieder an. Seine Augen werden unmerklich schmaler, aber er rührt sich nicht.

Ich schaue Matt nicht an, höre aber, wie er den Raum verlässt. Juri und ich starren einander an. Seine Mundwinkel kräuseln sich spöttisch, und mir wird noch unbehaglicher zumute. Was vermutlich genau das ist, was er bezwecken will.

Kurz darauf ist Matt wieder da. Ich werfe ihm einen kurzen Seitenblick zu und sehe, dass er einen Holzstuhl mit gerader Lehne und eine Rolle Klebeband dabeihat. Juri schaut ebenfalls zu Matt, und ich kann den Blick, den er ihm zuwirft, nicht deuten. Ich wünschte, er würde etwas sagen. Irgendwas, egal was. Alles wäre besser als dieses Schweigen. Meine Hände schließen sich noch fester um die Waffe.

Matt stellt den Stuhl hin, und ohne weitere Aufforderung nimmt Juri darauf Platz. Gemächlich, gelassen. Schaut mich an, während er die Hände hinter die Lehne nimmt. Ohne Widerstand, ohne Kampf. Matt umwickelt erst seine Handgelenke mit dem Klebeband, dann die Knöchel. Und dann den ganzen Körper – Brust und Stuhllehne, Taille und Stuhllehne. Juri lässt mich nicht aus den Augen. In seinem Blick liegt ein arrogantes, überlegenes Funkeln, das da eigentlich nicht hingehört. Nicht, solange er so hilflos dasitzt. Nicht, solange er gefesselt ist. Nicht, solange ich die Waffe auf sein Herz richte.

Als Matt fertig ist, legt er das Klebeband beiseite und schaut mich mit ausdrucksloser Miene an. Ohne Angst, ohne Wut, ohne irgendeine Regung. Ich lasse die Pistole sinken, halte sie aber weiter umklammert. »Kannst du die Datei holen?«, frage ich. Er nickt und geht nach oben. Ich schaue ihm hinterher und bekomme plötzlich ein ungutes Gefühl. Vielleicht hätte ich ihn lieber nicht aus den Augen lassen sollen.

Juri folgt Matt ebenfalls mit dem Blick, und als er weg ist, sieht er mich an. Wieder umspielt der Anflug eines spöttischen Lachens seine Lippen. »Meinen Sie wirklich, damit wäre das Ganze erledigt?«

Bei der Frage wird mir eng ums Herz. »Ja, das glaube ich.«

Er schüttelt nur den Kopf. Und mich beschleichen Zweifel. Aber wenn der Beweis vernichtet ist, komme ich wenigstens nicht ins Gefängnis. Dann kann er mich nicht mehr erpressen. Um alles andere kümmere ich mich später.

Ich höre Matts Schritte auf der Treppe und schaue auf. Meine Finger schließen sich um die Pistole, und ich warte gespannt, bin auf alles gefasst. Sehe wieder vor mir, wie er vorhin die Treppe heruntergekommen ist. So unbeschwert und entspannt. Stück für Stück taucht er auf, nun vollständig bekleidet. Mein Blick geht sofort zu seinen Händen. Darin nur ein kleiner Stapel Papier. Mir werden die Knie weich.

Was mache ich hier? Das ist *Matt*. Ich lockere den Griff um die Waffe. Wortlos kommt er auf mich zu und reicht mir die Papiere. Ich nehme sie mit der freien Hand, und mein Blick fällt auf die erste Seite. Es ist der Screenshot, den ich schon kenne. Genau die gleichen Ausdrucke, die Juri in unseren Briefkasten geworfen hat. Aber das ist nicht richtig. Das ist nicht alles. Sie müssen mehr in der Hand haben.

»Und wo ist der Rest?«, frage ich und hebe den Blick.

»Der Rest?«

»Die digitale Version?«

Verständnislos schaut Matt mich an. »Mehr habe ich nicht gefunden.«

Mir rutscht das Herz in die Hose. Ich falte die Blätter zusammen und stecke sie hinten in den Hosenbund. Dann wende ich mich an Juri. »Ich weiß, dass Sie noch eine Kopie davon haben. Wo?« Ich versuche, knallhart zu klingen, aber selbst ich höre die Panik, die sich in meine Stimme geschlichen hat.

Höhnisch grinsend sieht er mich an. »Natürlich gibt es noch eine Kopie.«

Ich finde sie. Es ist mir gleich, womit ich ihm drohen, was ich ihm antun muss, um sie zu finden. Ich mache einen Schritt auf ihn zu, und er legt den Kopf schief und guckt mich an. »Aber nicht hier. Sie ist nicht bei mir.«

Mir wird eiskalt.

»Ach, Vivian. Und Sie dachten, Sie hätten mich überlistet.« Jetzt grinst er unverhohlen. Herablassend. »Die Suchergebnisse hat uns jemand anders verschafft, schon vergessen? Jemand, der Zugriff auf Athena hat, auf all eure sensiblen Informationen. Ein Insider.«

Mir wird kotzübel.

»Ein guter Freund von mir hat eine Kopie. Sollte mir was passieren, leitet er die Papiere sofort weiter ans FBI.«

Es ist, als hätte der Raum angefangen, sich zu drehen. »Wer?«, frage ich, und meine Stimme klingt fremd. Als gehörte sie jemand anders. »Wer hat die Kopie?«

Juri grinst. Ein zufriedenes Grinsen, bei dem mir die Galle hochkommt. Die Beweismittel zu zerstören war meine einzige, meine letzte Hoffnung. Und ich hatte tatsächlich geglaubt, das könnte funktionieren.

»Das könnte auch ein Bluff sein«, meint Matt, aber ich drehe mich nicht um. Ist es nicht. Juris triumphaler Blick spricht Bände.

»Wer?«, frage ich abermals, und dann mache ich einen Schritt auf ihn zu und hebe die Waffe. Juri zeigt sich vollkommen unbeeindruckt.

Unvermittelt berührt mich jemand, und sofort stehen meine sämtlichen Nervenenden unter Strom. Ich reiße die Pistole herum. Hinter mir steht Matt, eine Hand auf meinem Unterarm. Die zieht er weg, und dann hebt er beide Hände. »Ich bin's bloß, Viv«, versucht er, mich zu beruhigen.

Ich halte die Pistole weiter auf ihn gerichtet. Er senkt den

Blick, hebt ihn wieder. »Schon okay, Viv. Ich möchte bloß, dass du nichts Unüberlegtes tust. Lass dich zu nichts hinreißen.«

Mein Hirn fühlt sich an, als sei es kaputt und könne nicht mehr verarbeiten, was hier vor sich geht. *Lass dich zu nichts hinreißen.* »Er hat Luke bedroht«, stammele ich. Schaue zu Juri und ziele auf ihn. »Ich bringe ihn um.«

Juri verzieht nicht mal das Gesicht.

»Und was würde das nützen?«, fragt Matt. Fassungslos starre ich ihn an. Er will nicht, dass ich Juri erschieße. Weil er auf Juris Seite steht? »Wenn du das tust, wirst du nie was erfahren.«

Warum ist er so enervierend ruhig? Ich versuche, diesen Gedankengang nachzuvollziehen. Es stimmt, was er sagt. Wenn ich Juri erschieße, werde ich wohl nie erfahren, wer noch eine Kopie hat. Vielleicht gibt es ja doch einen Hoffnungsschimmer. Eine winzige Chance, noch irgendwie an die Beweismittel zu kommen.

Verständnisvoll schaut Matt mich an, dann legt er mir eine Hand auf den Arm und drückt sanft die Pistole weg. »Viv, wir haben ihn«, murmelt er. »Er kann den Kindern nichts mehr tun.«

Forschend sehe ich ihm ins Gesicht und weiß natürlich, dass er recht hat. Juri ist hier, an einen Stuhl gefesselt. Diese Bedrohung für meine Kinder läuft nicht mehr frei herum. Wenn ich jetzt die Strafverfolgungsbehörden alarmiere, verbringt er den Rest seines Lebens hinter Gittern. Er ist ein russischer Spion, Anführer einer Schläferzelle. Dann hat er keine Möglichkeit mehr, meinen Kindern zu nahe zu kommen.

Die Pistole wiegt schwer in meiner Hand. »Und was machen wir jetzt?« Sollen wir die Polizei rufen, obwohl Matt und ich dann ebenfalls für den Rest unseres Lebens ins Gefängnis müssten?

Kurz wirkt er verunsichert. »Vielleicht, wenn du einfach tust, was sie verlangen, und den Stick in den Rechner steckst …«, meint er mit hoffnungsvoller Miene, und mir ist, als habe sich unter mir eine Falltür geöffnet. Schon wieder? Hält er immer noch daran fest? Warum ist ihm das bloß so wichtig?

»Das würde sie auch nicht schützen.«

»Aber Juri hat gesagt …«

»Die kommen immer wieder. Die würden auch die Kinder wieder bedrohen.«

»Das weißt du nicht. Außerdem könnten wir so ein bisschen Zeit schinden …«

Mir schnürt sich die Kehle zu. All die vielen Gespräche, die wir geführt haben. Ob ich den USB-Stick in den Computer stecken soll oder nicht. Das ganze Hin und Her. Er wirkt beinahe verzweifelt. Warum fängt er immer wieder davon an? Warum will er unbedingt, dass ich tue, was sie verlangen? Das ergibt doch gar keinen Sinn. Es sei denn, er ist eigentlich *einer von denen*?

»Und dann?«, fahre ich ihn an. »Matt, dieser Mann hat *unsere Kinder bedroht*. Er hat dir gesagt, er wird Luke *umbringen*. Willst du so jemanden wirklich laufen lassen?«

Er tritt von einem Fuß auf den anderen, fühlt sich sichtlich unwohl. Und ich kann den Blick nicht von ihm wenden. Immer wieder sehe ich ihn diese Treppe herunterkommen, ganz entspannt, in Erwartung eines netten Plauschs mit Juri.

Ich sehe ihn vor mir, wie er mir versichert hat, er habe den Russen ganz bestimmt nichts über Marta und Trey erzählt. Er hat mir unverfroren ins Gesicht gelogen. Und ich habe ihm geglaubt. Ich habe allen Ernstes geglaubt, er würde die Wahrheit sagen.

Mir ist, als sähe ich zum ersten Mal, wie er wirklich ist.

Irgendetwas an seiner Miene verändert sich, und ich habe das Gefühl, er weiß, was ich denke. »Du vertraust mir einfach nicht«, meint er.

Ich spreche den Gedanken aus, der mir als Erstes kommt. »Okay, vielleicht konntest du nicht weg. Aber hättest du nicht *irgendwas* unternehmen müssen?«

Er dreht seinen Ehering um den Finger. »Einmal habe ich versucht, dich anzurufen … Aber dein Handy war aus …« Nur mit Mühe bringt er die Worte heraus. »Juri ist dahintergekommen. Danach ist er mit Lukes Rucksack aufgetaucht. Und hat gesagt, wenn ich es noch mal versuche, dann …«

Lukes Rucksack. Darum war der also plötzlich verschwunden. *So* nahe sind sie meinem Sohn gekommen. Sie sind bei ihm in der Schule gewesen, in seinem Klassenzimmer. Haben in sein Fach gegriffen, wo er sein Pausenbrot verstaut. Deutlicher könnte die Botschaft nicht sein: Sie können ihn sich greifen, wann und wo immer sie wollen. Mein Blick geht zu Juri, der uns mit selbstgefälligem Grinsen beobachtet.

Ich glaube, mir wird schlecht. Natürlich hat Matt danach nichts mehr unternommen. Wie sollte er? Lukes Leben war in Gefahr.

Ich zwinge mich dazu, mich zu sammeln. Es geht ja nicht nur darum, dass er hier ist. Es ist das Ganze. Seine Lügen Marta und Trey betreffend. Und dass er mich *wieder* drängt, den USB-Stick in den Rechner zu stecken.

»Ich kann sagen, was ich will, es ändert nichts, oder?«, fragt er.

»Ich weiß es nicht.« Ich halte seinem Blick stand, weiche keinen Zentimeter zurück. »Ich glaube, du willst unbedingt, dass ich tue, was er von mir verlangt. Und ich versuche zu verstehen, warum.«

»*Warum?*« Ungläubig schaut er mich an. »Weil ich diese Menschen kenne. Ich weiß, dass es keinen anderen Ausweg gibt.« Er streckt die Hand nach mir aus, lässt sie wieder sinken. »Und weil ich nicht will, dass unseren Kindern etwas zustößt.«

Und dann stehen wir da und sehen einander wortlos an. Irgendwann bricht er das Schweigen. »Wenn ich auf ihrer Seite stünde, Viv, wenn ich es unbedingt wollte, warum habe ich es dann nicht gleich beim ersten Mal getan?«

»Was?«, frage ich. Aber mehr, um Zeit zu schinden, nicht weil ich ihn nicht verstanden hätte. Seine Frage ist unmissverständlich.

»Ich habe dir einen USB-Stick gegeben. Du hast ihn in den Rechner gesteckt. Warum der ganze Aufwand, wenn ich eigentlich etwas ganz anderes gewollt hätte? Warum hätte ich dir nicht gleich beim ersten Mal das Spionageprogramm unterschieben sollen?«

Darauf weiß ich keine Antwort. Er hat recht. Das ergibt keinen Sinn.

»Oder warum habe ich dich nicht einfach angelogen? Dir gesagt, der zweite Stick wäre harmlos und würde bloß den Server noch mal zurücksetzen?«

Hätte er das gesagt, ich hätte es gemacht. Ich hätte den Stick in den Rechner gesteckt.

»Ich bin auf deiner Seite, Viv«, versichert er sanft. »Ich weiß nur nicht mehr, ob du auf meiner bist.«

In meinem Kopf geht alles drunter und drüber. Ich weiß nicht mehr, was ich denken oder tun soll.

Und dann fängt das Handy ganz unten in meiner Tasche an zu vibrieren. Ich krame es hervor und sehe die Nummer im Display. Lukes Schule.

Eigentlich müsste er da sein, oder? Womöglich ist er nicht angekommen. O mein Gott, was ist passiert? Ich hätte meine Eltern anrufen, mich vergewissern sollen, dass alles in Ordnung ist. Dass sie ihn zum Bus gebracht oder, besser noch, gleich zur Schule gefahren haben. Dass ihm nichts passiert ist. Ich drücke auf den grünen Knopf.

»Hallo?«

»Hi, Mom.«

Luke. Ich atme aus und merke jetzt erst, dass ich die ganze Zeit die Luft angehalten habe. Alles um mich herum dreht sich. Panik steigt in mir auf. Warum ruft er aus der Schule an? »Luke, Liebling, was ist los?«

»Du hast gesagt, ich soll dich anrufen, wenn ich ihn noch mal sehe.«

»Wen?«, frage ich, ohne nachzudenken. Und weiß die Antwort, noch ehe ich die Frage ausgesprochen habe.

»Den Mann. Den, der mich vor der Schule angesprochen hat.«

Nein. Das kann nicht sein. »Wann hast du ihn gesehen, Luke?«

»Gerade eben. Er steht draußen. Am Zaun.«

Unmöglich. Das kann nicht sein. Mein Blick geht zu Juri, der alles mithört, ein fettes Grinsen im Gesicht. »Luke – ganz sicher, dass er es ist?«

»Ja. Er hat mich ja wieder angesprochen.«

Die nächsten Worte wollen mir fast nicht über die Lippen. »Und, was hat er gesagt?«

Er senkt die Stimme, und man hört, wie sie zittert. »Er hat gesagt, ich soll dir sagen, dass die Zeit abläuft. Was heißt das, Mom?«

Ich verliere fast den Verstand vor Angst. Ich sehe Matt an und weiß, er hat es auch mitbekommen. Sein Gesicht ist wutverzerrt, fast animalisch. Und in diesem Augenblick ist er wieder mein Mann. Der Mann, der alles tun würde, um uns zu beschützen. Um seine Familie zu verteidigen.

»Geh«, sage ich zu ihm, die Hand auf dem Hörer. Er schaut rüber zu Juri, dann wieder zu mir, und scheint zu zögern. »Ich komme hier klar. Los, kümmere dich um Luke.« Er würde niemals zulassen, dass den Kindern etwas passiert. Da bin ich mir sicher. Wir schauen uns an, und dann nimmt er mir das Handy aus der Hand.

»Bleib, wo du bist, Luke«, sagt er. »Rühr dich nicht vom Fleck, Großer. Ich bin gleich da. Daddy holt dich ab.«

Die Tür schließt sich hinter Matt, und dann wird es ganz still. Ich zittere vor Angst und Wut und Verzweiflung. Das hier wird nicht enden, wenn Juri ins Gefängnis kommt. Das hat derjenige, der Luke vor der Schule auflauert, mehr als deutlich gemacht. Es gibt also noch jemanden, der Bescheid weiß. Es gibt noch jemanden, der eine Bedrohung für uns ist.

Die Strafverfolgungsbehörden einzuschalten würde meine Kinder nicht schützen.

Würde überhaupt etwas sie jetzt noch schützen?

Juri beobachtet mich mit amüsiertem Gesicht. Ich beuge mich zu ihm herunter und sehe ihm in die Augen. »Wer bedroht da gerade meinen Sohn?« Wie ich das sage, klingt es furchterregend, selbst für meine eigenen Ohren. Wie konnte ich mich nur so irren? Wenn man mir in meinem Job etwas eingebläut hat, dann, niemals von Vermutungen und Annahmen auszugehen. Und doch habe ich genau das getan. Ich habe gehört, da war ein Mann. Jemand mit einem seltsamen Akzent. Und schon habe ich angenommen, dass das Juri sein muss.

Ein Akzent. Das hat Luke doch gesagt, oder? Habe ich nicht deshalb vermutet, dass es Juri war? Krampfhaft versuche ich, mich an unser Gespräch zu erinnern. Daran, was Luke genau gesagt hat. *Er hat sich so komisch angehört.* Himmel, ich weiß nicht mal sicher, ob der Mann einen russischen Akzent hatte oder nicht.

Ist das womöglich der Insider, von dem Juri gesprochen hat? Niemand unter den mir bekannten Leuten mit Zugriff auf Athena spricht mit einem Akzent. Könnte es jemand weiter oben im Management sein? Jemand aus dem IT-Bereich?

Oder ein weiterer russischer Agent?

»Wer bedroht meinen Sohn?«, frage ich noch mal. Juri guckt mich nur höhnisch an. Und plötzlich knallen bei mir alle Sicherungen durch. Ich schlage ihm mit aller Wucht den Pistolengriff gegen die Stirn. Für mich genauso ein Schock wie für ihn. Noch nie im Leben habe ich irgendwen geschlagen. »Ich bring dich um«, knurre ich und meine es bitterernst. Würde das meine Kinder schützen, ich würde ihn, ohne mit der Wimper zu zucken, umlegen.

Er kneift die Augen zusammen, grinst mich aber weiterhin an. Auf seiner Stirn erscheint eine Beule. Durch die Wucht des Schlages, die seinen Kopf nach hinten hat fliegen lassen, ist der Kragen seines Hemds verrutscht. Der Anhänger an der Goldkette lugt hervor und funkelt im Licht. Ein übergroßes, kitschiges Kreuz. »Warum auch nicht?«, brummt er. »Sie haben ja nichts mehr zu verlieren.«

In mir brodelt es vor Wut. »Wer?« Ich drücke ihm die Pistole an die Schläfe. Wer auch immer es ist, bis Matt da ist, hat er sich sicher längst aus dem Staub gemacht. Wie um alles auf der Welt sollen wir ihn ausfindig machen?

»Mir fallen da mehrere ein. Ich habe viele Freunde, die mir einen Gefallen schulden.« Juri grinst immer weiter. Er spielt mit mir Katz und Maus. Ich wende mich ab, damit er mein Gesicht nicht sieht. Die Verzweiflung darin, die nackte Angst, die mich gepackt haben.

Ich habe viele Freunde. Ein Gedanke kreist unablässig in meinem Hinterkopf und drängt langsam nach vorne. Wer auch immer Juris Insider ist, er kennt Matts Identität. Müssten sie seine Identität aber nicht verdeckt halten, wenn die Zelle wirklich so strikt unterteilt ist?

Und wie war das mit all den Agenten bei unserer Hochzeit? Alle zur selben Zeit am selben Ort. Vielleicht ist das Programm doch nicht so hermetisch in sich geschlossen, wie wir glauben. Vielleicht machen wir uns ein ganz falsches Bild von der Geschichte. Vielleicht …

Dimitri, die Luftkarotte. Urplötzlich taucht der Name auf und verdrängt alle anderen Gedanken. Dimitri, die Luftkarotte, der Mann, der hereinspaziert ist und behauptet hat, in den USA gebe es Dutzende Schläferzellen. Der Mann, den wir für einen Doppelagenten gehalten haben, für einen, den die Russen geschickt hatten, um uns mit falschen Informationen zu versorgen. Aber er hatte recht, oder? Wenn die vielen Leute bei unserer Hochzeit wirklich Agenten waren, dann hatte er recht.

Er hat die Wahrheit gesagt.

Krampfhaft durchforste ich mein Hirn nach weiteren Details seiner Aussage. Viele seiner Behauptungen haben nicht mit dem übereingestimmt, was wir zu wissen glaubten. Welche? Was haben wir deshalb ignoriert und als falsche Fährten abgetan?

Er hat gesagt, die Agentenbetreuer selbst würden die Namen der Schläfer verwahren. Sie trügen sie immer bei sich, überall und jederzeit.

Mein Blick geht zu Juri. Mein Hirn arbeitet daran, die Teile eines Puzzles zusammenzusetzen, von dem ich bislang nicht mal wusste, dass es existiert. Die Namen der Agenten am Körper der Betreuer, überall und jederzeit. Und was wir, basierend auf anderen geheimdienstlichen Erkenntnissen, immer schon angenommen haben: Die Namen werden elektronisch gespeichert. Irgendwas macht bei mir Klick.

Könnte das sein? Mein Blick wandert an ihm hoch, zu seinem Gesicht, und mir stockt der Atem. Das ist es. Ich sehe es ihm an: Er weiß, dass ich es weiß. Und plötzlich liegt in seinem Blick eine Hilflosigkeit, wie ich selbst sie nun schon seit Wochen erlebe. Er ist an den Stuhl gefesselt. Er kann es nicht verstecken, er kann es nicht verteidigen. Das arrogante Grinsen ist auf einen Schlag verschwunden.

Ich mache einen Schritt auf ihn zu, und dann noch einen, bis ich direkt vor ihm, fast über ihm stehe. Und ihm bleibt nichts anderes übrig, als ausgeliefert und schutzlos zu mir aufzuschauen. Ich sehe die Angst in seinen Augen. Ich greife nach dem Anhänger und betrachte ihn eingehend. Ein goldenes Kreuz. Form und Maße würden passen. Ich drehe es um und entdecke vier winzige Schrauben.

Meine Faust schließt sich um den Anhänger. Ich sehe ihm in die Augen, während ich daran ziehe, energisch und mit einem kräftigen Ruck. Sein Kopf wird nach vorne gerissen und schnellt wieder zurück. Die Kette reißt und fällt in Einzelteilen auf den Boden.

»Das ist es, stimmt's?«, keuche ich. Und ehe ich noch mehr dazu sagen kann, höre ich hinter mir das Klicken einer Waffe.

Ich erstarre. Jemand muss hereingekommen sein, ohne dass ich es gehört habe. Wir haben vergessen abzuschließen, als du gegangen bist, stimmt's, Matt?

Juri verrenkt sich den Hals, um an mir vorbei zur Tür zu schauen. Sein Blick hängt an einem fixen Punkt. An dem, der gerade hereingekommen ist. Man sieht sofort, dass Juri denjenigen kennt. Seine Lippen verziehen sich zu einem kleinen Lächeln. Und mich überkommt blanke Panik. Ich werde sterben. Ich werde sterben, hier und jetzt.

Vollkommen reglos stehe ich da und warte auf den Schuss. Ich bringe es nicht über mich, mich umzudrehen und dem, der mich gleich umbringen wird, in die Augen zu schauen.

Juris Grinsen wird breiter. Dabei bleckt er die Zähne, die gelblich verfärbt sind und auf der einen Seite ganz schief. Er macht den Mund auf und sagt: »Hallo, Peter. Schön, dich zu sehen.«

Peter.

Ich höre den Namen, aber ich kann es nicht glauben. Das kann doch nicht sein, oder? Ganz langsam drehe ich mich um. Bundfaltenhose, Slipper, Brille – und ein Revolver, der auf mich gerichtet ist. Peter. Instinktiv lasse ich die Waffe sinken, hebe die Hände und trete einen Schritt zurück.

Omar hat gesagt, es gebe einen Maulwurf in der Spionageabwehr. Jemanden aus meiner Abteilung. Juri hat gesagt, sie hätten einen Insider mit Zugriff auf Athena. Da hätte ich doch zwei und zwei zusammenzählen müssen.

Aber Peter? Ausgerechnet *Peter?*

»Vivian, ich glaube, du kennst Peter, oder?«, meint Juri und fängt an zu lachen. Ein irres, manisches Lachen. Er genießt die Situation.

Ich starre Peter fassungslos an. Er hat die Waffe heruntergenommen und hält den Arm seltsam seitlich von sich weggestreckt. Als wisse er nicht so genau, was er damit anfangen soll.

»Die Suchergebnisse, die du mitnehmen wolltest, Vivian?«, sagt Juri. »Wie gesagt, du kannst sie gerne haben. Unser Freund Peter hier hat nämlich eine Kopie davon. Stimmt's, Peter?«

»Wie konntest du nur?«, wispere ich. Juri überhöre ich geflissentlich, stattdessen sehe ich Peter unverwandt an.

Er blinzelt, sagt aber nichts.

»Ich muss wirklich sagen, dein Timing ist tadellos«, posaunt Juri weiter. »Gerade hab ich von dir gesprochen.«

Peter hält meinem Blick stand. Ich weiß nicht mal, ob er gehört hat, was Juri eben gesagt hat. »Als du heute Morgen nicht zur Arbeit gekommen bist, Vivian, hatte ich so eine Ahnung, du könntest vielleicht hier sein«, murmelt er.

Peter ist der Maulwurf. Er arbeitet für die Russen. Hilft ihnen, mich zu erpressen. »Wie konntest du nur?«, flüstere ich abermals.

Er schiebt mit dem Zeigefinger der freien Hand die Brille hoch, macht den Mund auf, um etwas zu sagen, und schließt ihn wieder. Dann räuspert er sich. »Katherine.«

Katherine. Natürlich, Katherine! Katherine war das Einzige, was Peter mehr bedeutete als sein Job, sein Land. Er nimmt die Brille ab und wischt sich mit dem Rücken der anderen Hand – in der er die Waffe hält – über die Augen. Dabei wedelt der Revolver wild herum, und der Lauf zeigt wahllos in alle erdenklichen Richtungen. Ich bin mir nicht mal sicher, ob er noch weiß, dass er die Waffe in der Hand hält. Und dass sein Finger noch auf dem Abzug liegt.

»Diese Studie ...«, hebt er an, setzt die Brille wieder auf und rückt sie auf der Nase zurecht. »Sie haben sie nicht aufgenommen.«

Nicht aufgenommen? Fragend schaue ich ihn an und warte, dass er weiterredet. Juri auf dem Stuhl hinter mir sagt kein Wort.

»Sie hatte nur noch ein paar Monate zu leben, höchstens. Man kann gar nicht beschreiben, wie das ist, so eine Nachricht zu bekommen ...« Seine Stimme klingt zittrig. Er schüttelt den Kopf, räuspert sich. »An einem Tag ist alles noch in bester Ordnung. Katherine geht es blendend. Wir haben noch ein langes gemeinsames Leben vor uns. Und am nächsten Tag diese niederschmetternde Diagnose. *Zwei Monate.*«

Mitleid überkommt mich wie eine gigantische Woge, die jedoch rasch wieder verebbt. Das ist nicht Peter. Mein Mentor, mein Freund. Das ist jemand, der mit einer Waffe vor mir steht und damit droht, mich zu erschießen.

Er blinzelt, sieht mich wieder an. »Dann hat mir jemand eine Tür geöffnet. Einer von denen.« Nickend weist er auf Juri. Seine Stimme bleibt ausdruckslos. »Hat mir versprochen, die Medikamente aus der Studie zu besorgen, wenn ich für sie arbeite.«

»Also hast du es gemacht«, flüstere ich.

Er zuckt resigniert die Achseln. Man merkt ihm an, wie sehr er sich schämt. Immerhin. »Ich wusste, dass es falsch ist. Natürlich wusste ich das. Aber er hat mir das Wertvollste auf der Welt geboten. Zeit. Zeit mit dem einen Menschen, der mir alles bedeutet. Das ist unbezahlbar. Wie soll man da nein sagen?«

Fast ist es, als flehe er mich an, ihn zu verstehen. Ihm zu verzeihen. Und irgendwie tue ich das auch. So ungern ich das zugebe, ich kann es nachvollziehen. Sie haben erbarmungslos an seiner schwächsten Stelle angesetzt. Genau, wie sie es bei mir auch versucht haben.

»Katherine habe ich nichts gesagt. Sie hätte das niemals zugelassen. Ich habe ihr erzählt, dass sie nun doch für die Studie zugelassen sei. Und mir habe ich geschworen, dass ich, wenn das alles vorbei ist, die Karten auf den Tisch lege. Dass ich der internen Sicherheit ganz genau sage, was ich weitergegeben habe. Und irgendwie wiedergutmache, was ich angerichtet habe.«

Plötzlich wird mir ganz leicht ums Herz vor…Hoffnung? Jetzt ist es doch vorbei, oder? Katherine ist nicht mehr. »Eine Weile haben die Tabletten geholfen.« Juri lauscht gebannt, so als höre auch er das alles zum ersten Mal. »Dann haben sie mir den USB-Stick gegeben. Haben gesagt, ich soll ihn in den Rechner im Leseraum stecken.« Wieder schiebt Peter seine Brille hoch. »Ich habe mich geweigert. Ihnen zu erzählen, dass Marta trinkt und Trey einen Freund hat, war eine Sache. Aber ihnen Zugriff auf unser gesamtes System zu gewähren, auf die Identität unserer Informanten…das konnte ich einfach nicht.« Er beißt die Zähne zusammen. »Da hat er gedroht, ihr keine Tabletten mehr zu geben. Und er hat die Drohung wahrgemacht. Vier Wochen später war sie tot.«

Ich klappe den Mund auf, aber es kommt nur ein Schwall Luft heraus. Es tut mir im Herzen weh, mir vorzustellen, wie schrecklich es gewesen sein muss, diese Entscheidung zu treffen. Wissend, wie hoch der Preis sein würde. Und mit dem Mitleid für Peter kommt eine neue vernichtende Woge des Hasses gegen diese Leute hoch. Diese Monster.

»Sie haben geglaubt, ich würde nicht reden«, erzählt Peter weiter. »Sie haben geglaubt, ich würde auf gar keinen Fall zu den Behörden gehen und die Sache anzeigen. Weil ich dann den Rest meines Lebens hinter Gittern verbringen würde. Aber sie wissen nicht, dass mein Leben nicht mehr lebenswert ist. Dass es nichts mehr wert ist.«

Juri sieht aus, als hätte man ihn geohrfeigt. Verdattert, sprachlos.

Peter beachtet ihn nicht. Er hat Tränen in den Augen. »Ich wollte nicht weitermachen, aber ich musste. Ich musste versuchen wiedergutzumachen, was ich angerichtet habe.« Seine Stimme bebt. »Vor allem das, was ich dir angetan habe.«

»Mir?«, keuche ich.

»Ich habe ihnen gesagt, dass wir kurz davor sind, Juris Laptop zu knacken. Ich nehme an, daraufhin haben sie das Foto von Matt dort reingestellt, damit du es findest.«

Das klingt logisch. Es würde zumindest erklären, warum die Dateien nicht verschlüsselt waren. Warum es bloß Fotos waren und weiter nichts. Es war eine Falle.

Und sie wussten genau, was ich tun würde. Dass ich Matt nicht ausliefern würde. Dass sie mich damit würden manipulieren können. Sie wussten es, noch ehe ich selbst es wusste.

»Es ist ganz allein meine Schuld, dass du da hineingezogen worden bist«, murmelt Peter.

Ich sollte irgendwas sagen. Aber ich weiß nicht, was. Ich finde nicht die richtigen Worte. Das ist gerade alles zu viel für mich.

Und dann sehe ich, wie Peters Blick an mir vorbeigeht und wie er entsetzt das Gesicht verzieht.

»Runter mit der Knarre«, höre ich jemanden kommandieren. Matt.

Ich drehe mich um, und da steht er, an der Schwelle zum Wohnzimmer. Die Tür, die von der Küche zur Veranda führt, steht halb offen. Da hat er sich hereingeschlichen. Er hält eine Pistole in der Hand und lässt Peter nicht aus den Augen.

Ich habe ein dumpfes Hämmern im Kopf. Als würde das alles gar nicht wirklich passieren. Als könne es unmöglich wahr sein.

Matt dürfte doch nicht hier sein. Er müsste in der Schule sein. Unseren Sohn abholen. Ihn beschützen. »Wo ist Luke?«, frage ich. »Warum bist du schon wieder hier?«

Er sieht mich nicht an. Ich weiß nicht mal, ob er mich überhaupt gehört hat.

»Matt, wo ist Luke?«

»Ich habe deine Eltern angerufen. Sie holen ihn ab.«

Woher weiß er, dass meine Eltern bei uns sind? Und warum ist er nicht selbst hingefahren? Das stimmt doch hinten und vorne nicht. »Warum?«, ringe ich mir mühsam ab.

»Für sie ist es viel näher. Sie sind schneller da.« Er macht eine beschwichtigende Miene. »Sie helfen gerne. Und ich wollte dich hier nicht allein lassen. Fahren Sie ruhig fort, Peter. Erzählen Sie weiter.«

Aber Peter sagt keinen Ton. Er hat die Arme vor der Brust verschränkt, der Revolver liegt zu seinen Füßen auf dem Boden. Ich schaue zu Juri, der stumm alles mit anhört. Die Angst, die ihm eben noch ins Gesicht geschrieben stand, ist verschwunden. Seine Miene ist so selbstzufrieden, dass mir angst und bange wird. Obwohl ich zu verwirrt bin, um zu verstehen, wieso.

Wieder wendet Matt sich an Peter. *»Los, weiter!«* Er klingt gereizt.

»Juri hat recht, Vivian. Ich habe die Suchergebnisse heruntergeladen, ehe das System zurückgesetzt wurde. Meinetwegen konnten sie dich überhaupt erst erpressen.« Sein Ausdruck wird hart. »Aber in einem irrt er sich. Ich habe keine Kopie davon aufgehoben.« Er greift in seine Brusttasche, und Matt hebt die Waffe.

»Matt, nicht«, rufe ich. Und höre selbst die Panik in meiner Stimme.

»Schon gut«, sagt Peter. Er hat etwas aus der Tasche geholt. Etwas Kleines. »Es ist nur das hier.« Und damit hält er einen USB-Stick an einem silbernen Schlüsselring in die Höhe. Ich starre ihn an, sehe ihn hin und her baumeln und warte auf eine Erklärung. Es muss eine Erklärung geben. Ich vertraue ihm. Er ist seit Jahren mein Mentor.

»Das sind die Fotos, die du auf dem Laptop gefunden hast, minus das von Matt. Mehr habe ich nicht aufgehoben.« Er hält mir den Stick hin. »Es gibt keinen Beweis dafür, dass du sie je gesehen hast. Nichts, was sie benutzen könnten, um dich zu erpressen.«

Den Stick in der ausgestreckten Hand, macht Peter einen Schritt auf mich zu. »Verfahr damit, wie du willst. Und mit der Identität des fünften Schläfers.« Er wirft einen Seitenblick auf Matt. »Ich vertraue darauf, dass du die richtige Entscheidung triffst, Vivian, wie auch immer sie aussehen mag. Aber dich werden sie nicht so tanzen lassen wie mich. Wie eine Marionette.«

Ich reiße den Blick von ihm los. Schaue auf den Stick. Greife danach. Nehme ihn an mich. Matt beobachtet mich mit undurchdringlicher Miene. Peters Worte hallen in mir nach. *Ich vertraue darauf, dass du die richtige Entscheidung triffst, Vivian, wie auch immer sie aussehen mag.*

Mein Blick geht zu der Waffe in Matts Hand. Ich muss an den Schuhkarton in unserem Schrank denken. Die leere Stelle. Und die Erkenntnis trifft mich wie ein Schlag.

»Du hattest die Waffe die ganze Zeit.« Ich platze damit heraus, ehe ich darüber nachdenken kann.

»Was?«

»Warum hast du Juri nicht erschossen? Warum bist du hiergeblieben?«

»Herrgott, Viv, ist das dein Ernst?«

»Du hast gesagt, du hättest nicht gewusst, ob du es mit ihm aufnehmen kannst. Aber du hattest eine *Waffe.*«

»Ich bin doch kein Killer.« Ungläubig sieht er mich an. »Und was hätte das schon genützt?«

»Er hat unseren Sohn bedroht. Er hat dir Lukes *Rucksack* gebracht.«

Ich kann zusehen, wie seine Gefühle kippen. Jetzt verzieht er gekränkt das Gesicht. »Herrgott, Vivian, was braucht es denn noch, damit du mir endlich vertraust?«

Eine Frage, auf die ich keine Antwort weiß. Ohne zu blinzeln, starren wir einander an, und ich sehe, wie er die Zähne zusammenbeißt und seine Nasenflügel sich kaum merklich blähen.

Ein eigenartiges Geräusch reißt mich aus meinen Gedanken. Juri gluckst. »Das ist besser als jeder Film«, schnaubt er. *Er glaubt, Matt stünde auf seiner Seite.* Mir bleibt kurz die Luft weg.

Und dann ist Juris Grinsen plötzlich verschwunden. Wie weggewischt. Sein Gesicht ist wie versteinert. »Morgen stirbt der Junge«, zischt er, und sein Blick bohrt sich in meinen. Seine Worte saugen sämtlichen Sauerstoff aus dem Raum, so unerwartet kommen sie. So *furchtbar.* »Wenn du's nicht machst, stirbt Luke morgen.«

Ich habe nicht den geringsten Zweifel, dass er das ernst meint. Und plötzlich gibt es nur noch mich und ihn. Diesen Mann, der mein Kind umbringen will. Ich bin völlig benommen. Kann den Blick nicht von seinem grässlich verzerrten Gesicht lösen.

»Und danach noch eins. Ella vielleicht.« Da ist etwas in seinem Blick, dass sich mir der Magen umdreht. »Obwohl, sie ist ein hübsches Mädchen geworden. Vielleicht hebe ich sie mir noch ein bisschen auf. Fange mit den Zwillingen an und lasse die kleine Ella noch ein bisschen größer werden …«

Mir verschwimmt alles vor Augen, und die Beine geben unter mir nach. Irgendwie schaffe ich es, mich zu Matt umzudrehen, dem einzigen Menschen, der das namenlose Entsetzen, das mich gepackt hat, vielleicht ansatzweise nachvollziehen kann. Ich mache den Mund auf und will etwas sagen, aber heraus kommt nur ein gequältes Wimmern.

Ganz langsam verzieht Matt das Gesicht. Ein Ausdruck wilder Entschlossenheit breitet sich darauf aus, und plötzlich weiß ich, was passieren wird. Weiß es mit absoluter Gewissheit und kann doch nichts dagegen tun. Ich sehe, wie Matt die Waffe hebt.

Dann fällt ein Schuss.

Ich habe ein schrilles Klingeln in den Ohren und höre alles nur noch gedämpft, wie durch Watte. Der Knall echot in meinem Kopf. Ich blinzele, versuche, wieder klar zu sehen. Das ist alles nicht wahr. Das kann nicht wahr sein. Matt lässt die Waffe fallen. Hektisch hebt er beide Hände, als wisse er nicht, wohin damit. Diesen Blick habe ich noch nie gesehen. Abscheu und Ungläubigkeit. Als hätte er nie für möglich gehalten, was er gerade getan hat. Keuchend schnappt er nach Luft. Einmal, zweimal.

Juri ist auf dem Stuhl zusammengesackt. Der Kopf hängt schlaff auf seiner Brust. Ein sich stetig ausbreitender Blutfleck färbt sein Hemd dunkel.

Und dann trifft es mich. Matt hat einen Menschen getötet. Er hat jemandem das Leben genommen. Einem abscheulichen Monster zwar, aber trotzdem.

»Ihr müsst hier weg«, höre ich jemanden rufen. Peter. Durch das schrille Pfeifen in den Ohren und mein wild hämmerndes Herz kann ich ihn kaum verstehen. »Das FBI klebt mir an den Fersen. Die werden jeden Augenblick hier sein.«

Das FBI. Hier. O Gott.

»Ihr müsst weg«, wiederholt Peter mit Nachdruck. Er bückt sich, hebt Matts Waffe auf.

Ich muss hier weg. Aber ich kann mich nicht von der Stelle rühren.

Und dann höre ich es. Ein Geräusch, hinter mir. Ein lauter Schlag, und dann noch einer, und dann fliegt die Tür auf. Dunkle Gestalten in voller Einsatzmontur stürmen das Haus, geduckt, das Gewehr im Anschlag, unter lautem Geschrei. *»FBI! Hände hoch!«*

Ich hebe die Hände hoch über den Kopf. Sehe die Westen, die großen Blockbuchstaben. Die Gewehrläufe, die auf Peter gerichtet sind, und auf mich.

Nur auf Peter und mich. Matt ist verschwunden.

»Waffe weg!«

Ich schaue die Einsatzkräfte an, reihum, und plötzlich erkenne ich ein Gesicht. Omar. Er zielt auf Peter und schreit. Alle schreien.

»Waffe weg! Waffe weg!«

Peter hat Matts Waffe noch in der Hand, den Arm seltsam abgewinkelt. Ich kann seine Miene nicht deuten. Noch mehr Geschrei. Weitere Aufforderungen, die Waffe fallenzulassen, die Hände hochzunehmen. Dann Peters Stimme über dem ganzen Tumult: »Lasst mich was sagen. *Lasst mich was sagen!*«

Das Geschrei verebbt. Die Einsatzkräfte verharren in Schießstellung, die Arme ausgestreckt, die Waffen im Anschlag – zwei auf Peter gerichtet, eine auf mich. Was Peter nicht entgeht. »Sie hat nichts damit zu tun«, erklärt er. Und klingt ganz ruhig, erstaunlich ruhig. »Sie ist nur meinetwegen hier. Ich wollte, dass sie meine Erklärung hört.«

Die Waffe bleibt weiter auf mich gerichtet.

»Schon okay, sie gehört zu uns«, brummt Omar. Nach kaum merklichem Zögern schwenkt der Gewehrlauf von mir weg. »Lass die Waffe fallen, Peter«, befiehlt er.

»Zuerst muss ich was sagen.« Entschieden schüttelt Peter den Kopf. »Und ich will, dass ihr mir zuhört.« Die Brille ist ihm wieder auf die Nasenspitze gerutscht, aber diesmal schiebt er sie nicht zurück. Er senkt den Kopf und guckt über den Brillenrand hinweg. »Das war ich«, erklärt er und weist mit der freien Hand auf den Stuhl. »Ich habe diesen Mann umgebracht. Juri Jakow.

Er ist ein russischer Agent.« In seinem Blick liegt schiere Verzweiflung. »Ich habe für ihn gearbeitet. Ich bin der Maulwurf.«

Omar wirkt wie vor den Kopf geschlagen. Ich schaue noch einmal zu der Waffe in Peters Hand. »Ich habe den Russen Informationen über meine Kollegen geliefert. Meinetwegen haben sie versucht, Marta und Trey anzuwerben. Vielleicht auch andere. Ich habe ihnen erzählt, dass wir Juri auf der Spur sind. Dass wir kurz davor stehen, seinen Laptop zu knacken.« Er hat Schweißperlen auf der Stirn, sie glitzern im Licht. »Und dann habe ich im Leseraum einen USB-Stick in den Rechner gesteckt. Und den Verlauf der Aktivitäten von den CIA-Servern gelöscht.«

Ich schnappe nach Luft. Und muss daran denken, wie ich an dem Tag an der Tür mit ihm zusammengestoßen bin. Er hat es gewusst. Und nun gesteht er es. Um mich zu schützen.

Und dann weiß ich plötzlich: Es hat einen Grund, warum er das alles hier und jetzt gesteht. Warum er die Waffe nicht hat fallenlassen. »Nein«, schreie ich verzweifelt. »Tut mir leid«, flüstert er und sieht mich unverwandt an. Dann hebt er die Waffe.

Ich sehe, wie es passiert. Höre, wie es passiert. Die Schreie. Der Kugelhagel. Peter, der vor mir zusammensackt, auf den Boden sinkt, leblos in einer Blutlache liegen bleibt.

Ein Schrei. Gedämpft zunächst und dann, als ich langsam wieder etwas höre, immer lauter. Es dauert eine Weile, bis mir aufgeht, dass ich es bin, die so schreit. Die sich die Seele aus dem Leib schreit.

Ich sitze auf dem Sofa in Juris Wohnzimmer, ganz vorne auf der Kante, die Hände links und rechts in die Kissen gekrallt – die viel zu fest gepolstert sind und mit tristem braunen Stoff bezogen. Draußen heulen Polizeisirenen. Mehrere, disharmonisch, eine ohrenzerfetzende Kakofonie. Dazu das Blaulicht, das ein zuckendes Muster aus tanzenden blauen und scharlachroten Flecken an die Wände wirft. Gebannt sehe ich zu. Weil ich sonst auf das Laken starren würde, unter dem Peters Leiche liegt. Und das ertrage ich nicht.

Omar sitzt neben mir. Nahe, aber nicht zu nahe. Ich spüre seinen Blick. Wie er mich anschaut. Er und die anderen Agenten, die sich überall hier im Haus zu schaffen machen. Die beschriften, fotografieren, herumlaufen und reden und mir aus den Augenwinkeln unauffällige Blicke zuwerfen.

Ich glaube, Omar erwartet, dass ich etwas sage. Und das tue ich auch. Müsste er mich jetzt nicht eigentlich über meine Rechte belehren? Ständig muss ich an die zusammengefalteten Ausdrucke in meinem Hosenbund denken. Den Beweis, der mich für den Rest meines Lebens hinter Gitter bringen könnte.

»Brauchst du irgendwas?«, fragt er schließlich. »Ein Glas Wasser?«

Stumm schüttele ich den Kopf, den Blick unverändert auf die flackernden Lichter an der Wand geheftet. Ich versuche zu verstehen, was passiert ist. Versuche, irgendeinen Sinn darin zu erkennen. Ich habe die Ausdrucke. Die digitale Kopie hat Peter vernichtet. Juri ist tot. Er kann mir also nichts mehr anhängen. Und meinen schlimmsten Fehler, den USB-Stick in den Rechner gesteckt zu haben, hat Peter auf sich genommen.

»Irgendwann müssen wir darüber reden, das ist dir klar, oder?«, meint Omar vorsichtig.

Ich nicke und denke fieberhaft nach. Redet er mit mir als Freundin und Kollegin? Oder als Verdächtige? Ich könnte einfach so tun, als hätte ich gerade erst herausgefunden, dass Matt ein Schläfer ist. Als hätte Juri es mir gesagt. Soll das FBI den Fall doch untersuchen. Das ist die Gelegenheit, alles wieder geradezubiegen. Matt ausliefern, wie ich es gleich an dem Tag hätte tun sollen, als das alles angefangen hat. Matt wird das verstehen. Schließlich hat er mir selbst gesagt, dass ich das machen soll.

Morgen stirbt Luke. Wenn ich den USB-Stick nicht in den Rechner stecke, werden sie Luke umbringen. Ich habe keine Ahnung, wer ihn bedroht. Und ich kann das FBI nicht einschalten, ohne ihnen alles zu sagen. Ohne mich selbst zu belasten. Und ich kann nicht ins Gefängnis gehen, während Luke in Lebensgefahr schwebt. Ich kann mich nicht darauf verlassen, dass das FBI rechtzeitig herausfindet, wer ihn bedroht, und ihn festsetzt. Bevor es zu spät ist.

»Fangen wir vielleicht damit an, dass du mir erst mal erklärst, was du hier machst?«, hakt Omar nach.

Ich schaue weg, und unwillkürlich bleibt mein Blick an dem Laken hängen, das Peter bedeckt. Omar beobachtet das. Dann nickt er, als beantworte es seine Frage. »Der Anruf neulich. War er das?«

Unverwandt starre ich auf das Laken. Ich weiß nicht, wie ich diese Frage beantworten soll. Ich muss mir eine Geschichte ausdenken, die für alles, was passiert ist, eine plausible Erklärung bietet. Aber das braucht Zeit. Und die habe ich nicht.

»Oder Juri?«

Ich blinzele. Was wäre am logischsten? Was habe ich ihm über den Anruf erzählt? Ich kann mich kaum noch erinnern. *Es ist jemand darin verwickelt ... jemand, der mir sehr nahesteht.*

»Vivian«, sagt Omar und klingt so sanft, so mitfühlend. »Ich hätte dir diese Infos nicht geben dürfen. Nicht, ohne genau zu wissen, was eigentlich los ist.

»Schon okay«, stammele ich. Was weiß er? Was habe ich ihm an dem Tag erzählt?

»Ich hätte auf mein Bauchgefühl hören sollen. Mir denken können, wozu du sie brauchst.« Er schüttelt den Kopf.

»Du hast mir einen Gefallen getan.«

Sein Blick wandert hinüber zu dem Laken. Ungefilterte Trauer verzerrt sein Gesicht. Peter war schließlich auch sein Freund. »Du wolltest ihm helfen«, krächzt er. Eine Feststellung, keine Frage.

Ich schlucke. *Jetzt.* Ich muss was sagen. »Er war mein Mentor. Mein Freund.«

»Ich weiß. Aber er war ein Verräter.«

Den Tränen nahe, nicke ich. Ich weiß nicht, wie lange ich mich noch zusammenreißen kann.

»Wir haben ihn beobachtet. Hatten ihn im Verdacht, der Maulwurf zu sein. Sind ihm gefolgt, als er hierhergefahren ist. Und als wir den Schuss gehört haben ... Was hat er gesagt? Hat er erklärt, *warum* er es gemacht hat?«

»Katherine«, flüstere ich nur. »Sie haben Katherine benutzt.« Mehr bekomme ich nicht heraus. Später wird noch genug Zeit sein, alles genau zu erklären. Den Teil will ich erklären, *muss* ihn erklären. Peter war kein schlechter Mensch. Sie haben ihn ausgenutzt. Ihn erpresst, ihn genötigt. Das als Druckmittel benutzt, was ihm das Allerwichtigste war auf der Welt.

»Sie packen dich an deinem schwächsten Punkt«, murmelt er.

Ich lausche auf die Sirenen draußen. »Er hatte von Anfang an vor, es wiedergutzumachen. Das hat er hier versucht.« Ich schaudere. Er hat es wiedergutgemacht. Zumindest in Bezug auf mich. Hat meinen größten Fehler auf sich genommen, die Zurücksetzung des Servers. Matts Identität nicht aufgedeckt. Sogar die vier Fotos gesichert, die ich gelöscht habe und derentwegen ich so ein schlechtes Gewissen hatte.

Die vier Bilder. Der USB-Stick. Ich taste meine Tasche danach ab. Greife hinein, ziehe ihn hervor und halte ihn Omar hin. »Den hat er mir gegeben. Er hat gesagt, da sind die Fotos von Juris Schläfern drauf.«

Omar beäugt den Stick. Zögert kurz. Nimmt ihn dann, dreht sich um und ruft einen Kollegen. Nur ein paar Minuten später steht ein Laptop vor uns auf dem Tisch, und Omar steckt den Stick hinein. Ich sehe zu, wie die Fotos auf dem Bildschirm erscheinen – die Frau mit den orangeroten Locken, der Mann mit der runden Brille, die beiden anderen. Die vier, die ich gelöscht habe. Alle da. Nur einer fehlt. Matt.

»Vier?«, höre ich Omars Kollegen fragen. »Wieso nur vier?«

»Seltsam«, murmelt Omar. »Müssten doch eigentlich fünf sein, oder?« Er schaut mich an.

Blinzelnd gucke ich auf den Monitor und nicke. Geistesabwesend. Ich bekomme nur am Rande mit, dass die Agenten ausgiebig diskutieren. Darüber, was das wohl zu bedeuten hat. Vier statt fünf. Theorien, warum es nur vier sein könnten. Ein Schläfer ist umgekommen. In Rente gegangen. Das Programm ist doch nicht so robust, wie wir dachten.

Ich merke, wie Omar mich beobachtet. Mich lange und durchdringend ansieht. Dieser Blick versetzt meine Nervenenden in Alarmbereitschaft.

Um uns herum wird weitergeredet, weiterdiskutiert. Schließlich kommt einer der Agenten zu uns, schnappt sich den Laptop und verschwindet damit. Die anderen zerstreuen sich langsam.

»Jetzt lasse ich dich nach Hause gehen«, sagt Omar. Und fügt mit gesenkter Stimme hinzu: »Aber morgen, Vivian. Morgen erzählst du mir alles, was du weißt. *Alles.* Ist das klar?«

Morgen. *Morgen stirbt Luke.* Ich nicke, weil meine Stimme mir nicht mehr gehorchen will.

Er beugt sich zu mir herüber. Sieht mir in die Augen. »Ich weiß, dass mehr hinter dieser Geschichte steckt, als du zugeben willst.«

Erschüttert bis ins Mark komme ich zu Hause an. Immer noch klingeln mir die Ohren von den Schüssen. Immer noch sehe ich Peter vor mir, wie er sich entschuldigt, die Waffe hebt, zu Boden geht. Aber am schlimmsten sind Juris Worte, die mir nicht aus dem Kopf gehen. Die Drohung gegen meinen Sohn.

Matt steht im Flur, als ich reinkomme. Und es passt irgendwie nicht, ihn hier zu sehen, in unserem Haus. Es fühlt sich falsch an. Fast, als gehöre er nicht hierher. Ich bleibe stehen, und wir sehen einander lange an. Wortlos, reglos.

»Warum bist du nicht gegangen, als Peter es dir gesagt hat?«, fragt er schließlich.

»Weil ich nicht konnte.« Ich sehe die Einsatzkräfte das Haus stürmen. Sehe, wie ich mich umgedreht habe und er weg war. Mein Blick sucht seinen. *Warum bist du ohne mich gegangen?*

»Ich dachte, du bist direkt hinter mir. Und als ich draußen war und gemerkt habe, du bist nicht da … habe ich Panik bekommen.« Er klingt aufrichtig, aber sein Gesicht wirkt unbeteiligt. »Was ist denn dann passiert?«

Ich schüttele nur den Kopf. *Zu viel, um es dir hier und jetzt zu erzählen.*

»Alles okay?« Er klingt gleichgültig. Als sei ihm das so oder so egal. Und da dämmert es mir: Er gibt mir die Schuld. Er gibt mir die Schuld dafür, dass er einen Menschen getötet hat. Und er ist wütend auf mich.

»Ja.«

Er verzieht keine Miene, und ich will gerade etwas sagen, irgendetwas Unverfängliches, da höre ich Ella freudig rufen: »Mommy ist da!« Sie kommt in den Flur gestürmt, zu mir, und umarmt meine Beine. Ich lege ihr eine Hand auf den Kopf, dann gehe ich in die Hocke und gebe ihr einen Kuss. Als ich aufschaue, sehe ich Luke im Türrahmen stehen. Ich lasse Ella los, gehe zu ihm und nehme ihn erleichtert in die Arme. Gott sei Dank ist ihm nichts passiert.

Und dann habe ich ungebeten wieder Juris Worte im Kopf. Und drücke Luke noch fester an mich.

Drüben im Wohnzimmer sitzt mein Dad auf der Couch, und meine Mom hockt auf dem Boden. Als ich reinkomme, steht sie auf. Vor ihr erstreckt sich eine weitläufige Lego-Stadt. »Ach, Liebes, du bist ja da?«, ruft sie. Sie sieht besorgt aus. »Nicht zu glauben, dass du die ganze Nacht durchgearbeitet hast. Machst du das öfter? Es ist nicht gesund, so viele Überstunden zu machen.«

»Nicht so oft«, antworte ich.

»Und das, wo Luke krank war und alles«, murmelt sie kopfschüttelnd.

Mein Blick geht zu Luke, der mit gesenktem Kopf dasteht. Und dann zu Matt, der in der Küche steht und nur leicht die Achseln zuckt, meinem Blick aber ausweicht. Vermutlich mussten die beiden ein bisschen schwindeln. Sie mussten meinen Eltern schließlich irgendwie erklären, warum sie Luke früher von der Schule abholen sollten. Ein unbehagliches Schweigen macht sich breit, während wir alle unschlüssig dastehen und einander unsicher anschauen.

»Also«, sagt Mom schließlich. »Jetzt, wo Matt wieder da ist, können wir ja fahren, damit wir euch hier nicht auf den Füßen stehen.« Sie lächelt Matt zu. Mein Dad schaut ihn von der Couch aus an. Ohne zu lächeln. Er kann sehr nachtragend sein, wenn er glaubt, jemand hätte mir wehgetan.

Kurz gucke ich zu Matt rüber, aber der meidet meinen Blick noch immer. Sie dürfen jetzt nicht fahren. Noch nicht. »Also, ehrlich gesagt«, hebe ich an, »wäre es toll, wenn ihr noch ein bisschen bleiben könntet …« Das Lächeln meiner Mutter erlischt. Dads Gesicht versteinert. Beide sehen Matt an, als könnte er sich jeden Moment vor ihren Augen in Luft auflösen. »Wenn es nicht geht, verstehe ich das natürlich. Ich weiß, ihr habt genug um die Ohren, und …«

»Natürlich können wir noch bleiben«, fällt meine Mom mir ins Wort. »Wenn du uns brauchst. Wir sind immer für dich da, mein Schatz!« Ihr Blick huscht wieder zu Matt. Schon okay, das kann ich später richten. Ich kann alles wieder richten. »Aber dein Vater und ich könnten ein paar frische Sachen zum Anziehen gebrauchen. Wie wär's, wenn wir heute Abend nach Charlottesville fahren und morgen früh wiederkommen?«

»Ihr könnt eure Sachen auch hier waschen«, wende ich ein.

Sie überhört mich einfach. »Und das Haus. Wir sollten mal nach dem Haus sehen.« Sie will, dass wir ein bisschen Zeit für uns allein haben.

»Wie ihr meint«, sage ich schließlich. Ich habe keine Kraft mehr zu streiten. Außerdem ist es für Matt und mich tatsächlich einfacher, miteinander zu reden, wenn sie nicht da sind.

Kurz darauf fahren sie, und wir sechs sind wieder unter uns. Ich schließe die Tür hinter ihnen ab und vergewissere mich, dass auch die anderen Türen verriegelt und die Fenster verschlossen sind. Als ich die Jalousien herunterlasse, höre ich Matt in der Küche sagen: »Was wollen wir heute Abend essen, Prinzessin?« Sein Ton ist heiter, und trotzdem klingt es hohl, wie er das sagt.

»Käsenudeln?«, ruft Ella prompt.

»Zum Abendessen?«, meint Matt. Kurz wird es still, und ich spähe rüber in die Küche. Sie nickt begeistert wie ein kleiner Wackeldackel und grinst über das ganze Gesicht.

Matt schaut Luke an. »Was meinst du, Großer?«

Luke schaut mich an, als rechne er damit, dass ich nein sage. Als ich wider Erwarten stumm bleibe, dreht er sich wieder zu Matt um und zuckt die Achseln. Ein kleines Lächeln zupft seine Mundwinkel nach oben. »Klar.«

»Dann also Käsenudeln«, meint Matt und holt einen Topf aus dem Küchenschrank. Seine Stimme hat etwas Schneidendes, und ich hoffe, dass die Kinder es nicht mitbekommen. »Warum nicht?«

»Mit Erbsen?«, fragt Ella strahlend, als handele sie einen Deal aus. Das ist immer der Kompromiss, wenn es Käsenudeln zu Mittag gibt: Erbsen als Beilage.

»Erbsen brauchen wir nicht«, murmelt Luke. »Er hat doch schon ja gesagt.«

Ella zieht ihre kleinen Augenbrauen hoch. »Ach ja.«

Caleb fängt an zu quengeln, also setze ich ihn in seinen Hochstuhl und lege ihm ein paar Cracker auf das Tablett. Als Chase das sieht, fängt er prompt an zu wimmern und streckt mir die Ärmchen entgegen, die pummeligen Fingerchen weit gespreizt. Also nehme ich ihn, setze ihn in seinen Stuhl und gebe auch ihm ein paar Cracker.

Luke und Ella trollen sich ins Familienzimmer, und ich sehe Matt beim Kochen zu. Er steht mit dem Rücken zu mir und ist still und angespannt. *Ich bin doch kein Killer*, höre ich ihn wieder sagen. Aber jetzt ist er einer. Und mir gibt er die Schuld daran.

»Möchtest du irgendwas sagen?«, frage ich und sehe, wie er innehält. Aber er dreht sich nicht um, sagt kein Wort.

Ihn so zu sehen macht meine Verzweiflung nur noch größer.

Meine Hilflosigkeit. Wie soll ich die Angst um Luke aushalten, wenn Matt nicht mal mit mir spricht? Mich nicht mal anschaut? Wie kann es sein, dass ich mit einem Mal wieder im Begriff bin, alles zu verlieren?

»Ich hab dich nicht darum gebeten«, wispere ich.

Mit dem Kochlöffel in der Hand dreht er sich zu mir um. »Du hast mir unmissverständlich klargemacht, was du von mir erwartest.«

»Was ich von dir *erwarte*?« Das ist nicht fair. Er kann das nicht allein mir anhängen. Er hat doch selbst gehört, was Juri gesagt hat, über Ella und …

Mit gesenkter Stimme fügt er hinzu: »Hätte ich es nicht gemacht, du hättest mir nie vertraut.«

»Warum sollte ich dir auch vertrauen?«, bricht es aus mir heraus. So laut, dass die Kinder es nebenan hören. Plötzlich sind sie ganz still und unterbrechen ihr Spiel.

»Mommy?«, fragt Ella zaghaft. »Daddy? Könnt ihr bitte aufhören zu streiten?«

Matt und ich schauen einander lange in die Augen. Schließlich schüttelt er den Kopf und wendet sich langsam wieder dem Herd zu. Keiner von uns sagt mehr ein Wort.

Wir lassen die Kinder essen und baden sie und bringen sie ins Bett, und fast ist es wie immer. Matt räumt die Küche auf, während ich im Familienzimmer Ordnung mache. Aber es ist nicht wie immer. Weil wir gerade durch die Hölle gegangen sind. Weil unsere Kinder bedroht werden. Und weil Matt mich keines Blickes würdigt.

Ich schaue ihm beim Spülen zu. Sehe die kleine Stelle an seinem Hinterkopf, an der das Haar kaum merklich schütter wird. Er scheuert irgendwas in der Spüle. Ich hocke mich auf die Fersen. »Wir müssen reden.«

Er dreht sich nicht um. Schrubbt unbeirrt weiter.

»Matt.«

»Was?« Unwirsch reißt er den Kopf herum und schaut mich an, scharf und gequält zugleich. Dann dreht er sich wieder weg.

»Wir müssen über Luke reden«, sage ich nachdrücklich und höre selbst den verzweifelten Unterton in meiner Stimme. Ich muss mit ihm reden. Ich brauche jemanden an meiner Seite.

Er hält inne, schaut aber nicht auf. Ich sehe, wie seine Schultern sich mit jedem Atemzug heben und senken. Konzentriere mich auf die Stelle, an der sein Haar sich lichtet. Ganz anders als damals, vor zehn Jahren, als wir uns kennengelernt haben. So vieles ist jetzt anders.

»Also gut.« Er stellt das Wasser ab. Statt des gleichmäßigen

Rauschens ist nur noch ein langsames Tropfen zu hören. Die letzten Wasserperlen, die ins Becken klatschen.

Erleichtert atme ich aus, dann versuche ich, mich zu sammeln. »Hat Luke noch irgendwas über den Mann gesagt, der ihn vor der Schule angesprochen hat?«

Er wirft sich das Geschirrtuch über die Schulter und kommt ins Wohnzimmer. Hockt sich, nach wie vor sichtlich angespannt, auf die Armlehne der Couch. »Ich habe mehrmals nachgefragt. Habe gesagt, er soll mir alles erzählen, woran er sich erinnern kann. Er hatte einen russischen Akzent, definitiv. Ich habe Luke auf dem Handy Audio-Clips mit verschiedenen Akzenten vorgespielt, und er war sich ganz sicher.« Sein Ton ist kühl, doch ich versuche, das zu überhören und mich auf das zu konzentrieren, *was* er sagt.

»Okay.« Russischer Akzent. Also noch ein russischer Agent. Ein Gedanke will sich in meinen Fokus schieben. *Der Agentenführer*. Kann das sein? Könnte Juri seinen Vorgesetzten eingeschaltet, ihn um Hilfe gebeten haben?

»Aussehen: Er meinte, braune Haare und braune Augen. Normal groß und normal schwer ...«

Wobei, das wäre nur logisch. Logischer als alles andere. Eigentlich dürfte Juri gar keinen Kontakt zu anderen russischen Agenten haben. Außer zu seinem Agentenführer.

»... letztes Mal Jeans, diesmal eine schwarze Hose. Beide Male ein Hemd mit Button-Down-Kragen. Und eine Kette um den Hals ...«

Eine Kette. Er redet weiter, aber ich höre ihn nicht mehr. In meinem Kopf geht alles drunter und drüber. »Eine Kette?«

Er unterbricht sich mitten im Satz. Was auch immer er gerade gesagt hat. »Ja. Eine Goldkette.«

Unwillkürlich fährt meine Hand in die Hosentasche, tastet nach dem Anhänger darin. Und dann ziehe ich sie, genauso schnell, wieder heraus und falte beide Hände im Schoß. Mein Blick sucht den von Matt. Wirke ich so schuldbewusst, wie ich bin? In seinen Augen lese ich, wie durcheinander er ist. Wie verletzt. Als wüsste er ganz genau, dass ich ihm etwas verheimliche. Dass ich ihm nicht genug vertraue, um ihm alles zu sagen.

Er steht auf und wendet sich ab. »Warte«, sage ich. Er bleibt stehen, und etliche lange Augenblicke weiß ich nicht, was er jetzt tun wird. Schließlich dreht er sich wieder um.

»Ich hab dich angelogen, Viv. Und es tut mir aufrichtig leid. Aus ganzem Herzen.« Sein Kinn zittert leicht. »Aber ich ertrage es jetzt schon seit Wochen, dass du mich deswegen hasst. Ewig ertrage ich das nicht.«

»Was soll das denn heißen?« Es fühlt sich an wie ein Abschied. Und das kann nicht sein. Das darf nicht sein. Nicht jetzt, wo wir uns gemeinsam der Gefahr stellen müssen. Wo wir Luke vor dieser Bedrohung schützen müssen.

»Eigentlich dachte ich, wir sind stark genug, das gemeinsam durchzustehen. Aber da bin ich mir inzwischen nicht mehr so sicher.« Er schüttelt den Kopf. »Ich bin mir nicht sicher, ob du mir jemals wieder vertrauen wirst.«

Meine Gefühle fahren Achterbahn. *Soll* ich ihm vertrauen? Er hat mich angelogen, jahrelang. Aber ich kann verstehen, warum er es getan hat. Er saß in der Falle. Und seit ich die Wahrheit herausgefunden habe, war er immer ehrlich.

Ich sehe ihn wieder die Treppe in Juris Haus herunterkommen, frisch geduscht. Aber er war nur da, weil er nicht wegkonnte. Weil Luke in Gefahr war. Nur aus diesem Grund war er überhaupt dort. Um Luke zu beschützen.

Er hat uns nicht im Stich gelassen, wie ich es befürchtet hatte. Er ist gegangen, damit unseren Kindern nichts geschieht.

Und er hat den Russen nichts über Marta und Trey erzählt. Das hat Peter gestanden.

»Ich habe ihn ermordet, Viv. Ich habe ihn ermordet, und du vertraust mir *immer* noch nicht.«

Ich muss an das Entsetzen in seinem Gesicht denken, nachdem er Juri erschossen hatte. Er war nicht entsetzt, weil es *Juri* war. Sondern weil er einen Menschen umgebracht hatte.

Er hat etwas getan, das er für den Rest seines Lebens bereuen wird. Und er hat es für mich getan.

»Entschuldige«, wispere ich und strecke die Hand nach ihm aus, aber er sieht sie nur an und rührt sich nicht. Der Graben zwischen uns war noch nie so tief.

Wie er mich anschaut. Der Schmerz in seinem Blick. Das geht mir durch Mark und Bein. Und es macht mir Angst.

Ich glaube, ich vertraue ihm. Die Gründe, die mich daran gehindert haben, ihm zu vertrauen, lösen sich auf wie Nebelschwaden in der Morgensonne. Und ich brauche ihn an meiner Seite. Das ist das Beste für Luke. Für uns alle.

Meine Finger schieben sich in die Hosentasche, schließen sich um den Anhänger. Ich ziehe ihn heraus und halte ihn Matt hin. Fast wie eine Opfergabe, einen Vertrauensbeweis. »Das habe ich Juri abgenommen, kurz bevor Peter aufgetaucht ist.«

Er sagt nichts, sein Ausdruck ist unverändert skeptisch.

Ich drehe den Anhänger um, suche die vier winzigen Schrauben auf der Rückseite. »Holst du mal einen Schraubenzieher?«

Er zögert, dann nickt er. Geht aus dem Zimmer und kommt kurz darauf mit der Werkzeugkiste zurück. Ich suche mir den kleinsten Schraubendreher. Löse alle vier Schrauben, ziehe sie heraus und stemme die Rückseite des Anhängers mit dem Fingernagel heraus. Sie fällt mir in die hohle Hand. Im Hohlraum des Anhängers klemmt ein USB-Stick. Ich schüttele das Medaillon vorsichtig, und der Stick fällt heraus, mir in die Hand. Ich halte ihn ins Licht, dann sehe ich Matt an. »Darauf dürften wohl die Namen sein.«

»Die Namen?«

»Von Juris fünf Schläfern.«

Verständnislos starrt er mich an. Und plötzlich geht mir auf: Er weiß nicht, was ich weiß. Ich zögere, aber nur einen Augenblick.

»Jeder Agentenbetreuer kennt die Namen von fünf Schläfern. Stößt ihm etwas zu, soll sein Nachfolger die Namen finden, Moskau kontaktieren, um einen Entschlüsselungscode zu bekommen, und dann für ihn übernehmen. So soll die Identität der Schläfer geschützt werden.«

Er runzelt die Stirn. »Und warum fragen sie nicht einfach Moskau nach den Namen?«

»Weil Moskau die Namen nicht hat. Die werden nur vor Ort gespeichert.«

Er schweigt, und ich kann förmlich zusehen, wie es in ihm arbeitet. »Nicht in Moskau?«

Ich schüttele den Kopf. Allmählich dämmert es ihm.

»Aber damals haben sie uns doch gesagt, der neue Betreuer würde sich mit uns in Verbindung setzen …«

»Das kann er nur, wenn er die Namen findet«, erkläre ich.

»Deshalb sollten wir uns also nach einem Jahr zurückmelden, wenn wir bis dahin nicht kontaktiert worden wären.«

Ich nicke. »Genau, denn wenn der Nachfolger die Namen nicht hat, ist das ihre einzige Möglichkeit, wieder mit euch in Kontakt zu kommen.«

»Hätte ich das gewusst«, murmelt er und nimmt mir behutsam den Stick aus der Hand. Hält ihn zwischen Daumen und Zeigefinger. Betrachtet ihn eingehend, als berge er die Antwort auf alle Fragen. Dann sieht er mich an. Und ich weiß, dass wir gerade dasselbe denken. Wenn darauf die Namen gespeichert sind, muss er nicht ins Gefängnis.

Juri ist tot. Niemand kann uns mehr erpressen. Die fünf

Namen sind weg. Wen Moskau auch als Juris Nachfolger schickt, er wird die Namen nicht in die Finger bekommen. Untätig wird er abwarten müssen, bis die Schläfer sich bei ihm melden. Und wenn Matt das nicht tut, ist er frei. Endgültig.

Ginge es nur um uns beide, wäre das die Lösung. Niemand könnte ihn mehr enttarnen oder mir irgendwas nachweisen. Es wäre ein süßer Triumph. Wären da nicht die dunklen Wolken am ansonsten blauen Himmel. Entscheidend ist nicht, dass Matt in Sicherheit ist oder dass ich es bin. Wichtiger ist, dass jemand unserem Sohn etwas antun will. Unseren Kindern. Und ich weiß einfach nicht, wer.

Und dann trifft mich ein Gedanke mit solcher Wucht, dass es mir kurz den Atem verschlägt. *Aber Luke weiß es vielleicht.*

Das Foyer ist menschenleer. Bis auf eine einsame Sicherheitsbeamtin, die an einem der Drehkreuze steht. Irgendwie kommt sie mir bekannt vor. Meine Schritte hallen in dem riesigen Gebäude wider. Zielstrebig gehe ich auf die Frau zu und nicke zur Begrüßung, als ich meinen Ausweis einscanne und das Drehkreuz passiere. Sie erwidert das Nicken gleichgültig und sieht mir kurz hinterher.

Ich laufe durch stille Korridore bis zu unserer abgeschotteten Abteilung. Lege meinen Ausweis auf das Lesegerät und gebe meine PIN ein. Es piepst, das Schloss springt auf, und ich drücke die schwere Tür auf. Drinnen ist es dunkel und still. Schnell knipse ich die Beleuchtung an, sodass alles in kaltes Neonlicht getaucht wird, und gehe zu meiner Zelle.

Dort schließe ich die Schreibtischschublade auf, ziehe die Akte heraus und lege sie auf den Schreibtisch. Gleich neben die Korkpinnwand mit den Fotos von meinen Lieben. Mit den Bildern von den Kindern. Die Akte ist dicker, als ich sie in Erinnerung hatte. Prall gefüllt mit meinen Rechercheergebnissen. Dutzende von Kandidaten, die als Agentenführer in Frage kommen könnten. Mitsamt *Fotos*.

Ich setze mich und ziehe die Akte zu mir rüber. Rasch blättere ich sie durch und sortiere die Fotos und Kurzbiografien, die zu meiner anderen Recherche gehören, aus. So kann ich den Stapel beinahe halbieren. Vielleicht erkennt Luke ja einen der Verdächtigen. Könnten wir ihn identifizieren, könnten wir die Kinder vor ihm schützen. Dann wäre er keine namenlose, gesichtslose Bedrohung mehr. Dann wäre er greifbar. Ein Mensch, den wir finden und unschädlich machen könnten.

Aber der Stapel ist immer noch viel zu dick. Wie soll ich den hier rausschmuggeln? Ihn einfach in die Tasche zu stopfen wäre zu gefährlich. Was, wenn die Sicherheitsbeamtin mich anhält und einen Blick in die Tasche werfen will? Ich kann mich doch nach allem, was passiert ist, nicht dabei erwischen lassen, wie ich amateurhaft geheime Unterlagen hinauszuschmuggeln versuche. Mein Blick bleibt an dem Foto von Juri hängen, das ich an die Wand gepinnt habe, und meine Gedanken schweifen ab. Die Kette. Am Körper, jederzeit. Genau wie Dimitri, die Luftkarotte, gesagt hat. *Am Körper.*

Ich stehe auf, nehme den Papierstapel und marschiere damit zu dem Tisch ganz hinten in der Abteilung, wo Drucker und Kopierer stehen. Dort finde ich auch eine dicke Rolle Klebeband und einen großen Umschlag. Beides nehme ich an mich. Stopfe die Unterlagen in den Umschlag. Ziehe das Sweatshirt hoch. Stecke den Umschlag hinten in den Hosenbund. Und umwickele dann mich und das Paket fest mit Klebeband.

Wenn ich so erwischt werde, ist alles aus. Dann war alles umsonst. Aber es ist und bleibt die einzige Möglichkeit, die mir einfällt, um herauszufinden, wer unsere Kinder bedroht. Das FBI würde niemals zulassen, dass wir Luke einen Haufen streng geheimer Fotos zeigen. Also ist es das Risiko wert, oder? Selbstredend. Außerdem suchen die Sicherheitsleute nicht nach Papierunterlagen. Die suchen elektronische Speichermedien. Also ist die Wahrscheinlichkeit, erwischt zu werden, eher gering, oder?

Ich ziehe das Sweatshirt wieder herunter. Es könnte funktionieren. Es könnte wirklich funktionieren. Ich kehre zu meinem Schreibtisch zurück, nehme die Tasche und streife mir den Tragegurt über die Schulter. Ich will schon gehen, als mein Blick an einem der Kinderbilder hängen bleibt. An dem, das Luke gemalt hat. Von mir im Cape, mit einem großen *S* auf der Brust. Langsam sinke ich auf meinen Stuhl und starre es an. Supermami. So sieht Luke mich, oder? Trotz aller Fehler und Schwächen, die ich als Mutter habe, bin ich seine Superheldin. Eine, die alle Probleme lösen kann und immer für ihn da ist.

Ich muss an den Mann denken, der ihn vor der Schule abgefangen hat. Der ihn bedroht. Was für eine Angst mein Kleiner gehabt haben muss. Wie sehr er sich gerade jetzt nach einem Superhelden sehnen muss, der ihn beschützt, das Böse bekämpft und die Schurken besiegt. »Ich gebe mein Bestes, Großer«, flüstere ich.

Und dann geht mein Blick zu dem Bild, das Ella gemalt hat. Es zeigt unsere Familie. Sechs fröhliche Gesichter. Deshalb stecke ich überhaupt in diesem Schlamassel. Weil ich wollte, dass alles so bleibt. Sechs fröhliche Gesichter. Ich wollte doch nur, dass sie so fröhlich bleiben. Ob das jetzt noch geht? In meinem Kopf rattert es. Die Rädchen drehen sich fieberhaft bei dem Versuch, alles zu verstehen und zu verarbeiten und vorauszusehen, welche Wendung die Geschichte noch nehmen könnte. Und wie ich meine Kinder beschützen und meine Familie zusammenhalten kann. Alles gleichzeitig.

Und dann kommt mir eine Idee.

Ich beuge mich runter zu dem Aktenschrank unter dem Schreibtisch. Dem schweren Metallding, das am Boden festgeschraubt ist. Ich drehe den Knopf des Zahlenschlosses, erst nach links, dann nach rechts bis jeweils zur richtigen Zahl. Öffne den Schrank, ziehe den Auszug heraus. Blättere in den Hängeordnern, bis ich den einen gefunden habe. Darin ein Bericht mit rotem Deckblatt, auf dem oben eine ganze Reihe von Geheimhaltungsstufen vermerkt ist. Und etwas weiter hinten noch einer, genauso wie der erste.

Ich öffne erst den einen und dann den anderen. Überfliege den Text und finde schließlich, was ich suche. Eine lange Reihe von Nummern und Buchstaben – und dann noch eine. Die schreibe ich auf ein Post-it, das ich zusammengefaltet in die Hosentasche stecke. Und dann schnappe ich mir meine Tasche und mache mich auf den Weg.

Es hat immer noch dieselbe Sicherheitsbeamtin Dienst. Sie sitzt am Schreibtisch nicht weit von den Drehkreuzen, vor sich einen kleinen Fernseher, auf dem ein Vierundzwanzig-Stunden-Nachrichtensender läuft. Ich steuere auf sie zu, und sie schaut auf.

»Schon fertig?«, fragt sie, ohne eine Miene zu verziehen.

»Bin ich«, flöte ich und lächele sie an. Überlege, woher ich sie kenne. Sonst habe ich sie eher in der Frühschicht gesehen, glaube ich.

»Nur mitten in der Nacht mal kurz vorbeigeschaut?«

»Ich konnte nicht schlafen.«

»Andere Leute lesen dann. Oder sehen fern.«

Mir klopft das Herz inzwischen bis zum Hals. »Ich weiß. Ich bin halt ein Nerd.« Dazu hebe ich die Hände, als sei bei mir einfach nichts mehr zu machen.

Sie lacht nicht. Lächelt nicht mal. »Ich muss leider einen Blick in Ihre Tasche werfen.«

»Aber bitte.«

Sie kommt zu mir rüber, und ich bin mir sicher, sie hört mein

Herz hämmern. Sieht, wie meine Hände zittern. Ich versuche, unbeteiligt zu wirken, halte ihr gelangweilt die offene Tasche hin. Sie schaut hinein, und dann schiebt sie ein paar Sachen beiseite, um auch in die Ecken zu gucken. Ein Nuckel kommt zum Vorschein, ein Tütchen Babynahrung.

Als sie damit fertig ist, zieht sie den Metalldetektor heraus und wedelt damit über der Tasche herum. »Sie machen jetzt Nachtschicht?«, frage ich, um ihre Aufmerksamkeit von der Suche weg und auf mich zu lenken. Um noch argloser zu wirken.

Sie hebt den Detektor bis über meinen Kopf und lässt ihn dann langsam nach unten gleiten. So dicht an meinem Körper, dass sie mich sogar leicht berührt. Ich werde allmählich panisch. Der Stapel Papier an meinem Rücken ist dick. Zu dick.

»Wird besser bezahlt«, brummt sie. »Mein Ältester geht nächstes Jahr aufs College.«

Sie führt den Detektor um mich herum und schiebt ihn an der Rückseite meiner Beine hinauf. Ich halte den Atem an, und es läuft mir eiskalt den Rücken herunter. Höher und höher wandert das Teil, fast bis zu meinem Kreuz, fast bis zu dem Packen Papier. Kurz bevor sie ihn berührt, rücke ich hastig einen Schritt von ihr ab und drehe mich zu ihr um.

»Und wie ist die Arbeit nachts so?«, frage ich und setze mein nettestes Plaudergesicht auf. Hoffe, ganz gelassen und natürlich zu wirken. Dabei sterbe ich vor Angst.

Eigentlich rechne ich damit, dass sie sagt, ich soll mich wieder umdrehen. Sie hat den Detektor noch in der Hand, macht aber keinerlei Anstalten, mich weiter abzutasten.

»Man tut, was man muss, für die Kinder, oder?«, meint sie und zieht eine Grimasse.

Ich halte die Luft an, inständig hoffend, dass ihr nicht plötzlich einfällt, dass wir eigentlich noch gar nicht fertig sind. Oder dass es ihr, wenn doch, egal ist. Sie steckt den Detektor wieder hinten an ihren Gürtel, und mir wird fast schwindelig vor Erleichterung.

Meine Knie sind butterweich und der Papierstapel plötzlich bleischwer. »Ja, das stimmt.«

Und dann nehme ich meine Tasche und gehe, ohne mich noch mal umzudrehen, zum Ausgang.

Luke sitzt zwischen Matt und mir auf der Bettkante. Wir sitzen enger beisammen als nötig. Fast, als wollten wir ihn stützen. Ihm Kraft geben. Ihm das Gefühl vermitteln, dass er nicht allein ist. Dass er keine Angst zu haben braucht.

Er trägt seinen Baseball-Pyjama, dessen Hose ihm schon ein bisschen zu kurz ist. Mal wieder ein Wachstumsschub. Am Hinterkopf stehen ihm die Haare wirr ab, genau wie bei Matt nach dem Aufwachen. Er sieht verschlafen aus und kann kaum die Augen aufhalten.

»Ich möchte, dass du dir ein paar Fotos anschaust«, sage ich sanft.

Er reibt sich den Schlaf aus den Augen, blinzelt ins Licht und guckt mich verdattert an, als wüsste er nicht, ob er wach ist oder träumt.

In langsamen Kreisen streiche ich ihm über den Rücken. »Ich weiß, das muss dir alles komisch vorkommen, mein Schatz. Aber ich will rauskriegen, wer das war, der dich vor der Schule angesprochen hat. Damit wir ihn suchen und ihm sagen können, er soll damit aufhören.«

Kurz verdunkelt sich seine Miene, als sei ihm endlich aufgegangen, dass er wach ist. Dass das real ist. Eine Realität, von der er sich wünscht, sie wäre nicht so. Das wünsche ich mir auch. Und wie ich mir das wünsche. »Okay«, murmelt er schließlich.

Ich nehme die Ausdrucke und lege sie auf meinen Schoß. Obenauf die Porträtaufnahme eines Mannes mit versteinertem

Gesicht. Ich beobachte Luke, während er sich das Bild anschaut. Dabei streichele ich ihm unablässig den Rücken und wünschte, ich müsste ihn nicht dazu zwingen, hier zu sitzen und noch einmal die Angst zu durchleben, die es macht, von einem Fremden angesprochen zu werden.

Er schüttelt den Kopf, sagt keinen Pieps. Ich drehe das Blatt um und lege es mit dem Bild nach unten aufs Bett. Ein neues Foto erscheint. Ich fühle mich schrecklich dabei, ihm diese Bilder zu zeigen, die ihn wahrscheinlich bis in seine Träume verfolgen werden. Genau wie mich.

Still schaut er sich auch dieses Foto an, genauso lang wie das erste. Über seinen Kopf hinweg spähe ich zu Matt hinüber, sehe in seinem Gesicht das Schuldbewusstsein, das auch mich quält; die Frage, die auch mich umtreibt. *Was haben wir angerichtet?*

Wieder schüttelt Luke den Kopf, und ich zeige ihm das nächste Bild. Beobachte ihn, sehe ihn im Profil. Er wirkt so ernst. Viel älter, als er ist. Und mich überkommt eine unendliche Traurigkeit.

Seite um Seite blättere ich weiter. Er schaut sich jede aufmerksam an, systematisch und alle genau gleich lange, und doch schüttelt er jedes Mal den Kopf. Bald haben wir einen stetigen Rhythmus gefunden. *Eine Sekunde, zwei Sekunden, drei Sekunden, Kopf schütteln, umblättern.*

Wir nähern uns dem Ende des Stapels, und allmählich fange ich an zu verzweifeln. Was soll ich machen, wenn das nichts bringt? Wie soll ich dann herausfinden, wer ihn bedroht?

Eine Sekunde, zwei Sekunden, drei Sekunden, Kopf schütteln, umblättern. Eine Sekunde, zwei Sekunden, drei Sekunden …

Nichts. Kein Kopfschütteln.

Ich rühre mich nicht. Luke starrt das Foto reglos an. Ich wage fast nicht zu atmen.

»Das ist er«, flüstert er. So leise, dass ich ihn kaum verstehe. Dann hebt er den Kopf und sieht mich mit riesengroßen Augen an. »Das ist der Mann.«

»Bist du dir ganz sicher?«, frage ich, obwohl ich weiß, dass er sich sicher ist. Ich sehe es ihm an. Sehe sein entschlossenes kleines Gesicht. Und seine Angst.

»Ganz sicher.«

Ich stehe, an den Tresen gelehnt, in der Küche, in einer Hand einen Becher mit dampfendem Kaffee, in der anderen das Foto. Anatoli Waschenko. Ich starre ihn an. Das längliche Gesicht, die hohe Stirn. Das ist er also. Der ominöse Anführer der Agentenbetreuer. Der Mann, der Luke bedroht. Alle meine Kinder.

Ich drehe das Bild um und überfliege den Text auf der Rückseite. Die Eckdaten seiner Biografie. Alles, was ich über Waschenko herausgefunden habe und was uns helfen könnte, ihn ausfindig zu machen. Die Liste ist kurz, eine der kürzesten im ganzen Stapel. Mein Blick bleibt an einem Detail hängen: *Reisen in die USA: Keine bekannt.*

Keine bekannt.

Blinzelnd lese ich die Worte und versuche, mit schierer Willenskraft zu erreichen, dass sie sich ändern. Natürlich ändern sie sich nicht. Fast höhnisch glotzen sie mich an. Denn er ist ganz offensichtlich in die USA gereist. Er ist ja gerade hier. Und wenn wir keinen Beleg für seine Einreise haben, kann er nur unter falschem Namen hier sein.

Das heißt, wir haben keinerlei Anhaltspunkt, um ihn dingfest zu machen.

Luke ist wieder eingeschlafen, und bis auf das gelegentliche Klackern der Tastatur aus dem Wohnzimmer ist alles ruhig.

Dort sitzt Matt am Laptop und arbeitet an der Entschlüsselung. Tippen, lange Pause. Wieder Tippen, wieder eine lange Pause.

Ich nippe an meinem Kaffee, spüre den bitteren Geschmack auf der Zunge. Ich komme mir vor wie ein Ballon, aus dem langsam die Luft entweicht. Ich habe den Agentenführer gefunden. Ich habe ihn tatsächlich identifizieren können. Aber was nützt mir das? Ich habe nicht genügend Informationen, um ihn dingfest zu machen. Ich kann überhaupt nichts tun. Jedenfalls nicht rechtzeitig. *Morgen stirbt Luke.* Diese Worte wollen mir nicht aus dem Kopf. Er ist da draußen. Eine Gefahr für Luke. Und ich bin machtlos. Ich kann nichts gegen ihn ausrichten.

Allein bin ich machtlos.

Der Gedanke schießt mir durch den Kopf und rempelt sich rasch nach vorne. Ich versuche, ihn beiseitezuschieben, weit weg, ihn nicht zu Ende zu denken. Aber das schaffe ich nicht. Es ist die einzige Lösung.

Ich lasse das Bild auf dem Tresen liegen und gehe rüber ins Wohnzimmer. Den Kaffeebecher nehme ich mit. Ich lege beide Hände darum und versuche, sie zu wärmen. Matt sitzt vornübergebeugt auf der Couch, den Laptop vor sich auf dem Couchtisch. Ein USB-Stick steckt darin, das kleine orangerote Licht blinkt. Er schaut kurz auf, als ich hereinkomme. Seine Miene ist angespannt, verkniffen. Ich setze mich neben ihn, schaue auf den Bildschirm, sehe die endlosen Zahlen- und Buchstaben-Reihen, die ich nicht entschlüsseln kann, und die zeilenlangen Zeichenkombinationen, die er eingibt.

»Irgendwas bei rausgekommen?«, frage ich.

Er seufzt nur und schüttelt den Kopf. »Mein Code reicht dafür nicht. Das hier ist auf mehreren Ebenen verschlüsselt. Ziemlich komplex.«

»Meinst du, du kannst den Code knacken?«

Sein Blick geht zum Bildschirm und wieder zu mir, und ich sehe ihm an, wie frustriert er ist. »Ich glaube nicht.«

Ich nicke. Das wundert mich nicht. Nicht im Geringsten. Sie sind gut, die Russen. Sie haben es schließlich eigens so aufgebaut, dass wir nicht reinkommen. Nicht ohne die anderen Entschlüsselungscodes.

»Und was machen wir jetzt?«, seufzt er.

Forschend sehe ich in sein Gesicht. Ich muss genau sehen, wie er reagiert. Weil ich ihm, glaube ich, vertraue. Weil es, glaube ich, für alles eine Erklärung gibt. Aber ich muss mir sicher sein. »Wir wenden uns an die Behörden.«

Seine Augen werden größer, nur ein kleines bisschen. Erstaunen sehe ich, aber sonst nicht viel. »Was?«

»Anders können wir Luke nicht schützen.«

»Aber wir wissen doch, wer es ist …«

»Das ist aber auch schon alles, was wir wissen. Wir haben nichts in der Hand, das uns zu ihm führen könnte. Nichts. Aber die Behörden bestimmt.«

Er schaut mich unverwandt an. Ich sehe Hoffnungslosigkeit in seinem Blick, Verzweiflung. »Es muss doch eine andere Möglichkeit geben …«

Ich schüttele den Kopf. »Wir haben bloß einen Namen. Einen russischen Namen. Nichts über seinen Decknamen, seinen Aufenthaltsort. Wenn wir mehr Zeit hätten …«

Ich kann zusehen, wie er darüber nachdenkt. So, wie ich auch darüber nachdenken musste. Anders geht es nicht. Allein können wir ihn nicht aufspüren. Nicht in der kurzen Zeit.

»*Morgen stirbt Luke*«, wispere ich. »Was, wenn er Luke auflauert und wir ihn nicht stoppen können?«

Die Falte auf seiner Stirn wird steiler. Er denkt immer noch angestrengt nach.

»Du hast recht«, meint er schließlich. »Wir brauchen Hilfe.«

Ich warte. Auf die nächste Frage, die unweigerlich kommen wird. Jetzt kommt es wirklich drauf an. Auf seine Reaktion. Ich muss sehen, wie er reagiert, wenn ich es sage.

»Und was erzählen wir denen dann?«, fragt er schließlich. Und ich höre den unausgesprochenen Teil der Frage, über den ich auch schon nachgedacht habe. *Wie bringen wir die Behörden dazu, uns zu helfen, ohne uns selbst ans Messer zu liefern?*

Ich beobachte ihn, merke mir seinen Gesichtsausdruck. Und warte ab, was sich in seinem Gesicht tut. »Die Wahrheit.«

»Was?« Konsterniert starrt er mich an.

Ich lasse ihn nicht aus den Augen. »Wir erzählen ihnen alles.«

Irgendwas blitzt in seinen Augen auf. Ungläubigkeit vielleicht. »Aber dann wandern wir in den Knast, Viv. Wir beide.«

Die Brust wird mir eng. Es ist ein fast unerträglicher Druck. Ins Gefängnis zu gehen würde bedeuten, dass mein Leben, wie ich es kenne, unwiederbringlich vorüber wäre. Ich könnte nicht mehr für die Kinder da sein. Ich würde ihre Kinderjahre nicht mitbekommen. Ihr ganzes Leben. Sie würden mich hassen, weil ich sie im Stich gelassen, sie der Sensationspresse zum Fraß vorgeworfen habe.

Blinzelnd sieht er mich an, und das ungläubige Staunen weicht Frustration. »Du willst also einfach so hinschmeißen? Jetzt, wo wir so dicht davor sind?«

»Ich will nicht hinschmeißen.« Ganz sicher nicht, so viel steht fest. Ich stehe nur endlich für alles *gerade*. Ich tue, was richtig ist. Was ich längst hätte tun sollen.

»Nach allem, was wir durchgemacht haben …«

»Alles nur für die Kinder«, unterbreche ich ihn. »Und es geht immer noch um die Kinder.«

»Es muss einen anderen Ausweg geben. Irgendeine Geschichte …«

Ich schüttele den Kopf. Ich muss jetzt standhaft bleiben. Weil er recht hat. Bestimmt gibt es eine andere Lösung. Irgendeine Lüge, die wir erzählen könnten. Ich könnte mich mit Omar hinsetzen und mir ein Märchen ausdenken, das er mir sicher abkaufen würde. Das uns vor dem Gefängnis verschonen und die Sicherheit von Luke und den Kindern überhaupt garantieren würde. »Keine Geschichten mehr.«

Ich will keine neuen Lügengeschichten, in die wir uns immer tiefer verstricken. Keine Abwärtsspirale aus mehr und immer noch mehr Lug und Trug. Ich will mich nicht den Rest meines Lebens immerzu angstvoll umschauen müssen, in der bangen Erwartung, dass das dicke Ende noch kommt. Ständig mit der Angst leben, dass ich mich vielleicht doch falsch entschieden habe, dass meine Kinder nicht außer Gefahr sind.

»Und ich will kein Risiko eingehen. Sie würden nicht verstehen, in welch akuter Gefahr die Kinder schweben, was für eine Bedrohung Waschenko wirklich darstellt oder auch nur, *warum* er die Kinder bedroht – wenn wir nicht alle Karten auf den Tisch legen«, sage ich. »Wir müssen sie schützen. Das ist das Beste für sie.«

»Beide Eltern im Gefängnis? *Das* soll das Beste für sie sein?«

Wie eine Gewitterwolke brauen sich Zweifel über mir zusammen. Ehrlich gesagt: Ich weiß es nicht. Aber mein Bauch meint, es ist richtig. Es fühlt sich richtig an. Nur so können wir sie schützen. Außerdem, wie soll ich ihnen die Mutter sein, die sie brauchen, wenn mein ganzes Leben auf einer Lüge aufgebaut ist? Wie soll ich meine Kinder lehren, Recht von Unrecht zu unterscheiden? All die Male, die ich sie fürs Schwindeln gescholten habe; all die Male, die ich sie angehalten habe, das Richtige zu tun, ziehen wie ein Film vor meinem inneren Auge vorbei. Und ich höre Peter sagen: *Ich vertraue darauf, dass du die richtige Entscheidung triffst, Vivian. Wie auch immer sie aussehen mag.*

»Vielleicht ja«, entgegne ich. Wobei ich mich immer noch an

den Strohhalm der Hoffnung klammere, dass es doch anders kommt. Dass wir nicht beide verurteilt werden und hinter Gittern enden. Aber das kann ich ihm nicht sagen. Noch nicht.

Insgeheim weiß ich eigentlich, dass wir beide ins Gefängnis gehen werden. Und vielleicht ist es für die Kinder eben *nicht* das Beste, wenn wir alle zusammenbleiben. Vielleicht können wir uns nur so vollkommen sicher sein, dass ihnen nichts geschieht. Ihnen beibringen, das Richtige zu tun. Und wenn es noch so schwer ist. Vielleicht schauen sie eines Tages auf das alles zurück – auf das, was ihre Eltern getan haben, was Matt getan hat – und verstehen es. Wenn wir aber so weitermachen wie jetzt, wenn wir über die nächsten zehn, zwanzig Jahre – oder wie lange es eben dauert, bis die Behörden uns auf die Schliche kommen – die Lüge weiterleben, was dann? Wie sollen wir ihnen dann noch in die Augen schauen?

Ich hole mein Handy hervor und lege es behutsam auf die Polsterbank vor uns. Matt starrt es an.

Ich atme tief durch. »Ich vertraue dir. Ich hoffe, das siehst du jetzt. Aber du kannst noch gehen. Ich werde sie erst anrufen, wenn du im Flieger sitzt.«

Sein Blick hängt noch einen Moment an dem Handy, dann sieht er mich an. »Auf keinen Fall«, flüstert er. »Ich würde dich nie alleinlassen.« Und dann greift er nach meiner Hand, und seine Finger schließen sich um meine, warm und vertraut. »Wenn du der Meinung bist, dass wir das machen sollten, dann machen wir das.«

Das ist Matt. Mein Mann. Der Mann, den ich kenne. Den ich liebe. Wie konnte ich nur an ihm zweifeln? Das war falsch. So was von falsch.

Ich ziehe meine Hand aus seiner, greife in die Hosentasche und hole den klein zusammengefalteten Zettel heraus. Falte ihn auseinander und lege ihn auf die Polsterbank, sodass wir beide die zwei langen Zeichenreihen sehen können. »Ich muss dich noch um eins bitten.«

Es dämmert, als Omar bei uns ankommt, allein, wie vereinbart. Ich bitte ihn herein. Zögerlich tritt er ein, macht einen Schritt, dann noch einen, und schaut sich misstrauisch um. Seinem Blick entgeht nichts. Er sagt kein Wort.

Ich schließe die Tür hinter ihm, und dann stehen wir betreten im Flur. Kurz bereue ich es, ihn angerufen zu haben, und würde am liebsten einen Rückzieher machen. Noch würde ich aus der Sache herauskommen. Aber dann recke ich entschlossen das Kinn. Ich tue das Richtige. Nur so kann ich die Sicherheit meiner Kinder garantieren.

»Setzen wir uns doch«, sage ich und nicke in Richtung Küche. Als Omar sich nicht von der Stelle rührt, gehe ich voran. Ich höre, wie er mir folgt.

Matt sitzt bereits am Küchentisch. Als Omar ihn sieht, bleibt er stehen und guckt ihn durchdringend an. Schließlich nickt er ihm zu. Noch immer ohne ein Wort. Ich rücke Chases Hochstuhl beiseite und ziehe Lukes Stuhl ans Kopfende des Tisches, damit Omar sich setzen kann. Nach kurzem Zögern lässt er sich auf dem Stuhl nieder. Ich setze mich auf meinen angestammten Platz gegenüber von Matt und sehe ihn an. Und plötzlich ist es einige Monate früher, und wir sitzen wieder hier um den Tisch. An dem Tag, an dem ich etwas erfahren habe, das mein Leben verändern sollte. Unser aller Leben.

Vor mir auf dem Tisch liegt eine Aktenmappe, darin die Unterlagen, die ich brauche. Omars Blick verweilt kurz darauf, und dann sucht er meinen. »Was ist los, Vivian?«

Meine Stimme, mein ganzer Körper, alles ist plötzlich wie gelähmt. Ist das wirklich das Beste für die Kinder?

»Vivian?«, wiederholt er, offenkundig verwirrt.

Ist es. Nur so können wir die Kinder schützen. Allein kann ich das nicht. Ich kann nicht für ihre Sicherheit garantieren.

Mit zitternden Händen schiebe ich Omar die Mappe hin. Er legt eine Hand darauf und sieht mich fragend an. Zögert, öffnet sie schließlich. Obenauf das Foto, auf dem Luke den Mann erkannt hat.

»Anatoli Waschenko«, sage ich leise. »Juris Betreuer. Der Agentenführer.«

Wortlos starrt er auf das Bild. Als er schließlich aufschaut, ist sein Gesicht ein einziges Fragezeichen.

»Ihr müsst ihn sofort festnehmen. Und bis ihr ihn habt, brauche ich Personenschutz für meine Kinder.«

Sein Blick geht von mir zu Matt und wieder zurück. Noch immer sagt er kein Wort.

»Er hat Luke bedroht«, erkläre ich, und meine Stimme bricht. »Er ist eine Gefahr für meine Kinder.«

Omar atmet leise aus und schaut mich eindringlich an. Dann schüttelt er kaum merklich den Kopf. »Was zum Teufel geht hier vor, Vivian?«

Ich muss es sagen, alles. »Er trägt eine Kette. Mit Anhänger. Vermutlich ein Kreuz. Darin ist ein USB-Stick versteckt, auf dem die Namen seiner fünf Kontakte gespeichert sind.«

Omar blinzelt. Er wirkt wie vor den Kopf geschlagen.

»Matt kann dich durch das Entschlüsselungsprozedere führen«, füge ich leise hinzu. »Sein Code in Verbindung mit unserem aus Moskau von Dimitri, der Luftkarotte, das müsste funktionieren.«

Ich schaue kurz hinüber zu Matt, und er nickt grimmig. Nachdem ich ihm den anderen Decodierungsschlüssel gegeben hatte, hat es nicht lange gedauert, bis er den Ordner geknackt und die fünf Bilder gefunden hat. Dieselben, die ich damals, vor einem ganzen Leben, im Büro gesehen habe. Diesmal allerdings mit Text: Adressen, Tätigkeit und Erreichbarkeit; Anweisungen, mit welchen Zeichen ein Treffen einzuberufen ist.

Eigentlich hatte ich nicht damit gerechnet, dieselben Gesichter wiederzusehen. Die der anderen vier. Da sie mir die Bilder untergeschoben hatten, war ich davon ausgegangen, diese vier seien nicht echt. Aber vielleicht hätte mich das nicht weiter wundern sollen. Vielleicht war es nur der endgültige Beweis für ihre Arroganz. Dafür, dass sie dachten, sie wüssten genau, wie die Sache ausgeht.

»Die Agentenbetreuer haben die auch. Mit den Namen ihrer fünf Agenten«, erkläre ich. Dazu lege ich Juris Kette mit dem schweren goldenen Kreuz auf den Tisch. Den Stick habe ich wieder darin versteckt, die Schrauben festgezogen. »Der fünfte Name ist da drin.«

Omars Augen werden kaum merklich größer. Seine Kinnlade ist heruntergeklappt, sein Mund formt unwillkürlich ein erstauntes »O«. Er ist sprachlos. Sein Blick geht zu Matt, und Matt nickt. »Viv hat es nicht gewusst«, erklärt er. Seine Stimme bricht, und mir bricht es das Herz, das zu hören. »Ich habe es ihr all die Jahre verheimlicht.«

Omar wendet sich wieder mir zu.

Irgendwie habe ich das Gefühl, ihm eine Erklärung zu schulden. Aber ich weiß nicht, was ich sagen soll. »Sie suchen deine Schwachstelle, und da setzen sie an«, stammele ich schließlich. »In unserem Fall sind das die Kinder.«

Ungläubig sieht er mich an.

»Er hätte sich längst gestellt«, murmele ich. »Schon vor Jahren.«

Omar senkt den Blick. Sein Ausdruck verändert sich. »Genau damit habe ich gerechnet. Dass wir auf so jemanden stoßen.«

Noch hat er keine Anstalten gemacht, Juris Kette an sich zu nehmen. Ich lege den Zeigefinger auf den Anhänger, schiebe ihn weiter zu ihm hinüber. Was wohl als Nächstes kommt? Ein

Hoffnungsschimmer bleibt. Aber er ist schwach. So klein und schwach.

So oder so, ich habe das Richtige getan. Nur so kann ich die Kinder schützen.

Sicher ruft er jetzt Verstärkung. Lässt uns vorläufig festnehmen. Meine Eltern müssten bald wieder hier sein. Jetzt wünschte ich doch, ich hätte darauf bestanden, dass sie hierbleiben. Und die Kinder. Die armen Kinder. Was, wenn wir schon nicht mehr da sind, wenn sie aufwachen?

Noch immer starrt Omar auf die Kette. Ein eigenartiges Gefühl beschleicht mich. Das kleine Fünkchen Hoffnung flackert wieder auf. Vielleicht funktioniert es ja. Vielleicht reicht es doch.

Endlich legt er den Zeigefinger auf die Kette. Doch statt sie weiter zu sich heranzuziehen, schiebt er sie wieder in meine Richtung. »Das heißt dann wohl Zeugenschutz«, sagt er.

Wie ein Stromstoß fährt ein Kribbeln durch meinen Körper. Geht der Plan wirklich auf? Mein Blick wandert zu der Kette. Omar will sie nicht. Er wird sie nicht mitnehmen. Wird den fünften Namen nicht sehen. Matts Namen.

Noch versuche ich, die Tragweite dessen, was er eben gesagt hat, zu erfassen. Zu begreifen, was hier gerade geschieht. Frage mich, ob es wirklich geschieht. Ich sehe Matt an und merke, er ist genauso durcheinander wie ich. Darüber haben wir nicht gesprochen. Es war dermaßen unwahrscheinlich, dass das funktionieren würde, und für den Fall, dass es doch eine winzige Chance geben sollte, wollte ich sie nicht beschreien.

»Zeugenschutz?«, frage ich. Einfach, weil ich nicht weiß, was ich sonst sagen soll.

Es dauert eine Weile, bis Omar antwortet. »Du hast mir gerade genügend Informationen geliefert, um die gesamte Zelle auszuheben. Das werden die Russen nicht gutheißen. Und wenn sie Luke *jetzt schon* bedrohen …«

Mein Blick geht zu dem USB-Stick. Ich sollte mir keine zu großen Hoffnungen machen. Noch nicht. Vielleicht hat er nicht richtig verstanden. Dass Matt der fünfte Schläfer ist und dass ich davon gewusst habe. Dass wir beide ins Gefängnis gehören.

»Ich habe einiges falsch gemacht. Ich erzähle dir alles …«

»Alles, was Gegenstand unserer internen Untersuchungen war«, sagt Omar und hebt die Hand, als wolle er mich zum Schweigen bringen, »alles, was wir auf einen Maulwurf oder einen russischen Agenten mit Zugang zum Spionageabwehrsystem zurückführen konnten, hat Peter bereits gestanden.« Er lässt die Hand fallen, schaut von mir zu Matt und wieder zurück. »Ich bin mir sicher, dass der fünfte Schläfer keine Gefahr für die nationale Sicherheit darstellt.«

Mein Gott. Ich kann es nicht fassen. Omar lässt uns laufen. Das war es, worauf ich gehofft habe. Das, dachte ich, wäre das Einzige, was unsere Familie noch retten könnte. Dass wir ihnen genug liefern. Informationen gegen Freiheit.

Aber es funktioniert natürlich nur, wenn er mir garantieren kann, dass den Kindern nichts geschieht. »Die Kinder …«

»Bekommen Personenschutz.«

»Alles andere ist uns nicht wichtig.«

»Ich weiß.«

Einen Moment lang bin ich still, versuche noch immer zu begreifen, was passiert. »Und wie soll das gehen?«, frage ich schließlich.

»Ich werde gleich höchstpersönlich ins Büro des Direktors spazieren. Mit Informationen, anhand derer wir die ganze Zelle hochnehmen können. Und er wird mir geben, was immer ich verlange.«

»Aber …«

»Ich werde sagen, dass Matt sich freiwillig gestellt und gestanden hat, dass er ein Schläfer ist. Dass er mir den Namen des

Agentenführers genannt, den Entschlüsselungscode gegeben und das mit den Anhängern erzählt hat. Im Gegenzug werden wir ihn und seine Familie schützen.«

»Aber wenn jemand herausfindet…«

»Wir halten das unter Verschluss. Höchste Geheimhaltungsstufe.«

»Kannst du…«, setze ich an, aber er unterbricht mich.

»Es geht um Russland. Da ist alles streng unter Verschluss.« Ich höre die Worte, die ich selbst schon so oft gesagt habe, und weiß, dass er recht hat. Und dass das bedeutet, es könnte *vielleicht* funktionieren.

»Aber ob dein Chef sich darauf einlässt?«, frage ich, und es ist kaum mehr als ein Flüstern. Selbst wenn Omar das für uns tun würde, ist noch lange nicht sicher, dass es auch so durchgeht, oder?

Er nickt. »Ich weiß, wie das FBI funktioniert. Ich bin da ganz zuversichtlich.«

Hoffnung keimt in mir auf, wie ein zartes Pflänzchen. Hoffnung, dass wir am Ende doch in Sicherheit sind. Und alle zusammenbleiben können. Ich schaue Matt an, und in seinem Gesicht spiegelt sich dieselbe zaghafte Hoffnung.

»Und jetzt?«, frage ich schließlich.

Omar lächelt. »Jetzt geht ihr packen.«

Ein Jahr später

Ich sitze an unserem kleinen, sichelförmigen Strand und schaue den Kindern zu. Chase läuft am Wassersaum durch die Gischt. Stämmige kleine Kinderbeinchen, die über den festen Sand stapfen, während eine Möwe flügelschlagend vor ihm hertippelt. Caleb steht hinter ihm; seine blonden Locken glänzen in der Sonne. Er sieht seinem Bruder und dem Vogel zu und quietscht vergnügt, als die Möwe sich schließlich flügelschlagend in den strahlend blauen Himmel schwingt. Ein paar Meter weiter hockt Ella und schaufelt mit hochkonzentrierter Miene Sand in bunte türmchenförmige Eimer. Baumaterial für ihre Zuckerbäckersandburg. Auf dem Wasser liegt Luke bäuchlings auf seinem Boogiebrett und wartet auf die nächste Welle. Wassertropfen glitzern auf seinem Rücken und den Beinen, die jeden Tag länger zu werden scheinen und braungebrannt sind von den zahllosen Sonnenstunden, die er in der Brandung verbringt.

Es geht eine warme Brise, in der sich die Wedel der verstreut stehenden Palmen sanft bewegen. Ich schließe die Augen und lausche dem Moment. Dem leisen Wellenrauschen, dem Rascheln der Palmwedel, dem Lachen und Rufen meiner Kinder. Alles ist so friedlich und fröhlich. Eine Sinfonie, wie man sie sich hypnotischer und schöner nicht denken könnte.

Matt kommt herüber, tritt hinter mich und setzt sich zu mir

in den Sand. So nahe, dass unsere Beine sich berühren. Ich schaue sie an, unsere Beine, sonnengeküsst und fast dunkelbraun vor dem feinen weißen Sand. Er lächelt mich an und ich ihn, und dann schauen wir gemeinsam den Kindern zu. Luke erwischt eine große Welle und reitet sie bis zum Strand. Caleb macht einen wackligen Schritt und dann noch einen, dann lässt er sich in den Sand fallen und greift nach einer großen Muschel, die er eingehend betrachtet.

Vierundzwanzig Stunden nach dem Gespräch mit Omar saßen wir in einem Charterflugzeug und waren auf dem Weg in den Südpazifik. Als Omar sagte, wir sollten packen, fanden wir den Gedanken, dass wir unser ganzes Leben in ein paar Koffer stopfen mussten, zunächst erschreckend. Das Wissen, dass wir alles, was wir nicht einpackten, womöglich nie wiedersehen würden. Also konzentrierte ich mich auf das Wichtigste. Die unersetzlichen Dinge: Fotos, Babybücher, solche Sachen. Und wie sich bald herausstellen sollte, war das tatsächlich alles, was wir wirklich brauchten. Von all dem anderen Kram in unserem Haus – schränkeweise Anziehsachen und Schuhe, Elektrogeräte oder Möbel – habe ich bis heute nichts vermisst. Wir mussten hier noch mal ganz von vorne anfangen. Ein paar unverzichtbare Dinge neu kaufen. Aber wir haben uns und unsere Erinnerungen, und mehr brauchen wir nicht.

Meine Eltern sind mitgekommen. Omar hatte uns das freigestellt, und ich habe es ihnen vorgeschlagen, ohne damit zu rechnen, dass sie tatsächlich Ja sagen würden. Ich hätte nicht gedacht, dass sie alles Vertraute, Altbekannte einfach so hinter sich lassen würden. Aber als sie hörten, wir würden mindestens für ein Jahr, womöglich auch länger, fort sein und dürften keinerlei Kontakt haben, weder zu ihnen, noch zu sonst irgendwem, haben sie keinen Augenblick gezögert. *Natürlich kommen wir mit*, hat meine Mom gesagt. *Du bist unsere Tochter. Du bist unser Ein und Alles.* So einfach war das. So schnell war eine Entscheidung getroffen. Und ich konnte sie nur zu gut verstehen.

Zwischen Matt und mir ist alles wieder gut. *Ich verzeihe dir*, hat er am ersten Abend in unserem neuen Haus, in dem noch unvertrauten Bett, gesagt. Wenn er mir verzeihen konnte, dass ich so an ihm gezweifelt hatte, dass er sich gezwungen sah, einen Menschen zu töten, um mich zu überzeugen, dann war ich ja wohl in der Lage, die Vergangenheit Vergangenheit sein zu lassen. Ich kuschelte mich in seine Arme und wusste, ich gehöre hierher. *Ich verzeihe dir auch.*

Aus der Ferne dringt schwach das Sirren von Rotoren an mein Ohr. Ein Helikopter, der langsam näher kommt. Ich beobachte ihn, sehe ihn größer werden, immer deutlicher zu erkennen, höre, wie aus dem sachten Brummen ein dumpfes, rhythmisches *Wumm-wumm-wumm* wird. Die Kinder haben alles stehen und liegen lassen und starren mit offenem Mund in den Himmel. Der Hubschrauber fliegt direkt über uns hinweg. So laut, dass Ella und Luke sich die Ohren zuhalten. Chase und Caleb schauen ihm nur mit großen Augen hinterher.

Helikopter sieht man hier nicht allzu oft. Wir leben auf einem entlegenen Teil der Insel. Hier haben sie uns damals untergebracht. Zwei Häuser auf dem Steilufer, mit Blick über das Meer, darunter eine kleine, sichelförmige Bucht mit Strand. Mein Blick geht hinauf zum Haus meiner Eltern. Gerade tritt meine Mutter vor die Tür. Sie schließt die gläserne Schiebetür hinter sich und kommt herunter zum Strand. Die Brise lässt den langen Rock um ihre Beine flattern. Ich drehe mich um und sehe, wie der Hubschrauber über den Klippen steht und dann senkrecht runtergeht, um zu landen.

Matt und ich sehen einander an. Stehen wortlos auf und klopfen uns den Sand aus den Kleidern. Warten, bis meine Mom bei uns ist. »Geht ruhig«, sagt sie. »Ich habe ein Auge auf die Kinder.«

Der Lärm der Rotoren ebbt langsam ab, während wir die Dünen hinaufgehen, über weißen Sand, der bei jedem Schritt unter uns wegrutscht, bis zu den Holzstufen, die puderzuckrig mit einer dünnen Schicht Sand bestäubt sind. Wir gehen die Treppe hinauf und oben angekommen über die Grasbüschel, die hier als Rasen durchgehen, bis zu dem quadratisch geschnittenen zweistöckigen Haus mit steilem Dach und umlaufender Veranda, das jetzt unseres ist. Vom Helikopter her kommt Omar auf das Haus zu. Er trägt eine khakifarbene Cargohose und ein Hawaii-Hemd und grinst über das ganze Gesicht.

Beinahe gleichzeitig sind wir am Haus. Ich falle ihm um den Hals und drücke ihn, Matt schüttelt ihm die Hand. Es ist seltsam, ihn hier zu sehen. Schön und seltsam. Er ist der erste Bekannte von zuhause, den wir seit unserem Umzug vor einem Jahr zu Gesicht bekommen. Er hatte uns gewarnt. Uns gleich gesagt, wir müssten mindestens ein Jahr, vielleicht auch länger, allen Kontakt abbrechen. Und trotzdem waren wir nicht darauf vorbereitet gewesen, was es wirklich heißt, von allem Gewohnten, Vertrauten, Bekannten abgeschnitten zu sein – Menschen, Alltag, sogar E-Mails und sozialen Medien. Er hat uns damals ein Handy gegeben – mit der strikten Anweisung, es nur im absoluten Notfall einzuschalten und zu benutzen. Ansonsten sollten wir einfach abwarten. Warten, bis er sich meldet. Und jetzt ist er hier. Auf den Tag genau ein Jahr später.

»Komm doch rein«, sage ich, öffne die Haustür und gehe voraus. Das Haus ist lichtdurchflutet, hell und offen, ganz in Weiß und Blau gehalten. Und es ist uns mehr Zuhause, als unser altes Haus es je war. Muscheln, die wir bei unseren Strandspaziergängen gesammelt haben, schmücken die Räume. Und Fotos. So viele Fotos. Schwarz-Weiß-Aufnahmen von den Kindern, den Palmen und überhaupt allem, was mir vor die Linse kommt. Es ist schön, wieder Zeit für Hobbys zu haben. Aber am schönsten ist es, endlich Zeit für die Kinder zu haben.

Ich führe Omar ins Wohnzimmer und setze mich auf die Couch, ein abgewetztes blaues Sofa, auf dem wir uns bei Film- und Spieleabenden zusammendrängen. Er setzt sich mir gegenüber. Matt kommt mit einem Krug Limonade und zwei Gläsern, die er auf den Couchtisch stellt. Er lächelt mir zu und sagt: »Ich lasse euch mal allein.« Ich halte ihn nicht auf und Omar auch nicht.

Sobald er das Zimmer verlassen hat und man oben eine Tür gehen hört, beugt Omar sich zu mir vor. »Also, wie ist das Leben hier so?«

»Herrlich«, antworte ich. Und meine es genau so. Ich bin glücklicher denn je. Ich habe nicht mehr das Gefühl, in der Falle zu sitzen, gefangen in einem Hamsterrad, in dem ich mich abstrampele, während das Leben anderswo stattfindet. Vielmehr habe ich das Gefühl, mein Leben selbst in der Hand zu haben. Und ich bin mit mir selbst im Reinen. Endlich führe ich das Leben, das ich mir immer gewünscht habe.

Ich schenke uns Limonade ein, und die Eiswürfel klackern klirrend in die Gläser.

»Und die Schule? Ich weiß, dass du dir deswegen Sorgen gemacht hast.«

Ich reiche ihm eins der Gläser. »Wir unterrichten die Kinder zu Hause. Das ist zwar auf lange Sicht keine Lösung, aber momentan klappt es ganz gut. Sie lernen so unglaublich viel.«

»Und Caleb?«

»Geht es hervorragend. Er läuft jetzt und spricht schon ein paar Worte. Und er ist gesund. Du hattest recht, die Kardiologen auf dem Festland sind großartig.«

»Freut mich zu hören. Du hast ja keine Ahnung, wie oft ich an euch denke. Ich frage mich ständig, wie es euch geht.«

»Mir geht's genauso«, entgegne ich. »Ich will so vieles wissen.« Ich unterbreche mich kurz. »Wie geht's dir?«

»Großartig, um ehrlich zu sein.« Er nippt an seinem Glas. »Ich bin jetzt stellvertretender Direktor.« Vergebens versucht er, sich das Grinsen zu verkneifen.

»Wahnsinn!«

Jetzt strahlt er übers ganze Gesicht.

»Und du hast es so was von verdient. Wirklich.«

»Na ja, ich will nicht lügen. Dein Fall hat viel dazu beigetragen.«

Ich warte darauf, dass er noch etwas dazu sagt, aber er bleibt still, und sein Lächeln verschwindet. Meine Gedanken gehen zu Peter, und ich frage mich, ob er genauso empfindet. »Kannst du mir was über die Zelle erzählen?«, frage ich schließlich. Seit einem Jahr geht mir diese Frage nicht aus dem Kopf. Ich kann kaum erwarten zu erfahren, was er dazu zu sagen hat.

Er nickt. »Du hattest recht mit Waschenko. Er war der Agentenführer. Hat nicht lange gedauert, ihn aufzuspüren. Wir haben den Stick in seinem Anhänger gefunden, genau, wie du gesagt hast. Und ihn mit dem Schlüssel, den du uns gegeben hast, decodiert.«

Ich falte die Hände fest im Schoß und warte ab, wie es weitergeht.

»In der Folge konnten wir auch die übrigen vier Betreuer hochnehmen. Drei Tage später gab es eine groß angelegte Aktion, bei der alle vierundzwanzig Mitglieder der Zelle verhaftet wurden.«

»Wir haben davon gehört«, sage ich. Die Geschichte war groß in den Medien. Sogar hier. Wobei überall stand, es seien fünfundzwanzig Agenten geschnappt worden. Alexander Lenkow wurde als einer der Verhafteten genannt. Allerdings gab es kaum Details zu ihm, und das einzige Foto, das ihn zeigte, war bis zur Unkenntlichkeit verpixelt. Ein Glück. Ich glaube, niemand hatte ihn als meinen Ehemann erkannt. »Und was wird jetzt aus ihnen?«

Er zuckt die Achseln. »Hohe Haftstrafen, Gefangenenaustausch, wer weiß.« Er sieht mich einen Moment lang schweigend an. »Bestimmt hast du gelesen, dass die meisten behaupten, Opfer einer Verleumdung zu sein? Dass sie behaupten, in Wahrheit Dissidenten zu sein? Staatsfeinde, all so was?«

Ich nicke und lächele. »Zumindest haben sie sich gut abgesprochen.«

Er grinst, doch dann wird er wieder ernst. »Das FBI hat endlich die Aktion ›Willkommen im Warmen‹ abgesegnet. Bisher hat uns das zwei neue Rekruten beschert. Mit deren Hilfe versuchen wir gerade, eine weitere Zelle auszuheben. Und wir sind dabei, mit deinem Algorithmus weitere Agentenbetreuer aufzuspüren. FBI *und* CIA haben dafür jede Menge Mittel freigegeben.«

Ich schweige einen Moment. Das muss ich erst mal alles aufnehmen. Sie haben eine ganze Zelle ausgehoben. Machen große Fortschritte bei der Suche nach einer weiteren. Verwundert schüttele ich den Kopf. Und dann stelle ich die andere Frage, die mir nicht aus dem Kopf will. Die für mich noch viel dringlicher ist. Die mir am meisten Angst macht. »Und Matt? Wird er verdächtigt?«

Er schüttelt den Kopf. »Keinerlei Hinweis darauf, dass die Russen wissen, dass er noch draußen rumläuft. Oder darauf, dass er irgendwas mit der Sache zu tun hatte.«

Ich schließe kurz die Augen. Mir fällt ein Stein vom Herzen, plötzlich fühle ich mich leicht und frei. Genau darauf hatte ich gehofft. Die Nachrichten hatten die Auflösung der Zelle Peter zugeschrieben, dem ihrer Darstellung nach langjährigen CIA-Analysten, der aufgrund der Krankheit seiner Frau zur Zielscheibe der Russen geworden und schließlich von ihnen erpresst worden war, und einem FBI-Agenten, der schlicht als »O.« bezeichnet wurde.

»Und was dich angeht«, fährt Omar fort, »du nimmst gerade unbezahlten Urlaub. Alle in der Spionageabwehr und im FBI wissen natürlich, dass das mit dem Fall zu tun hat. Es kursiert das Gerücht, die Russen hätten versucht, dich zu erpressen, und du hättest tapfer widerstanden. Aber niemand unterhalb der Chefetage weiß irgendwelche Einzelheiten.«

»Wer kennt die ganze Wahrheit?«

»Ich. Die Chefs des FBI und der CIA. Sonst niemand.«

Ich spüre, wie die Anspannung von mir abfällt. Das Gespräch könnte nicht besser verlaufen, selbst wenn ich höchstpersönlich das Skript verfasst hätte. Andererseits, was bedeutet das konkret für uns? Wie eine Woge erfasst mich plötzlich eine tiefe Traurigkeit. Als sei alles um mich herum flüchtig und könne sich mit einem Wimpernschlag in Luft auflösen. Ich wage kaum, die nächste Frage zu stellen. »Und jetzt?«

»Na ja, nach allem, was wir wissen, besteht keine Gefahr mehr für euch. Ihr könntet also zurückkommen. In euer Haus. Du in deinen Job ...«

Ob ich will oder nicht, in meiner Vorstellung ist sofort wieder alles da: die Kinder den ganzen Tag in der Betreuung. Ich bekomme sie nur noch morgens und abends kurz zu sehen – wenn überhaupt. Energisch versuche ich, diese ungebetenen Gedanken beiseitezuschieben.

»In den kommenden Wochen kümmern wir uns noch um den Kleinkram. Wir besorgen Matt neue Dokumente – Geburtsurkunde, Pass und so weiter. Alles, was er braucht. Was jeder Durchleuchtung standhält.« Er unterbricht sich und schaut mich erwartungsvoll an, also ringe ich mir ein schiefes Lächeln ab.

»Wir sorgen dafür, dass alles so glatt wie möglich läuft, Vivian. Mach dir keine Sorgen. Und dann werden wir gemeinsam Großes erreichen, du und ich. Noch mehr Zellen ausheben …«

Er bricht ab und schaut mich mit einem seltsamen Ausdruck in den Augen an. »Das willst du doch auch, oder?«

Worauf ich nicht gleich antworte. Es ist ein seltsamer Moment. Zum ersten Mal stehe ich wirklich vor der Wahl. Ich stecke nicht fest in einem Job, von dem ich nicht mal genau weiß, ob ich ihn überhaupt noch machen will. Niemand manipuliert mich, niemand setzt mich unter Druck. Niemand will mich dazu bringen, dieses oder jenes zu tun. Ich kann frei entscheiden. Ich kann tun und lassen, was ich will. Ich habe die Wahl.

»Vivian?«, hakt er nach. »Willst du zurückkommen?«

Blinzelnd schaue ich ihn an. Dann erst antworte ich.

Unseren zehnten Hochzeitstag haben Matt und ich am Strand gefeiert. Genau, wie wir es uns immer ausgemalt haben. Wir saßen in unserer kleinen Bucht, sahen den Kindern beim Spielen zu und prosteten uns mit billigem Sekt in Plastikbechern zu, während die Sonne langsam hinter dem Horizont verschwand und unsere Welt in rosarot schimmerndes Licht tauchte.

»Wer hätte das gedacht? Wir beide hier, zusammen«, murmelte er.

»Zusammen. Wir alle.«

Ich lauschte der Brandung und den Kindern, die quietschten und fröhlich lachten, und musste daran denken, wie wir das letzte Mal über den Plan, unseren Hochzeitstag an einem exotischen Strand zu verbringen, gesprochen hatten. Am Morgen des Tages, an dem ich Matts Foto entdeckte. Kurz bevor mir meine ganze Welt um die Ohren geflogen war. Plötzlich war ich wieder in meiner Bürozelle mit den hohen grauen Trennwänden. Hatte wieder das lähmende Gefühl, mich vergebens abzustrampeln. Zu versagen. Hin- und hergerissen zu sein zwischen zwei

Dingen, die mir beide wichtig waren und die jeweils mehr Zeit verlangten, als ich aufbringen konnte. Allein beim Gedanken daran schnürte es mir die Kehle zu.

Ich grub die Zehen tiefer in den Sand, schaute zum Horizont, wo die Sonne versank, und sprach aus, was mir durch den Kopf ging. »Ich will nicht zurück in meinen alten Job.« Das kam unvermittelt, aus heiterem Himmel. Seit wir die USA verlassen hatten, hatten wir überhaupt nicht mehr über meine Arbeit gesprochen. »Ich meine, wenn das überhaupt zur Debatte steht.« Es war ein gutes Gefühl, das auszusprechen. Eine Entscheidung zu treffen. Die Kontrolle zu übernehmen.

»Okay«, meinte Matt. Sonst nichts. Nur *okay*.

»Und ich möchte das Haus verkaufen«, setzte ich nach.

»Okay.«

Ich drehte mich halb zu ihm um und schaute ihn an. »Wirklich? Ich weiß doch, wie sehr du dieses Haus liebst …«

Lachend schüttelte er den Kopf. »Tue ich nicht. Ich hasse das Haus, immer schon. Ich habe es gehasst, dich dazu überreden zu müssen, es zu kaufen. Nur, damit du deinen Job nicht an den Nagel hängen konntest.«

Das war wie ein Schlag ins Gesicht. Auch wenn ich es hätte kommen sehen müssen. Ich grub die Zehen noch tiefer in den Sand und schaute hinaus aufs Meer.

»Ich liebe die vielen schönen Erinnerungen, unsere gemeinsame Zeit dort«, meinte er. »Aber das Haus selbst? Nein.«

Und ich musste – wieder einmal – schweren Herzens einsehen, dass so vieles von dem, was ich immer geglaubt hatte, nicht der Wahrheit entsprach.

»Ich liebe *dich*, Viv. Und ich will, dass du glücklich bist. Wirklich, wahrhaftig glücklich. Wie damals, als wir uns kennengelernt haben.«

»Ich bin glücklich«, antwortete ich, aber es klang hohl. War ich das? Wenn ich bei den Kindern war und bei Matt, war ich glücklich. Aber es gab so vieles in meinem Leben, das mich *nicht* glücklich machte.

»Nicht so glücklich, wie du es verdienst«, sagte er sanft. »Ich war nicht der Ehemann, der ich gern gewesen wäre.«

Ich hätte etwas darauf sagen, ihm widersprechen sollen, aber das tat ich nicht. Die Worte wollten mir nicht über die Lippen. Womöglich, weil ich wissen wollte, was er noch zu sagen hatte.

»Als du nach Lukes Geburt wieder zur Arbeit gegangen bist ... Als du abends nach Hause gekommen bist und gesagt hast, du könntest das nicht. Könntest nicht den ganzen Tag ohne ihn sein. Wie gerne hätte ich da gesagt, dann tu's nicht. Wie gerne hätte ich gesagt, lass uns das Haus verkaufen, ich suche mir einen zweiten Job, egal was. Ich habe mich dafür gehasst, dir sagen zu müssen, du sollst durchhalten, die Zähne zusammenbeißen. Ich wusste, wie unglücklich du dabei warst. Und ich konnte es kaum mit ansehen.«

Mir schossen die Tränen in die Augen, als ich an diesen ersten Arbeitstag dachte. Einen der schlimmsten Tage meines Lebens. Verschwommen sah ich die Kinder über den Strand laufen. Sie spielten Fangen. Luke rannte schnell wie der Wind. Ella war ihm dicht auf den Fersen. Chase hinterher. Wie er sich mühte mitzuhalten. Und Caleb, unser süßer Caleb, der dastand, zögerlich ein paar Schritte machte und dann fröhlich lachte.

»So oft habe ich dich enttäuscht. Dich schlecht behandelt. Als ich dich überredet habe, in die Russlandabteilung zu wechseln. Als wir erfahren haben, dass wir Zwillinge erwarten. Ich war so darauf bedacht, die Familie zusammenzuhalten. Hatte solche Angst, sie würden mich zwingen, euch zu verlassen. Das war mir wichtiger, als für dich da zu sein. Und das tut mir leid. Aus ganzem Herzen.«

Ich sah zu, wie die Sonne als gleißender Feuerball verschwand.

Das flammende Rot und Orange verblasste zu zarten rosa und blauen Schlieren am Himmel.

»Ich mag den Menschen, der ich war, nicht. Aber ich will es wiedergutmachen. Ich will noch mal ganz von vorne anfangen und der Ehemann sein, der ich immer sein wollte. Der ich sein kann. Den du verdienst.«

Die Kinder rannten über den Strand, sorglos und ohne einen Gedanken an den Sonnenuntergang, unser Gespräch oder die schwerwiegenden Entscheidungen, die wir treffen mussten. Ihre hellen Schreie wehten, vermischt mit dem Meeresrauschen, zu uns herüber.

»Was willst du, Viv?«, fragte Matt.

Ich schaute ihn an und konnte sein Gesicht im Dämmerlicht kaum noch erkennen. »Einen Neuanfang.«

Er nickte. Wartete, dass ich fortfuhr.

»Ich möchte Zeit für die Kinder.«

»Und ich möchte, dass du sie bekommst. Wir kriegen das schon irgendwie hin.«

»Und keine Lügen mehr.«

Er schüttelte den Kopf. »Keine Lügen mehr.«

Ich malte Schlangenlinien in den Sand. »Gibt es sonst noch etwas, das ich wissen sollte? Etwas, das du mir noch verheimlichst?«

Wieder schüttelte er den Kopf, entschiedener diesmal. »Ich habe alle Karten auf den Tisch gelegt. Du weißt alles.«

Eine Weile waren wir still. Irgendwann machte er den Mund auf, als wollte er etwas sagen, und klappte ihn wieder zu. Ich spürte, wie er zögerte.

»Was ist?«

»Also …«

»Ja?«

»Also, wegen deinem Job. Du hast so hart gearbeitet, um da

hinzukommen, wo du jetzt bist. Und deine Arbeit ist so wichtig…« Er schüttelte ganz kurz den Kopf. »Das ist jetzt nicht der richtige Zeitpunkt. Ich will nur, dass du die richtige Entscheidung triffst. Eine, die dich glücklich macht.«

Dann drehte er sich zu mir um und sah mich an. Nahm meine Hände, stand auf und zog mich auf die Füße. Seine Worte hallten mir noch in den Ohren, und plötzlich schlich sich das altbekannte zwiespältige Gefühl hinterrücks wieder an. Sanft und doch energisch zog er mich an sich und legte mir die Hände um die Taille. Und ich dachte, in einem hat er jedenfalls recht. Das ist nicht der richtige Zeitpunkt, um darüber zu reden. Ich hatte noch ein ganzes Jahr Zeit, darüber nachzudenken. Seufzend legte ich die Arme um ihn.

»Weißt du noch, als wir das erste Mal miteinander getanzt haben?«, fragte er leise.

»Und wie ich das noch weiß«, flüsterte ich. Und war plötzlich wieder da. Auf der Tanzfläche. Mit ihm. Wir beide, wie wir uns im Takt der Musik bewegten, seine Hände auf meinen Hüften. Wie warm und glücklich und leicht mir da zumute gewesen war. Und wie schrecklich verliebt ich gewesen war. Umgeben von meinen liebsten Menschen. Ein vertrautes Gesicht neben dem nächsten.

»Schau dich um«, hatte ich gesagt und mich gerade weit genug von ihm gelöst, um ihn anzusehen. »Ist das nicht wunderbar? Alle unsere Lieben sind hier. Meine Familie, deine Familie. Unsere Freunde. Wann wird das noch mal so sein?«

Er hatte sich nicht umgesehen. Hatte mir nur tief in die Augen geschaut.

»Schau dich um«, hatte ich wiederholt.

Und er hatte es wieder nicht getan. »Du und ich«, hatte er gesagt. »Mehr sehe ich nicht. Alles andere ist egal. Nur du und ich.«

Und ich hatte ihn angestarrt, verwirrt, weil er so eindringlich geklungen hatte. Und er hatte mich noch fester an sich gezogen, und ich hatte den Kopf an seine Brust gelegt und war froh gewesen, diesem Blick nicht länger standhalten zu müssen.

»Das Versprechen, das ich dir eben gegeben habe – ich habe jedes Wort davon so gemeint«, hatte er dann gesagt. »Was auch immer in Zukunft passieren mag, das darfst du nie vergessen. Wenn mal ... schwere Zeiten kommen ... denk immer daran. Alles für uns. Alles, was ich tue, bis ans Ende meines Lebens, ist nur für uns.«

»Vergesse ich bestimmt nicht. Versprochen«, hatte ich gemurmelt. Ganz sicher würde ich diese eindringlichen Worte nie vergessen. Und zugleich hatte ich mich gefragt, ob ich sie wohl je verstehen würde.

Und so wiegten wir uns zur Musik der Wellen am Strand, und ich legte wieder den Kopf an seine Brust, wie damals, so viele Jahre zuvor. Spürte seine Wärme, hörte seinen Herzschlag. »Ich habe es nicht vergessen«, flüsterte ich.

»Alles, was ich getan habe, habe ich für uns getan«, raunte er. »Für unsere Familie.«

Ich drehte den Kopf zur Seite, um nach unseren Kindern zu schauen, die jetzt kaum mehr als Schatten waren vor dem sich verdunkelnden Himmel. »Ich genauso.« Und ich zog ihn fester an mich. »Ich genauso.«

»Ich komme wieder«, sage ich.

Die Worte klingen richtig. Die Entscheidung klingt richtig.

Denn wenn ich ganz ehrlich bin, hat es mir gefehlt. Mir hat der Kitzel gefehlt, neue Geheimdienstberichte zu lesen. Die Aufregung. Das kribbelige Gefühl, kurz vor einem bedeutenden Durchbruch zu stehen. Jeden Augenblick das letzte entscheidende Teil eines Puzzles entdecken zu können. Zum Wohl meines Landes.

Und ja, ich habe wirklich hart gearbeitet, um dahin zu kommen, wo ich jetzt bin. Die Arbeit gehört zu mir. Sie ist Teil meiner Identität. Teil dessen, was mich ausmacht. Wer ich bin.

»Habe schon angefangen, mir Sorgen zu machen«, meint Omar grinsend. Man sieht ihm die Erleichterung an. »Sie wollen dir eine höhere Geheimhaltungsstufe geben. Wir beide werden zusammen noch viel bewegen. Wir können einen eigenen Black Channel einrichten, Informationen zwischen unseren Behörden auf kürzestem Weg austauschen, die ganzen verschlüsselten Daten einsehen. Wir können wirklich was erreichen.«

Genau das habe ich doch gewollt, oder nicht? Immer schon. Seit ich für die CIA arbeite. Aber die erwartete Vorfreude will sich nicht einstellen. Die Aufregung. Irgendwie fühle ich überhaupt nichts.

»Auch wenn ich inzwischen stellvertretender Direktor bin, mein Herz wird immer der Russlandabteilung gehören.«

Ich nicke. Ein ungutes Gefühl beschleicht mich. Habe ich mich wirklich richtig entschieden? Noch ist es nicht zu spät.

»Außerdem schuldest du mir was.« Wie er das sagt, mit einem Lächeln, das die Augen nicht ganz erreicht, bin ich mir nicht sicher, ob es wirklich nur ein Scherz sein soll. Denn es ist ja tatsächlich so, dass ich tief in seiner Schuld stehe. Wie oft hat er sich schützend vor mich gestellt, für mich Regeln gebrochen, mir streng geheime Informationen weitergegeben. Wenn er nicht wäre, säße ich jetzt im Gefängnis. Und Matt genauso.

Verlegen schweigend sitzen wir da, dann legt er den Kopf schief und schaut mich lange an. »Bist du dir ganz sicher, dass du das wirklich willst, Vivian?«

Unwillkürlich denke ich an die Kinder. Und versuche, den Gedanken beiseitezuschieben.

Vor einem Jahr hätte ich noch nein gesagt. Aber je mehr

Zeit vergangen ist, desto sicherer wurde ich mir. Ich habe gute Gründe für meine Entscheidung. Es ist richtig so.

»Ganz sicher.«

Ich schließe die Tür hinter Omar und bleibe einen Moment reglos stehen. Eine seltsame Traurigkeit hat mich erfasst. Ein unbestimmtes Gefühl von Reue. Was irgendwie keinen Sinn ergibt. Schließlich habe ich genügend Zeit gehabt, diese Entscheidung gründlich zu überdenken.

Ich höre Matt hereinkommen, drehe mich aber nicht um. Er tritt hinter mich und legt die Arme um meine Taille. »Und?«, fragt er. »Hast du dich entschieden?«

Ich nicke. Da ist noch immer ein kleiner Zweifel. Das Gefühl, mich womöglich doch falsch entschieden zu haben. Aber er hat mich, als wir das letzte Mal darüber geredet haben, schon vorgewarnt, dass es sich seltsam anfühlen könnte. »Ich will zurück.«

Er legt den Kopf in die Kuhle zwischen meinem Hals und der Schulter. Die Stelle, an der ich immer eine wohlige Gänsehaut bekomme. Und ich merke, wie er lächelt. »Ich glaube, das war die richtige Entscheidung.«

EPILOG

Omar geht, das Meer zu seiner Linken, über das Steilufer zum Helikopter, der auf einem öden Streifen Kies mit ein paar mickrigen Grasbüscheln wartet. Im Laufen zieht er ein Handy aus der Tasche. Drückt einen Knopf, hält es sich ans Ohr.

»*Sdrastwujte*«, sagt er zur Begrüßung. Und hört dann zu.

»*Da*«, brummt er im Gehen. Wieder eine Pause, dann wechselt er ins Englische. »Sie kommt zurück. Ich kümmere mich um alles.« Er wartet die Antwort ab. »In ein paar Monaten vermutlich. Aber das Warten lohnt sich.«

Kurz wirft er einen Blick über die Schulter. Wie um sich zu vergewissern, dass niemand hinter ihm ist.

»Ich werde sehen, was ich tun kann«, murmelt er. Und dann: »Was lange währt …« Ein Lächeln umspielt seine Mundwinkel. »*Do swidanja.*«

Nun nimmt er das Handy vom Ohr, unterbricht die Verbindung. Er ist fast am Hubschrauber, und der Pilot startet den Rotor, der sich zu drehen beginnt, langsam zuerst und dann immer schneller, bis aus dem anfänglichen Surren ein ohrenbetäubendes *Wumm-wumm-wumm* wird.

Im Gehen schleudert Omar das Handy über die Klippe hinunter ins Meer. Die letzten Schritte joggt er, bis er am Helikopter ist und sich lässig hineinschwingt. Der Hubschrauber hebt ab und steigt steil in den Himmel.

Von oben sieht er zu, wie sie zum Meer abschwenken und einen Bogen fliegen. Sieht den kleinen Strand, Vivian und die vier Kinder. Einen ihrer Zwillingssöhne hat sie auf dem Arm. Sie neigt den Kopf über seinen und weist mit dem Finger auf den Hubschrauber am Himmel. Die anderen drei haben ihr Spiel unterbrochen und drängen sich um sie. Gemeinsam schauen sie dem Helikopter hinterher.

Er sieht das Haus, den kleinen Kasten mit dem steilen Dach. Matt auf der Veranda. Wie er, die Arme auf das Geländer gestützt, das Hemd im Wind gebauscht, den Helikopter beobachtet.

Matt lässt ihn nicht aus den Augen. Der Hubschrauber kommt näher, das Dröhnen der Rotoren wird lauter, mit ohrenbetäubendem Lärm fliegt er am Haus vorbei. Und Matt könnte schwören, dass er Omar gesehen hat. Dass sie einander für einen Sekundenbruchteil in die Augen gesehen haben.

Mit dem Blick folgt er dem Helikopter auf dem Weg die Küste entlang. Allmählich verhallt das Rotorengeräusch, bis nur noch sachtes Wellenrauschen zu hören und alles wie immer ist. Ein Lächeln schleicht sich auf seine Lippen. Nicht das entwaffnende, offene Lächeln, das seine Familie kennt. Nein, ein ganz anderes. Wenn das jemand sähe, er müsste ihn für einen Wildfremden halten.

Er sieht dem Hubschrauber hinterher, bis er in der Ferne verschwunden ist. Und dann flüstert er, leise, als sei es ein Geheimnis: »*Do swidanja.*«

DANK

Sie haben das Ganze überhaupt erst möglich gemacht: David Gernert, der half, aus dem ursprünglichen Manuskript das nun vorliegende Buch zu entwickeln, und die gesamte Mannschaft der Robert Gernert Company, allen voran Ann Worrall, Ellen Coughtrey, Rebecca Gardner, Will Roberts, Libby McGuire und Jack Gernert.

Mein aufrichtiger Dank gilt der brillanten und so unglaublich freundlichen Kate Miciak und ihren Kollegen bei Ballantine, darunter Kelly Chian und Julia Maguire, die das Buch um so vieles besser gemacht haben. Ich schätze mich glücklich, mit Kim Hovey, Susan Corcoran und Michelle Jasmine zusammenarbeiten zu können, und Gina Centrello und Kara Welsh, die meine Träume haben wahr werden lassen, bin ich unendlich dankbar.

Dank gilt auch Sylvie Rabineau, die sich um die Filmrechte kümmert, sowie allen ausländischen Verlegern des Buches, insbesondere Sarah Adams bei Transworld, die mir schon früh wertvolle Hinweise gegeben hat.

Ein großes Danke geht an meine Familie, vor allem an meine Mutter dafür, dass sie an mich glaubt, an Kristin für Tipps und Ideen, an Dave für seine Unterstützung und an meinen Vater für seine Begeisterung.

Vor allen anderen aber danke ich meinen Jungs: Bis zum Mond und wieder zurück hab ich euch lieb. Und meinem Mann: Ja zu sagen war die beste Entscheidung meines Lebens.